OS MARW HON . . .

# OS MARW HON . . .

Aled Islwyn

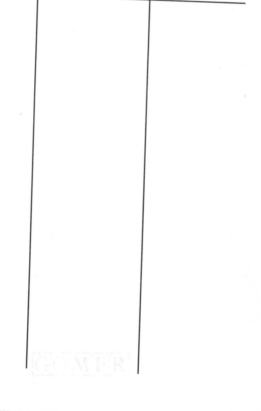

*Argraffiad Cyntaf—1990*

ISBN 0 86383 616 X

ⓟ Aled Islwyn

*Dymuna'r cyhoeddwyr gydnabod cymorth a chyfarwyddyd Adrannau'r Cyngor Llyfrau Cymraeg a noddir gan Gyngor Celfyddydau Cymru.*

*Argraffwyd gan*
*J. D. Lewis a'i Feibion Cyf., Gwasg Gomer, Llandysul, Dyfed.*

Er cof am
bob bardd na ddaeth yn ôl
(am ba bynnag reswm)

Cwblhawyd y nofel hon gyda chymorth Ysgoloriaeth i Awduron gan Gyngor Celfyddydau Cymru, a alluogodd yr awdur i ysgrifennu'n llawn amser am chwe mis. Dymuna'r awdur gofnodi ei ddiolch i Gyngor y Celfyddydau a hefyd i S4C am bob rhwyddineb yn ystod yr amser amheuthun hwn.

Afraid dweud mai dychmygol yw holl gymeriadau'r nofel hon.

# Y Ddamcaniaeth Gyntaf:
# DAMWAIN

## 1. 1   coron a bwledi

Y prynhawn Mawrth yr enillodd Lleucu'i choron oedd yr union brynhawn Mawrth y saethodd Dafydd rywun am y tro cyntaf. Cofiai'r diwrnod yn dda. Ei chwaer ym Mhafiliwn yr Eisteddfod ac yntau mewn fflat yn Fulham.

Ni fu farw'r dyn. Y dyn a saethodd. Ni fu ei fywyd mewn perygl, hyd yn oed. Amddifadwyd ef o'r wefr o wegian rhwng dau fyd. Ni chlywyd ond y nesaf peth i ddim am y digwyddiad mewn papurau newydd. Ni fu'r clwyfo yn rhan o'r un warchae ddramatig. Na'r un helfa gyffrous mewn cerbydau cyflym. Na hyd yn oed ar draed. Cyrch trefnus ydoedd. Canlyniad ymchwil-iadau manwl gan yr Uned. Bu'n ddydd o brysur bwyso i fintai o ladron—rhai arfog, proffesiynol ac anadnabyddus. Doedd dim perygl i'r dihirod hyn droi'n ddihareb i werin gwlad. Ni chafodd neb ei ladd ganddynt. Ni chafodd neb ei ladd wrth eu rhwydo.

Aed â'r dyn y rhoes Dafydd fwled yn ei ysgwydd i'r ysbyty. Yn ddiweddarach aed ag ef i'r carchar ar Ynys Wyth am wyth mlynedd. Diau fod ganddo graith ac roedd yn dal yn gaeth. Aethai gyrfa Dafydd o nerth i nerth. Roedd Lleucu yn ei bedd.

Pan ledaenodd y newyddion am lwyddiant ei chwaer ymysg ei fêts yn yr Uned, tynnwyd ei goes yn ddidrugaredd. *Taff's sister's a poet and none of us knew it.* Rhai gwreiddiol, agos i'r marc, oedd ei gyd-weithwyr, meddyliodd.

Dirmygus oedd ei wên y diwrnod hwnnw wrth yrru a chofio. Cofio a gyrru. Gyrru'n ôl i Gymru a chofio'n ôl ymhellach.

Yn ôl at Dafydd yn ei gawell. Dymi yn ei geg a chlwt am ei ganol.

Oedd, roedd arno angen cof da yn ei waith. Ond cof dethol, hefyd. Fiw i ddim byd darfu ar y drefn.

Heb os, roedd yr enw Dafydd yn drafferthus. Nid oedd hyd yn oed Liz yn gallu ei ynganu'n iawn. Daffid fu e iddi hi ar y dechrau. Daffith pan fuasai'n gwneud ei gorau glas.

Aaron, bellach. Ei ail enw. O enau ei wraig gyntaf.

Dafydd Aaron Skinner.


## 1. 2   cerdyn post

Golygfa o San Mabyn, Cernyw ac ar y cefn, yn y llawysgrifen honno oedd bob amser yn edrych yn gain a chyhoeddus, y geiriau hyn:

'Rwy'n dawel iawn fy ysbryd yma. Rhag ofn y bydda i farw'n ddisymwth, cofia 'mod i'n dy garu. Dy hen chwaer annwyl, Lleucu.'

Dal i ddyfalu wnâi Dafydd beth allai ystyr peth felly fod. Geiriau mor ddramatig ar gefn cerdyn post mor gyffredin.

Cyfieithodd hwy i'w wraig.

*'Typical of Clickey!'* oedd unig ymateb honno.

Mynnodd y ddau blentyn gael taro golwg fanwl ar y llun, er bod eu mam yn eu siarsio i frysio dros eu brecwast gan eu bod ill dau eisoes yn hwyr i'r ysgol.

Aunty Crickey oedd Lleucu iddynt hwy. Swniai Crickey yn fwy o sbort na Clickey ymdrechgar eu mam.

Wrth i Dafydd yrru tua'r gorllewin ar hyd yr M4, pwysai'r cerdyn y tu cefn i'w waled ym mhoced frest ei siaced. Ar y bore y cyrhaeddodd o Gernyw, gadawsai Dafydd ef ar ben yr oergell gan ruthro o'r tŷ cyn y plant.

## 1. 3   te a rhosmari

'Rown i'n gw'bod y doech chi,' ebe Morfudd wrth agor y drws a chanfod Dafydd yn sefyll yno. 'Dewch i mewn.'

Camodd yntau dros y rhiniog. Safodd ei gorff sylweddol yn stond am ennyd. Llonyddodd y wraig hithau mewn cydymffurfiaeth, ei llaw ar ddolen ddu'r drws ar y dde, heb symud gewyn i'w throi.

'Beth ŷch chi'n ei feddwl?' gofynnodd y dyn.

'Yn yr angladd,' prysurodd Morfudd i'w ateb. 'Dyna'r unig dro i mi gwrdd â chi cyn heddi, er 'mod i wedi clywed llawer o sôn amdanoch chi. Ond byth ers y diwrnod athrist hwnnw rown i'n gw'bod y byddech chi'n wahanol. Ditectif, neu beth bynnag ŷch chi. Aelod o'r gwasanaeth cudd. Y gangstyr gwladwriaethol fel ag ŷch chi. Roedd ysgwyd llaw â chi, cymryd un edrychiad i fyw'ch llygaid yn ddigon imi w'bod na fyddech chi mor hawdd eich twyllo. Fydde 'na ddim troi clust fyddar i chi. Dim llygad dall. Dim twrio gydag un llaw y tu ôl i'ch cefn. Ydw i ddim yn iawn, dwedwch? Chi oedd y brawd rown i wedi clywed cymaint o sôn amdano a hawdd oedd dirnad y byddech chi'n wahanol.'

'Gwahanol i bwy, Mrs Price?'

'Gwahanol i'r gweddill, siŵr iawn, Aaron. Does arna i ofn yn y byd eich galw wrth eich enw bedydd, gyda llaw. Peidiwch â disgwyl i mi'ch galw'n Mr Skinner. Wna i ddim.'

'Mae pob croeso ichi. Nid galw i fod yn anghyfeillgar wnes i.'

'Yna dewch i mewn. Beth yn y byd sy'n bod arna i yn pregethu wrthoch chi mâs fan hyn?'

A chan gydio'n ddramatig yng ngodre'r *kaftan* liwgar, troes llaw Morfudd Price yn ddwrn a phwysodd ar y ddolen i agor y drws. Arweiniodd ei gwestai i'w hystafell ffrynt, lle crogai dau gerflun cyfoes o'r nenfwd. Trwy lwc, roedd yr ystafell yn ddigon o faint i'w cwmpasu. Roedd soffa ar hyd un wal. Silffoedd llyfrau o'r nenfwd i'r llawr ar hyd un arall. Telyn fel alarch bren rhyngddynt, lle byddai'r lle tân mewn unrhyw ystafell gyffredin.

Wrth gamu ar hyd y carped moethus, gresynai Dafydd nad ysgydwodd y llwch yn fwy gofalus oddi ar ei esgidiau cyn dod i mewn. Llwch Llundain oedd yn sownd wrth ei sodlau. Tyndra gyrru'r draffordd ynghlwm yn ei gyhyrau.

Syllodd ar bob wal, o'r nenfwd i'r llawr. Oedd Lleucu yma? Oedd yma unrhyw rinwedd, rhagor na thrugareddau drudfawr gwraig ffuantus?

'Pam ddwetsoch chi na fyddwn i'n un hawdd fy nhwyllo?' gofynnodd.

'Am ei fod e'n wir,' oedd yr ateb hyderus. Ond yn yr eiliadau mud a ddilynodd, dechreuodd distawrwydd Dafydd gnewian yr hyder hwnnw. 'Nid fel y crwner a'r teulu,' ychwanegodd o'i chornel. 'Symo chi mor hawdd eich twyllo â nhw.'

'Twyllo?'

'Marwolaeth Lleucu! Dyna pam ddaethoch chi, yntefe? Am weld y fan lle des i o hyd iddi ar waelod y grisie, mâs fan 'co. Roen ni'n dau'n sefyll o fewn modfeddi i'r fan, ychydig eiliade'n ôl. Ishe gweld â'ch llygaid eich hunan y carped peryglus ar ben y stâr, lle credir iddi faglu. Fydd dim rhaid ichi wneud esgus o fod ishe mynd i'r tŷ bach er mwyn ei weld e trosoch eich hun . . .'

'Rwy'n meddwl eich bod chi'n camgymryd.'

'Os ydw i'n camgymryd yn fy amheuon, fe gewch chi eistedd. Dyw'r stafell 'ma ddim yn gyfarwydd â dynion mor dal â chi.'

Ar ei draed y byddai Dafydd hapusaf, ar ôl eistedd yn gaeth cyhyd yn ei gar, ond gallai weld fod yr amgylchiadau yn ei orfodi i feddalwch esthetig yr hen soffa.

'Fe fuoch chi'n dda i Lleucu,' meddai wrth eistedd. 'Dyna'r rheswm pennaf, efallai, pam 'mod i am ddod i'ch gweld. Fe ddwedodd ein mam wrthyf eich bod chi wedi bod yn dda. Ei chymryd hi tan eich adain fel 'na.'

'Fe lanwodd hi'r tŷ 'ma â'i thawelwch. Fe fuodd e mor wag mor hir. Byth ers marw Annwyl.'

'Eich gŵr?'

'Ie. Annwyl Price, y bardd. Ond fe alla i weld na chlywsoch chi eriôd sôn amdano fe. Annwyl, druan. Roedd Lleucu gymaint gwell bardd, 'chi'n gweld. Gwell o lawer. Ond rwy'n weddw bardd. All neb wadu hynny.'

'A minne'n frawd i un,' meddai Dafydd heb arlliw o fursendod y weddw. 'Neu o leiaf yn hanner brawd.'

'Hanner y wraig, Aaron. Dyna sy'n bwysig. O'r fam y daw cyfran helaethaf bywyd. Roech chi'n rhannu mam. Rhannu croth. Rhannu côl. Rhannu'r creu. Dyna fydda i bob amser yn ei ddweud.'

Llwyddodd Dafydd i gadw'r wên yn ei ymennydd rhag dangos ar ei wyneb. Ond roedd bod yn foesgar yn fwy fwy o dreth ar ei amynedd bob eiliad . . .

'Wyddoch chi eu bod nhw am gyhoeddi casgliad cyflawn o'i gwaith o'r diwedd? Mae Gwasg y Seren Fore wedi gofyn imi olygu cyfrol. Hen orchwyl i godi arswyd ar enaid gwan, ond fedrwn i ddim gwrthod am ddim yn y byd. *Y Goleuni Caredig* fydd y teitl, rwy'n meddwl. Odych chi'n ei hoffi fe? Mae'n ffasiynol rhoi rhyw ieithwedd dechnegol a chyfoes ar gyfrole o gerddi yn y blynyddoedd diwetha 'ma, on'd yw hi? Alla i ddim dweud 'mod i'n cymeradwyo. Beth oedd enw cyfrol y boi bach barfog 'na hefyd? O, ie! *Iaith Fy Nghyfrifiadur!* Glywsoch chi eriôd shwd beth? *Iaith Fy Nghyfrifiadur.* Wel! Fe ofala i na chaiff neb wneud dim byd fel 'na i Lleucu Llwyd. Hyfryd o henffasiwn oedd hi, yntefe?'

Ai'r ffaith ei bod hi'n cael ei chyfri'n fardd oedd yr unig beth a rôi bwys ar ei bod? Siawns nad oedd hi'n fwy na phatrwm o eiriau ar ddarnau o bapur, meddyliodd Dafydd.

'Roedd hi'n chwaer i mi.' Er bod yr ynganu'n gadarn, braidd yn amwys oedd ei bwrpas.

'Ac annwyl iawn oech chi yn ei golwg. Er bod arni hanner ofn a hanner cywilydd o'ch gwaith. Serch hynny, roedd 'na hanner arall yn falch, hyd yn oed o hynny. Roedd hi'n hoff o ddynion â phŵer . . . i'r gradde'i bod hi'n hoff o ddynion o gwbwl, hynny yw.'

'Glywsoch chi'ch hunan yn siarad erioed, Mrs Price? Fe fydde'n addysg i chi.'

Chwarddodd Morfudd Price yn annifyr, heb gymryd arni gael ei brifo o gwbl.

'Mae'n gas 'da fi ddim sy'n adlewyrchu realiti pobol. Dyna pam y bydda i bob amser yn teimlo mor flin dros actorion. Mewn

14

difri calon, does 'da'r creaduried ddim hawl bod yn ddim byd eu hunen. Yn ddim byd o bwys, ta beth. Adlewyrchu pobol eraill yw eu celfyddyd nhw. Maen nhw wedi aberthu'u realiti'u hunen er mwyn hynny. Gwaith pob celfyddyd yw adlewyrchu.

'Ein hunig obaith yw fod celfyddyd weithie'n garedig ac yn lliniaru tipyn ar ormodedd realiti. Odych chi ddim yn cytuno?'

Gwenodd Dafydd, gan wisgo siniciaeth ei ymennydd ar ei wep o'r diwedd. Ond gan nad oedd am ymddangos yn rhy angharedig, lledodd ei freichiau ar hyd braich a chefn y soffa, er mwyn cyfleu ei eangfrydedd.

'Pethe i'r labordy yw pob teclyn sy'n adlewyrchu realiti go iawn. Mae'r recordydd sain yn ddigydymdeimlad. A phob drych yn ddidostur. 'Drychwch . . .' A chododd ei breichiau'n ddramatig i'r pedwar cyfeiriad—'Dim drych!'

'Wn i fawr am gelfyddyd, Mrs Price. Ond rwy'n ceisio'r gwir. A'i adlewyrchu.'

'W! Rwy'n siŵr eich bod chi'n llwyddiannus iawn hefyd.' Dywedodd Morfudd hynny fel petai'n deyrnged wironeddol. 'A beth am weld y dystiolaeth, 'te? Fe wnaeth yr heddlu adroddiad llawn ar gyfer y cwest. Wel! Roech chi yno. 'Sdim ishe'ch atgoffa chi o hynny, o's e?'

Arweiniodd Dafydd allan drachefn i'r cyntedd. Eglurodd iddi gyrraedd yn ôl o dŷ'i pherthnasau yn gynt na'r disgwyl y dydd Llun hwnnw. Ni sylwodd ar y ffenestr yn deilchion yn y cefn wrth ddod i mewn y ffordd honno.

'Ond pan gerddes i trwy'r gegin a'r rŵm gefn rown i'n synhwyro fod rhywbeth o'i le. Fe waeddes i 'i henw hi: "Lleucu!" Fel 'na. "Lleucu, wyt ti yna?" Fel llinell o gân Fictorianaidd. Wrth gwrs, doedd dim ateb. Dim ond y naws. Ac roedd hi'n gorwedd fan'na.'

Gallai'r weddw weld fod y ferch ifanc yn farw.

'Gawsoch chi drwsio'ch carped? Ar y landin uwchben?'

'Mae croeso ichi weld trosoch eich hun, Aaron. Fe ddwedes i hynny gynne. Dewch!'

Dilynodd Dafydd yn ufudd. Ei 'sgidiau duon solet ar garped coch y grisiau. Gorffennai hwnnw'n ddigywilydd o sydyn ar ôl cyrraedd y llofft. Yn ei le ceid hen garped arall, llai pert, llai cysurus. A llai diogel, yn ôl y sôn.

'Pan ddaw'r llong i'r lan fe gaf i garped newydd fan hyn,' eglurodd Morfudd. 'Dwi ddim yn graig o arian ar waetha'r hyn maen nhw'n ei ddweud amdana i yn *Lol*.'

'*Lol*?'

15

Plygodd Dafydd i gael golwg iawn ar y carped brau heb oedi am ateb.

'Mae'n bosib iddi gymryd rhywbeth i'w helpu i gysgu. Roedd ganddi dabledi cysgu gafodd hi 'da'r doctor. Rown i'n ei hannog hi i beidio â chymryd un, os oedd modd, ond roedd hi wedi arfer â nhw yn ystod y cyfnod 'na dreuliodd hi yn yr ysbyty. 'Chi'n cofio fel roen nhw'n ceisio'i gwneud hi'n ddibynnol ar y lle . . .? Ond, na, wrth gwrs, fyddech chi ddim yn cofio. Ddaethoch chi ddim i'w gweld hi unwaith, do fe? Ta waeth! Ble o'n i, dwedwch?'

'Rwy'n gweld yn iawn ble'r ŷch chi, Mrs Price.'

''Sdim ishe defnyddio'r llais 'na 'da fi, Aaron. Ceisio egluro i chi mor hawdd fydde hi i rywun braidd yn swrth, yn y tywyllwch, yn y nos, faglu fan hyn ar y ffordd i'r tŷ bach ydw i.'

'Rwy'n gwerthfawrogi hynny.' Dewisodd ei hateb fel llyfr yn hytrach nag fel dyn. Bwriadai i'r oslef filitaraidd o ddiemosiwn bwysleisio'r oerni. Gallai yntau ddefnyddio iaith a llais i'w ddibenion ei hun. Fel actor. Fel bardd.

Ymwadodd â'r demtasiwn i ofyn a gâi e weld ystafell wely'i chwaer a'r tŷ bach. Byddai'r cais cyntaf yn rhy bersonol a'r llall yn rhy glinigol o ymchwilgar. Derbyn popeth y câi ei gynnig, heb ofyn am ddim yn ychwaneg. Dyna fyddai orau.

Paned o de oedd y cynnig nesaf. Derbyniodd.

'Cywilydd arna i i beidio â chynnig ynghynt,' ffysiodd Morfudd ar ben y landin. 'Chithe'n frawd i Lleucu a heb gael cynnig paned o de 'da fi. Ac ar ôl taith mor egr. Mae Llunden draw yn dal ymhell i borthmyn ar bob perwyl.'

'Cofiwch, rwy'n derbyn ar un amod yn unig,' meiriolodd Dafydd.

'A pha amod yw honno, Aaron?'

''Mod i'n cael dod gyda chi i'r gegin i barhau â'n sgwrs.'

'Rwy'n caniatáu'ch cais ar yr amod eich bod chithe'n eich tro yn cydnabod yr anrhydedd. Mae cael dilyn gwraig i'w chegin fel cael ei dilyn i'w chysegr sancteiddiolaf.'

Gwisgodd Dafydd wên i guddio'r cyfog.

I lawr â'r ddau dros y cochyn trwchus. Y wraig yn arwain ac yn cydio'n dynn yn y canllaw pren. Troesant wrth dalcen y grisiau ar y gwaelod a cherdded y lobi hir i'r gegin yng nghefn y tŷ.

Cerddai Morfudd yn araf, urddasol o'i flaen, fel petai'n rhoi cyfle bwriadol iddo astudio'i chefn. Ei hysgwyddau'n plygu fymryn, heb fod yn wargam. Y gwallt yn naturiol frith ond yn

16

annoeth o hir a hwnnw wedi'i godi'n belen ar y gwar. Digon twt i fod yn ddeniadol a digon anniben i fod yn artistig.

'Braf yw'r hen dai 'ma, yntefe?' meddai Dafydd. Bu'r wraig yn ei anwybyddu wrth iddi fwrw ati i baratoi'r te. Troes o'i gorchwylion i'w wynebu. Yn y goleuni a ddeuai trwy'r ffenestr lydan gallai'r dyn weld fod oedran Morfudd yn aeddfedrwydd pur ddeniadol yn ei llygaid ond yn flynyddoedd hagr ar ei gwddf.

'Ydy,' atebodd. 'Mae hwn yn dŷ braf. Rhy fawr a rhy wag am ormod lawer o flynyddoedd, wrth gwrs. Ond gan fod 'da fi'r modd i'w gynnal, ac Annwyl a fi wedi bod mor hapus 'ma dros y blynyddoedd byr o briodas gawson ni, roedd hi'n ymddangos yn biti i beidio panso 'da'r hen le. Ac wedyn, wrth gwrs, mae 'da fi lot o berthnase a ffrindie. A mae'n braf cael rhywle rhad i aros yng Nghaerdydd am ychydig ddyddie, on'd yw hi? Wel, mae e pan ŷch chi'n byw ym mherfeddion Ceredigion, medden nhw i mi.'

'Ac yna fe ddaeth Lleucu Llwyd i mewn i'ch bywyd,' ebe Dafydd.

'Fe glywes i beth oedd wedi digwydd iddi. Graddio mor ddisglair. Y cancr ysgeler yn gafael, ac yna'r argyfwng gwacter ystyr 'na'n arwain at iselder. Hyfryd o henffasiwn oedd hi hefyd yn diodde o argyfwng gwacter ystyr. Dyw hi ddim yn ffasiynol o gwbwl diodde o hwnnw erbyn heddi. Afiechyd sy bron â marw o'r tir. On'd yw Thatcheriaeth wedi gwneud yn siŵr o hynny? Mae cystadleuaeth wastad yn llenwi gwagle. Dyna fydda i bob amser yn ei ddweud. Dyna pam yr anoges i hi i gystadlu am y Goron. Rhoi rhywbeth iddi'i wneud dros fisoedd y gaeaf. Ac er 'mod i'n dweud 'yn hunan, fe fues i o help mawr iddi ddod dros yr hen bwl 'na.'

'Aethoch chi i'w gweld hi'n aml yn yr ysbyty seiciatrig yn ystod yr ychydig ddyddie 'na y buodd hi i mewn. Dyna ddwedodd Mam,' porthodd Dafydd.

'Twt! Roedd e'n bleser. Rown i wedi mwynhau'i gwaith hi gymaint. A phan glywes i 'i bod hi yn yr ysbyty, a hynny jest lan yr hewl o lle rwy'n byw, rhaid oedd trial galw i holi amdani.'

'Rwy'n gwerthfawrogi, 'chi'n gw'bod. Er eich bod chi'n meddwl 'mod i'n tynnu'n groes. Fe gafodd Lleucu ddwy flynedd hapus yma . . . yn ôl y sôn. Yn y tŷ hwn.'

'Fe ysbrydoles i beth o'i gwaith gore hi, rwy'n meddwl. Wel! Fe gewch chi weld pan ddaw'r gyfrol mâs.'

Oedodd Morfudd am ymateb ond gan nad oedd un ar ddyfod estynnodd am lestr a lochesai ar y fainc ar ddeheulaw Dafydd.

17

Synnai hwnnw at y gegin helaeth, gyfoes. Roedd hi'n ymarferol a chynhwysfawr ac o'r herwydd yn gwbl wahanol ei naws i'r ystafell arall a'r hyn a welodd o'r llofft.

'Anodd cadw anghenfil o dŷ fel hwn yn lân, wrth gwrs,' torrodd ei berchennog ar y tawelwch. 'Dyna lle'r oedd Lleucu mor ddefnyddiol. Doedd gwaith tŷ ddim yn fwrn arni o gwbl. Rheswm arall henffasiwn nad yw'r ffeministied wedi tynnu ati o gwbwl, er gwaetha'i champe awenyddol. Nawr ei bod hi wedi marw maen nhw'n dechre dangos diddordeb, ond peidiwch â gofidio, chân nhw mo'u dwylo arni. Rwy wedi rhybuddio Gwasg y Seren Fore 'mod i i gael llais mewn unrhyw astudiaeth neu lyfr arni . . . Gyda bendith eich mam, yn naturiol.'

'Gyda bendith Mam?'

'Shwt mae hi, gyda llaw? Ar eich ffordd ati hi rŷch chi nawr, ife?'

'Na. Nid i aros. Rwy'n bwriadu galw arni 'fory, ond mewn gwesty rwy'n aros heno. Yma yng Nghaerdydd.'

'Rŷch chi'n ddyn gwesty, Aaron, fe alla i weld.'

'Dwi ddim am roi trafferth iddi.'

'Na. Debyg iawn.'

'Fydd hi byth yn peidio â sôn amdanoch chi. Eich canmol am fod yn gymaint o les i Lleucu.'

'Fe gadwoch chi'ch Cymraeg yn rhyfeddol, Aaron. Bydde Lleucu bob amser yn fy sicrhau na wnaech chi golli'ch Cymraeg. Roedd hi'n arfer dweud mai ceidwadwr oech chi a bod cadw trysore'n dod yn ddigon naturiol i geidwadwyr. Sosialwyr, medde hi, sy'n llawn cymhlethdode pan fo'n fater o etifeddiaeth.'

Gwenodd Dafydd yn gyfrwys.

'Cof da sy 'da fi, dyna i gyd.'

Symudodd wrth siarad tra codai stêm berwedig o big y tegell at ei benelin. Daeth Morfudd i'r adwy i arllwys y dŵr ar ben y dail te yn y tebot.

'Gresyn na fydde mwy o rai tebyg i chi yr ochor yma i Glawdd Offa.'

'Prin eich bod chi'n disgwyl i mi'ch credu chi, Mrs Price.'

'Ie, prin. Ond fe fydde Lleucu wrth ei bodd o feddwl eich bod chi ar ei thrywydd hi.'

'Fydde hi? Ar ei thrywydd hi ym mha ffordd? Mae'n gas gen i ensyniade, Mrs Price, yn enwedig gan wraig fel chi sy'n gallu siarad yn blaen heb drafferth yn y byd pan fyddwch chi ishe.'

'Siwgwr?'

'Sori?'

'Yn y te 'ma?'

'O! Na. Dim diolch.'

'Dyna chi, 'te. Cym'rwch y baned 'ma. Dewch trwodd i'r heulfa. Ŷch chi'n ei hoffi e, y gair? Heulfa? Lleucu fathodd e. Term am *sun lounge*. Cyfuniad o haul a lolfa . . . Hyfryd on'd yw e?'

Ystafell fechan yng nghefn eithaf y tŷ oedd yr heulfa. Cwtsh glo a thŷ bach allanol wedi'u bwrw ynghyd yn allor wydrog i dduw nad oedd bron byth yn galw heibio.

Moethusrwydd oedd tanbeidrwydd haul. Bonws oedd gwrid ar groen. Un o ofynion glanweithdra oedd fod y chwys yn llifo. A rhaid oedd iddo lifo.

Llithrodd ei gorff i gadair wiail. Ei bwysau'n prepian ar y pren hyblyg. Llwyddodd i'w wneud ei hun yn gysurus heb sarnu dim o'r te. O'i flaen roedd mymryn o lawnt wedi'i hamgylchynu â thair wal gerrig. Roedd yno ddrws yn arwain i'r lôn a redai ar hyd cefnau'r tai. Tai dinesig wedi'u codi i ateb gofynion yr oes o'r blaen. Tai a gymhwyswyd. Gallai Dafydd weld y byddai ei chwaer wedi bod yn hapus yma. Os gwir y sôn.

'Ai yma'r oedd hi'n 'sgrifennu?'

'Weithie,' atebodd y wraig. Am y tro cyntaf oddi ar i Dafydd gyrraedd, roedd hithau wedi eistedd yn ei gwmni. Teimlai fod gan Dafydd fwy o hawl i fod yma yn yr heulfa nag yn yr ystafell ffrynt. Ystafell i natur oedd yr heulfa yn ei golwg. Natur wâr, mae'n wir, ond roedd hynny'n gweddu'n well i'r gŵr ifanc cydnerth yma na naws gudd, gelfyddydol yr ystafell arall.

Roedd hi'n haws dygymod â'r ffaith ei fod e'n ddyn ac yntau yn ymyl yr ardd.

'Weithie byddai'n dod yma â phad ysgrifennu yn ei chôl, ond rwy'n meddwl mai'r stydi lan llofft oedd ore ganddi. Ar wahân i ddiwrnode glawog, glawog yn yr haf. Bryd hynny, bydde hi'n dod fan hyn. Ei thra'd lan ar y gader. A'r glaw o'i chwmpas.'

'Oer yma yn y gaeaf, dybiwn i,' awgrymodd Dafydd. 'Yr holl wydr 'ma'n ddrafftiog.'

'Y cwarel 'co oedd yn deilchion, wyddoch chi, y prynhawn Llun hwnnw pan ddes i'n ôl.'

'Ddwetsoch chi hyn wrth yr heddlu?'

Wrth holi, cododd Dafydd a chamu draw at y ffenestr y cyfeiriodd Morfudd ati. Byseddodd y gwydr newydd â'i law wag.

'Wrth gwrs. Fe gawson nhw weld y cwbwl. Bricsen ar y gader

'na lle'r ŷch chi'n eistedd. Gwydr ym mhobman. Rhyw gryts wedi'i thaflu oedd y ddamcaniaeth. O'r lôn gefn.'

'Nid lladron?'

'Pwy all ddweud? Pwy a ŵyr? Falle taw clywed sŵn wnaeth hi. Yn ôl y patholegydd, rywbryd rhwng dau a chwech y bore y bu hi farw.'

'Orie mân y bore Llun hwnnw?' manylodd Dafydd. 'Achos os cofia i'n iawn, roech chi wedi bod i ffwrdd am y penwythnos cyfan.'

'Dyna chi. Orie mân y bore. Yn y nos. Mae'n hawdd iawn gweld yr olygfa, on'd yw hi? Cael ei dihuno gan sŵn. Codi i weld. Dal i hanner cysgu wrth gamu at y landin. Diodde pwl o bendro. Baglu ar y carped peryglus. Ac, wrth gwrs, yr ofn a'r gofid meddwl o dybio fod rhywun wedi torri i mewn ar ben y cwbwl.'

'Rŷch chi'n gwneud iddo swnio'n rhesymol iawn. Yn wir, bydde fe'n sen ar eich disgrifiad chi petai hi heb syrthio i lawr y grisie yn wyneb yr holl ffactore yna.'

'Fe allwn i ddweud yn syth, y funud y gweles i hi, mai wedi torri'i gwddwg yr oedd hi.'

'Rŷch chi'n od o ddideimlad wrth drafod y pethe hyn, Mrs Price,' meddai Dafydd, gan droi ei olygon yn ôl at y wraig.

'Ŷch chi'n meddwl? O, peidiwch â 'nghamddeall i. Rwy wedi cael wythnose i ddygymod â'r profiad. Rhoi trefn arno a'i roi yn ei briod le. Fiw i mi adael i emosiwn lywodraethu fy lleferydd. Yn enwedig gyda dyn fel chi. Rwy'n berson llawer rhy sensitif. Os na lwydda i i ffrwyno fy emosiwn fe ddirywia i'n ddim. Mae'n bwysig bod y meddwl a'r cof, a hyd yn oed y synhwyre . . . yr holl bethe sy'n rhoi i ni ein "nawr" . . . Mae'n bwysig eu bod nhw i gyd mor rhydd â phosib o bob huale. Ŷch chi ddim yn cytuno? Emosiwn yw'r hual anoddaf i'w ddiosg falle, yn enwedig un mor daer â galar, ond mae wedi canu arnon ni os na lwyddwn ni. Mi fyddwch chi'n gw'bod hynny o'ch gwaith. Ond ar ddiwedd y dydd rŷn ni'n dal yn gaeth i'n greddfe. Haws o lawer dod yn rhydd o emosiyne. Fel amser a balchder a'r byd go iawn.'

'Ydy'r rheini ddim yn absoliwt, dwedwch? Yr amser a'r byd real, beth bynnag?' Cofiai Dafydd am y diffyg drychau wrth ofyn. Oedd hi hefyd yn byw heb gloc?

'Ni sy'n eu mesur nhw. Mae 'da fi ddrych yn yr ystafell wely ond nid yn yr ystafelloedd byw. Mae 'da fi gloc yn y gegin er mwyn gwneud yn siŵr nad ydw i'n llosgi cacenne, ond does arna i fawr o angen un fel arall. Mae'n gas 'da fi bob caethiwed. Dyna pam y bydde'n gas 'da fi gael 'y nghloi yn un o'ch hen gelloedd chi.'

'Rŷch chi'n baldorddi unwaith eto, Mrs Price,' rhybuddiodd Dafydd gan aileistedd.

'Rwy'n siŵr y galle'ch technege holi chi fy nhorri i, Aaron. Ond yr un fydde'r gwir gelech chi â'r gwir rwy'n ei ddweud wrthoch chi nawr.'

'Sef?'

'Sef imi dorri 'nghalon pan golles i Lleucu.'

'Nid chi a'i gwnaeth hi'n fardd.'

'Nid y fi a'i gwnaeth hi'n fardd. Na.'

'Rwy'n ei chofio hi'n ferch fach.'

'Roedd hi'n frwydr barhaus iddi. Swildod. Ansicrwydd. Ofn cael ei gwrthod. Ofn methu,' meddai Morfudd. 'Anodd meddwl fod merch mor llwyr amddifad o gyfrwystra yn ferch i wleidydd.'

'Gwleidydd aflwyddiannus.' A gwenodd y dyn yn braf.

'Ie. Siŵr o fod. Tad aflwyddiannus yn sicr. Beth feddyliech chi ohono fe . . . ddim hyd yn oed yn dangos ei wyneb yn yr angladd?'

'Pan aeth e allan o fywyd Mam fe addawodd na ddôi e byth yn ôl . . . ddim hyd yn oed i ddangos wyneb.'

Nid oedd Morfudd Price wedi disgwyl eglurhad mor gadarn. Cododd ei haeliau'n awgrymog. Wedi'r cyfan, roedd hi'n brynhawn cynnes o Fai ac roedd ganddi gymaint i'w anghofio.

'Wel! Fe roddodd heibio'i sedd ar ôl yr holl helynt hwnnw ond anodd meddwl fod dyn yn gallu rhoi heibio'i gysylltiade teuluol gyda'r un trylwyredd,' meddai.

'O! Fe all dyn roi heibio'i fywyd ei hun gyda'r un trylwyredd pan fo raid,' ebe Dafydd. 'Rwy wedi'i weld e'n digwydd.'

'Arswydus meddwl fod einioes yn gallu dibynnu ar gymaint.'

'Ac ar gyn lleied.'

Eisteddai'r ddau fel dwy soned a ddisgwyliai gwpledi da i ddod o rywle i'w gorffen. Dim ond y waliau cerrig oedd yn orffenedig. Dim ond y gwydr oedd yn dryloyw. Canghennau oedd popeth arall. Y cadeiriau'n gnotiog. Y glaswellt angen ei dorri. A'r cwpanau gweigion angen eu golchi.

'Fydde hi byth yn sôn am ei thad,' ildiodd Morfudd i'r demtasiwn i dorri ar y tawelwch.

'Trwy lwc, roedd hi'n rhy ifanc i ddeall oblygiade'r sgandal pan ddigwyddodd. Ond anodd tynnu dyn oddi ar ei dylwyth. Dyna'r hen air, yntefe? Roedd hi'n ddigon hen i'w gofio fe, ond diddorol nad oedd hi byth yn ei grybwyll.'

'Teimladwy oedd hi.'

'Ond ar beth roedd hi'n byw, Mrs Price?'

Pigiad arall o du ei gwestai, tybiodd Morfudd.

'Rhagor o de?' oedd ei hymateb cyntaf.

Chwarae am amser, barnodd Dafydd.

'Dim diolch. Ches i fawr o flas ar y cyntaf.'

'O. Fe sylwoch? Dyw'ch tafod chi ddim heb ei rinwedde, wedi'r cwbwl. Te a rhosmari ynddo fe oedd y te ddefnyddies i. Mae e'n dda i'r nerfe.'

'Roedd e fel *gin*. Dwi ddim yn hoff o hwnnw chwaith. Rhy bersawrus.'

'Dim ond persawr rhad alle wynto fel *gin*, Aaron.'

'Neu flode.'

'Neu flode,' adleisiodd y weddw'n araf. 'Neu flode. Fe gytuna i â chi yn fan'na.'

'Felly ar beth roedd Lleucu'n byw?'

'Ar amser benthyg, mae'n ymddangos. Ar gael eistedd fan'na'n edrych ar dair wal a phorfa a chefne tai.' Synhwyrodd fod Dafydd yn colli'i amynedd a chododd ei llais fymryn mewn moment o banig. 'Ar ei liwt ei hunan, siŵr o fod. Roedd hi'n byw ar ei liwt ei hunan. Ar siawns. Ar atgofion. Ar lawer gormod o atgofion.'

'Ond yn faterol? Arian! *Cash*! Tocyns! Pres!'

Caeodd Morfudd ei llygaid fel y peilot sydd newydd weld y mynydd. Y gyrrwr sydd newydd weld y golau coch. Nid oedd y rhosmari wedi cael digon o amser i weithio.

'Fedre hi ddim gweithio, Aaron. Siawns na wyddech chi hynny. Byth ers iddi golli'i hiechyd. Bydde'r cyfrifoldebe wedi bod yn ormod iddi. Roedd hi'n talu am ei lle yma trwy'r ychydig waith tŷ roedd hi'n ei wneud.'

'Yr ychydig?'

'O'r gore! Y gwaith tŷ i gyd, 'te, os yw'n well 'da chi 'nghlywed i'n ei ddweud e. Hi oedd yn gwneud y gwaith i gyd. Ei diléit hi oedd cadw'r lle'n lân. Pam y dylwn i ei gwahardd hi? Chodes i eriôd ddime arni am ei bwyd.'

'Ei cherddi?'

'Swil oedd hi, Aaron. Fe gyhoeddodd fymryn. Daeth siec gyda'r goron. Fe fyddech yn gw'bod hynny petaech chi wedi trafferthu dod i'w gweld hi'n cael ei choroni.' Oedodd unwaith eto am ymateb ond parhau'n fud a wnâi Dafydd. 'Fe gafodd ambell gyfweliad ar y radio ond roedd hi'n anobeithiol— i'w gofynion nhw, hynny yw. Rhy ffwndrus a nerfus o'r hanner.

Rown i'n gallu dweud na châi hi lawer o gynigion o'r cyfeiriad hwnnw. Llai byth o fyd y teledu. Rhyfedd fel y mae rhai beirdd yn weledol dda. Doedd Lleucu ddim yn un o'r rheini.'

'Heb flodeuo'r oedd hi. Heb gymysgu digon gyda'i chenhedlaeth ei hunan. Heb weld fawr ar fywyd.'

'Neu weld gormod, Aaron. Blodeuo'n rhy gynnar.'

Mis Mai oedd hi a'r glaswellt o'u blaenau yn ferw o lygad y dydd.


## 1. 4   dagrau yn yr ardd

'Wnaeth e erioed mo'ch taro chi'n od?'

'Beth?' gofynnodd ei fam.

'Y ffordd y daeth y fenyw 'na'n ôl a darganfod Lleucu fel'na.'

Daliai hyd yn oed ei fam ac yntau i'w galw'n Lleucu. Ni synnai Dafydd gymaint ar ei gownt ei hun. Roedd wedi gorfod dysgu addasu oddi ar ei ddyddiau cynnar yn ei ysgol breswyl. Ond ei fam? Wyddai e ddim ai hi ynteu Jim oedd wedi dewis Lucy yn enw ar eu merch. Ond y ferch ei hun a newidiodd y ffurf yn ystod ei dyddiau coleg. Ac roedd Lleucu Llwyd yn jôc dda o enw i fardd difrifol.

Ond prin bod ei fam yn rhoi pwys ar ddim erbyn hyn. Ni châi ateb am sbel, gallai weld, am fod ei sylw i gyd ar y sgrîn.

'Fi bownd o weld diwedd hwn. *Serial* yw e a hon yw'r bennod olaf.'

'O! Wel! Fe gadwa i'r sgwrs tan y diwedd, 'te. Fynnwn i ddim i chi golli dim o bwys.'

'Dyna ti, fachgen,' sibrydodd hithau a chododd Dafydd gan gerdded heibio iddi.

Gwyddai nad oedd ganddo'r atebion i'r dirgelion oll. Yr oedd fel efydd yn tincial neu symbal yn taro. Ond heb y trydan angenrheidiol roedd ei gitâr yn fud a'i beiriant golchi'n ddiswigod.

Ac roedd Lucy hardd ei blentyndod wedi ei diffodd am byth. Y twba'n wag. Y goron yn addurn ynfyd heb gorun i'w chynnal.

Ni fu erioed ar gael pan ddigwyddai unrhyw beth o bwys. Doedd e erioed wedi bod yn dyst i'r munudau tyngedfennol. Pan fu'i dad farw. Pan dorrodd storm Jim Lloyd. Pan goronwyd Lleucu. Pan fu Lleucu farw. Doedd e ddim wrth law yn arffed y teulu ar yr adegau hynny. Yn lle hynny, ble'r oedd e? Yng nghynnwrf ei yrfa. Ar feysydd glas ei ysgol fonedd. Yn ddiogel yng nghôl y Sefydliad.

A hir a dygn y sugnodd o'r fron wrywaidd honno.

Cerddodd allan o fyngalo ei fam, i ddianc rhag sŵn y teledu yn y lolfa, gan wenu'n slei wrth feddwl amdano'i hun fel sigâr fach bitw yng ngenau cymdeithas. A'r Sefydliad yn carthu mwg trwyddo.

Gwyddai ers blynyddoedd ei fod wedi ei ddefnyddio. Ei fod yn ffag rhwng bys a bawd ei feistri. Ef a'i siort oedd y dail baco a ddefnyddid i gyrchu cancr cymdeithas i'r celloedd. Cyfrwng oedd e. Bôn braich a mymryn o freins, er mwyn cael cynnal cyfraith a threfn.

Mor hir fu'r meistri'n tynnu ar fôn ei fod. Sugno'r mwg i mewn. A hyrddio'r halogedig allan.

Fe'i prynwyd. Roedd e'n hapus. Oddi ar ei ddyddiau ysgol fe'i rholiwyd yn becyn deche. Gwefusau'r drefn wedi selio'i rôl mewn bywyd.

Nid y gwasanaeth diplomataidd oedd ei ffawd ef. Na'r Gwasanaeth Sifil. Na dim yn y Ddinas chwaith. Roedd ei dad wedi ei osod i chwarae'r gêm yn y gynghrair isaf. Gallai fforddio'r bêl ond nid y *kit* cyflawn.

Ei unig gysur fu ei freuddwydion.

Wrth gerdded i ben pellaf gardd ei fam, gallai weld fod llewyrch ar bopeth er na allai enwi'r blodau'n unigol. Rhaid bod y lle yn gysur iddi rhwng operâu sebon a sioeau cwis.

Ond y freuddwyd fawr fu Lleucu. Saesneg a siaradent pan oeddynt yn blant bach. A gafael sicrach ei chwaer ar hil eu mam yn cadw'r cysylltiad Celtaidd. Y cwlwm Celtaidd. (Digon gwir, meddyliodd. Roedd pob Celt a adnabu yn ei waith yn glymau i gyd. Rhaid fod rhywbeth yn y gwaed.) Merch Jim Lloyd oedd hi. Addysg y wladwriaeth gafodd hi. Magwrfa gartref gyda'r fam.

'Ddaethon nhw o hyd i'r llofrudd?' Gwaeddodd ei gwestiwn wrth weld ei fam yn taenu côt weu dros ei hysgwyddau ac yn dod tuag ato o ddrws y cefn.

'Do,' atebodd hithau. 'Rhaid iti fadde imi. Y teledu 'na yw un o'r ychydig blesere sy 'da fi ar ôl.'

'Dyw hynny ddim yn wir, ydy e, Mam? Roech chi'n arfer dweud mor hapus oech chi yma.'

'Wel!' Ac erbyn hyn roedd hi wedi ymuno â'i mab ym mhen pellaf yr ardd i esgus gwerthfawrogi'r ffiwsia. 'Wel! Fydda i byth yn gweld ishe'r fflat yn Llunden, 'ti'n gw'bod. Wyt ti'n cofio fel y byddet ti wrth dy fodd yno'n blentyn? Rwyt ti'n cofio'r lle, on'd wyt ti?'

'Wrth gwrs. Roedd yn llawer gwell 'da fi dreulio 'ngwylie yno na'n ôl yng Nghymru.'

'Ma' Llunden yn dy waed di. Fuodd e eriôd â'r fath afael arna i. Roedd yn rhaid inni gael lle yno tra oedd Jim yn y Tŷ, wrth gwrs. Ac fe wnes i fwynhau'r blynyddoedd hynny. Ond wedyn, rywsut, doedd dim yr un blas . . .'

Plygodd i dynnu mymryn o chwyn yr oedd newydd sylwi arno.

'Ti oedd i gael y cyfan, p'run bynnag, 'ti'n gw'bod,' ebe hi'n ddwys gan godi i'w llawn faint drachefn a gwasgu'r deiliach digywilydd i law Dafydd. 'Arian dy dad. Dyna sy yn ei ewyllys e. Mae e at 'y nefnydd i tra bydda i, ond wedyn ma'r buddsoddiade i gyd i ddod i ti. Fedra i ddim cyffwrdd ynddyn nhw. Dim ond byw oddi ar yr elw.'

'Rwy'n meddwl ichi sôn am hyn o'r blaen.'

'Rown i wedi darparu beth fedrwn i i Lleucu, wrth gwrs. Ond rwy eisoes wedi bod yn gweld 'y nghyfreithiwr i newid popeth.'

'Reit. Call iawn.'

'Shwt ma'r plant ddwedest ti?'

'Iawn. Llond eu crwyn,' atebodd Dafydd yn ddifeddwl.

'Un bach go dew oet tithe'n blentyn!' Ochneidiodd. Dilynodd Dafydd ei fam gan edrych am le cyfleus i daflu'r chwyn a gafodd eu gwasgu mor dynn i'w ddwrn.

'Dod oherwydd Lleucu wnes i,' meddai. Ni wyddai'n iawn beth i'w ddweud, ond roedd am blesio. Dyna sut y swniai ei lais wrth siarad.

'Gad i'r meirw fod, Dafydd bach. Thâl hi ddim i aflonyddu arnyn nhw.'

'Ydyn ni'n siŵr mai marw'n ddamweiniol wnaeth hi?'

'Paid ag atgyfodi hen amheuon.'

'Roedd yr hen wrach ffuantus 'na yng Nghaerdydd yn awgrymu rhywbeth.'

'Twt! Beth yw awgrym?'

'Peth peryglus iawn, ambell dro.'

'Ie. Hollol. Rwyt ti yn llygad dy le. Awgrym! Ensyniad! Pwt o wirionedd fan hyn! Arlliw o stori fan draw! A beth sy 'da ti chwap? Rhywbeth gwyrthiol y ma' pawb yn ei gredu. Dyna fel ma' ffydd yn dod i fod. A phen draw pob ffydd yw amheuaeth. A dyna pam ma' 'na waith yn y byd 'ma i bobol fel ti . . . Ac offeiriaid . . . A swynwyr o bob lliw.'

25

Chwarddodd Dafydd yn garedig wrth ddod at y bin a gollwng y dail tramgwyddus i'w grombil.

'Beth yw'ch barn chi am Morfudd Price 'te?'

'Sa i'n credu fod 'da fi farn.'

'Wnaethoch chi eriôd ei hame hi? Ei drwgdybio hi? Meddwl beth yw ei chymhellion hi?'

''Ti'n cadw dy Gymra'g yn syndod o dda, wyt wir, 'y machgen i! A styried mor anodd oedd hi i dy gael di i siarad gair cyn dy fod ti tua tair ar ddeg oed.'

'Roedd Lleucu'n fwy o un na fi am y Gymra'g.'

'Ti yw'r unig beth sy 'da fi nawr.' Cydiodd yn ei fraich yn annisgwyl gan wyro'i phen at ei fynwes. Nid llefen wnâi hi. Nid crio. Roedd hi'n fam i fardd a dim ond wylo wnâi'r tro. Wylo. Wylo. 'Ma'n flin 'da fi. Ond ma'r pethe 'ma'n dod drosta i weithie.'

Tynnodd Dafydd hances fudr o'i boced a'i hestyn i'w fam.

'Roedd Lucy'n rhy dda i mi,' mwmialodd gan rwbio'r cadach yn ei hwyneb. Cawsai Dafydd drafferth gyda phlygiau'r car ar ei ffordd o Gaerdydd i'r arfordir gorllewinol. Gwasgwyd yr olew i'w hances. Ôl ei ddwylo. Gwaith ei fysedd. Y nos a'r sêr. Y rhai a ordeiniwyd i dorri ar draws hwylustod taith.

Mor aml y bu hi'n fachlud o dan y boned. Y fagddu fecanyddol.

'Roedd hi'n rhy dda i mi,' ebe hi eilwaith.

'Peidiwch â dweud pethe fel'na, Mam. Dewch! Dewch i'r gegin i olchi'ch wyneb.'

Trosglwyddwyd lliw'r boen o groen y naill berson i'r llall. Fel gorfoledd poer mewn cusan.

Agorodd y tap i sinc y gegin a cheisiodd olchi'r staen oddi ar ei boch, cyn ei rwbio'n galed gyda'r lliain sychu dwylo.

'Ddylet ti fod wedi bod 'na,' meddai'n dawel wrth estyn y lliain sychu dwylo iddo i'w hongian yn ôl ar y bachyn. 'Y diwrnod hwnnw.'

Fe wyddai hynny'n barod. Onid oedd eisoes wedi pledio'n euog i hynny? Wedi cydnabod iddo'i hun taw dod wedi'r digwyddiad wnâi'r ditectif a'r bardd. Y naill i ganu a'r llall i gyhuddo.

Ill dau yn dod i'r llwyfan ar ôl y ddrama. Ar ôl y farwolaeth. Y *post mortem.* Y marwnadu.

Ond nid sôn am farwolaeth yr oedd Rhisgell Lloyd. (Prin iawn y cyfeiriai at farwolaeth ei merch. Prinnach y cyfeiriadau at farwolaeth ei gŵr cyntaf.)

'Roedd y pafiliwn dan ei sang, 'ti'n gw'bod. A'r utgyrn yn seinio a'r merched pert yn dawnsio.'

'Fe welais i'r fideo.'

'Ond y camera gore yw'r cof. Roedd bai arnat ti am beidio â bod yno. Fe allet ti fod wedi dod. Ti a Liz a'r plant. Roedd Lleucu'n meddwl y byd ohonot ti.'

'Oedd hi?' Gwyddai Dafydd fod yr holi'n llipa a'r cwestiwn yn ddiangen.

'O, oedd! Y byd! Ydy'n wyneb i'n lân nawr, dwêd? Fe ga i *wash* go iawn ar ôl paned bach o de.'

'Mae'r Morfudd Price 'na'n mynd i gasglu holl gerddi Lleucu, medde hi. Gyda'ch bendith chi.'

'Fi'n rhy hen i ymhél â phethe fel 'na'n hunan. A symo fi'n gw'bod digon am farddoniaeth. Gad iddi, Dafydd. Gad lonydd i bopeth. Paid â dechre twrio.'

*Gochel rhag turio yn y geiriau rhag ofn iti ddod o hyd i gerdd. Ymatal rhag aflonyddu ar y düwch rhag iti ddarganfod dirgelwch. Gwarchod rhag anturio yn y cnawd. Gresyn o beth fyddai iti faglu dros y corff.*

'Mae hi'n daer iawn, rwy'n meddwl,' meddai Dafydd gan geisio swnio'n ddidaro. 'Fe ysgrifennodd hi atoch chi, do fe?'

'Do. Rhyw ddwywaith neu dair gwrddes i â hi eriôd. Ma' hi'n fenyw ddigon neis. Roedd Lleucu'n hoffi byw yn ei thŷ hi. A pham ddim? Galle'r ddwy eistedd o gwmpas yn trafod barddoniaeth a llyfre a phethe. Neu'r ddau beth plastar od 'na ma' hi'n mynnu'u cael yn hofran yng nghanol y *lounge*. Wel! Dyw pawb ddim yr un fath, Dafydd. A doedd Lleucu ddim am ddod 'nôl ffordd hyn ar ôl bod yn sâl.'

'Rhy dawel iddi, siŵr o fod. Mae'n siŵr mai chi sy'n iawn.'

'Nawr, gad imi ddechre gwneud te.'

Efallai i enwogrwydd byrhoedlog ei merch fod yn embaras iddi, tybiodd Dafydd. Dros dro. Bu'n falchder, ond balchder heb ei arddangos yn iawn. Bu'n ofn hefyd. Agor hen greithiau. Oni chrybwyllid enw'i thad bob tro y cyfeirid at Lleucu a'i champ eisteddfodol? Ond o leiaf deuai'r bywgraffiad fodfeddi lawer o dan y goron.

Do, aethai pellter ei phlant yn rhan hanfodol o'r preifatrwydd a ddeisyfasai ac a gawsai Rhisgell Lloyd. Er dweud yn achlysurol y carai iddynt fyw yn nes, roedd eu pellter daearyddol yn gysur.

Nid unig mohoni. Ar ôl dau ŵr a dau o blant, peth i'w groes-awu oedd cael ei chorff a'r gofod o'i gwmpas iddi hi'i hun.

Gwytnwch oedd ei chynhaliaeth nawr. Gwytnwch a grym yr atgofion oddi mewn. Nid testun mân siarad oedd atgofion i

Rhisgell Lloyd, ond bron i sugno stori dda ohoni pan oedd y teledu wedi ei ddiffodd.

Dywedodd wrth ei mab am roi'i hances heibio.

## 1. 5    olion bysedd

Galwyd Dafydd o'r garej, lle'r oedd yn iro olwynion beic ei fab, at y ffôn. Nid oedd i wybod taw'r alwad hon oedd y ddolen nesaf yn y gadwyn Gymreig a'i tynnai'n ôl at Lleucu.

Ers deng niwrnod, gwaith yr Uned a gofalon y teulu fu'n llenwi'i amser. Nid ei fryd. Rhaid dweud y gwir. Gwibiai hwnnw'n ôl a blaen rhwng cyfrinachau plentyn ac amheuon oedolyn.

'Mr Aaron Skinner?' gofynnodd y llais. Yr ynganiad Saesneg ar ei enw bedydd ond acen yddfol ogleddol Gymreig ar y llais. Llais braidd yn finiog, efallai. Benywaidd, yn bendant.

'Hylô! *Speaking*!'

'O! 'Dach chi'n siarad Cymraeg yn tydach?'

'Ydw. Pwy sy 'na?'

'Fyddech chi ddim yn fy nabod i. Rhiannon Idris ydy'r enw. Rydw i wedi bod yn gwneud gwaith ymchwil ar eich diweddar chwaer. Yn anffodus mae gen i broblem fach ac roeddwn i'n gobeithio, ella, y gallach chi ei datrys.'

Distawrwydd. Ac roedd distawrwydd Dafydd yn gallu bod yn annifyr.

'Ie?'

'Wel! Meddwl ynglŷn â phwy biau'r hawlfraint ar ei gwaith ro'n i. Hynny ydy, y *copyright* . . .'

'Ie. Mi wn i beth yw hawlfraint, diolch yn fawr, Miss . . . beth oedd eich enw chi 'to?'

'Idris,' cloffodd y llais. 'Hynny ydy, Dr Rhiannon Idris. Dyna'n enw i. Mi ges i lythyr ddechra'r wythnos gan Wasg y Seren Fora yn deud na wnân nhw gyhoeddi cyfrol gen i sy gennyn nhw os na chytuna i i dynnu allan y bennod ar Lleucu Llwyd. Mae'n debyg eu bod nhw'n dilyn cyfarwyddiada Mrs Morfudd Price sy'n casglu gwaith eich chwaer ar eu cyfer nhw.'

'Diddorol iawn.' Cynhesodd Dafydd ati.

'Mi fydda i yn Llundan trwy'r wythnos nesa. Oes modd inni gyfarfod?'

Roedd hynny'n bosib, meddyliodd Dafydd. Roedd y syniad

hyd yn oed yn un deniadol. Enwodd dafarn gyfleus yn y *West End*. Nododd amser. Dewisodd ddiwrnod cyfleus iddo ef.

'Rydw i yn ei chofio hi,' ychwanegodd Rhiannon Idris. 'Yn y Coleg. Roeddwn i'n flin sobr am eich profedigaeth.'

Fe'i claddwyd ers deufis. Oedd pobl yn dal i gydymdeimlo? Wrth gwrs eu bod nhw'n dal i gydymdeimlo. Ac yn dal i balu'r pridd. Siawns nad oedd 'na saer yn rhywle yn dal i fesur yr arch.

Gorffennodd ei drefniadau a chychwynnodd yn ôl at ei fab, ond daeth Liz o rywle i gwyno fod olion ei fysedd yn olew ar hyd y derbynnydd.

Roedd am i'r gloch ganu eilwaith.

# 1. 6   dechrau gweddwdod

Ofn pennaf pob gwraig sydd yn briod â'i hail ŵr yw y bydd rywdro, yng ngwewyr yr eiliad, neu'n reddfol ddidaro, yn ei alw wrth enw'r gŵr cyntaf.

Daeth anffawd o'r fath i ran Brenda Lloyd. Yn ddifeddwl yr holodd: '*What time is it, Bernie?*'

Cyn cael amser i gnoi'i thafod roedd yr wg ar wyneb Jim yn gyfrolau o bwdu a digio. Ond ni ddywedodd ddim am sbel. Aeth hithau i'r gegin gefn i weld wyneb y cloc drosti hi'i hun.

'*It's fifteen years since you divorced the bastard. Hasn't it been long enough?*' gofynnodd iddi wrth sefyll yn y cyntedd yn gwisgo'i gôt —yr hen gôt siabi honno y bu hi'n ceisio'i gwaredu i ffair sborion y Sgowtiaid lleol ers blynyddoedd. (Am fisoedd i ddilyn, bu cyflwr y gôt yn ei phoeni.) Gadawodd yntau'r tŷ heb ddweud dim mwy.

Pum munud i un ar ddeg oedd yr amser, yn ôl bysedd y cloc.

Erbyn pum munud i wyth y noson honno roedd y nos wedi dechrau gafael ynddi. Ond byr fu'r gofid hwnnw a'i bryderon hefyd, gan i'r galar ddod i'w ddisodli gyda dyfodiad plismon a phlismones.

'*We're dreadfully sorry, Mrs Lloyd, but there's been a terrible accident. Not far from St. Irvon on Bodmin Moor.*'

'*Come and sit down.*' A thywysodd y blismones hi at gadair, lle'r oedd ei gweddwdod swyddogol i ddechrau. Torrodd y llifddorau a gallai ei chlywed ei hun yn galw Jim yn Bernie. Hen bethau bach felly sydd yn ein bradychu, meddyliodd yn dawel, resymegol o dan wyneb y dryswch dagreuol a ddirdynnai ei hwyneb.

## 1. 7   rhew ar fwrdd y gegin

'Bu farw'r cyn Aelod Seneddol Jim Lloyd mewn damwain ffordd yng Nghernyw, neithiwr. Roedd yn chwe deg naw mlwydd oed.'

Llithrodd y pecyn o bys wedi rhewi fu yn llaw Rhisgell Lloyd trwy ei bysedd ar y bwrdd. Eisteddodd hithau wedi'i syfrdanu ormod i wrando am eiliad.

'Yn dilyn honiadau o lygredd mewn papur newydd yn 1963 penderfynodd Jim Lloyd beidio â sefyll yn Etholiad Cyffredinol 1964. Er na ddygwyd unrhyw gyhuddiadau cyfreithiol yn ei erbyn diflannodd Jim Lloyd—ei enw llawn oedd James Arthur Lloyd—o fywyd cyhoeddus Cymru a deëllir iddo fyw yn Plymouth ers nifer o flynyddoedd.

'Ef oedd tad y Prifardd Lleucu Llwyd a fu farw mewn damwain yn ei chartref yng Nghaerdydd lai na thri mis yn ôl.

'Talwyd teyrnged iddo y prynhawn 'ma gan . . .'

Diffoddodd Rhisgell y radio. Nid oedd am glywed rhagolygon y tywydd, wedi'r cwbl. (Byddai'n siŵr o lawio, beth bynnag a ddywedent . . . ynteu ai heddiw yr oedd yr haf am ddod?)

Y rhyfyg a'r rhamant a ddaeth drosti gyntaf. Atgofion y nos yng nghanol y prynhawn. A'r rheini'n atgofion cryf, yn cicio. Dyna beth oedd byw!

Yna fe'i gwelai'i hun yn eistedd gydag ef yn Nhŷ'r Cyffredin yn cael te prynhawn, tra oedd Lucy yng ngofal y nani. Wedi'r briodas ond cyn y cwymp y bu hynny.

Gallai hefyd gofio yn ôl ymhellach. I'r gwely cyfyng a'r tân nwy anwadal yn y fflat ger Marble Arch.

Roedd e wedi mynd. A'r cyfrinachau oll i'w ganlyn, meddyliodd.

Gwenodd wrthi hi'i hun. Toddai'r pecyn pys yn wlybaniaeth di-siâp ar y bwrdd o'i blaen.

## 1. 8   cyn-gariadon mewn cadeiriau lledr

'Mae o'n fater braidd yn ddelicét, a deud y gwir,' cyfaddefodd Rhiannon Idris. 'Ond wna i mo dy gadw di'n hir.'

Bu'n caru gyda'r Athro dros gyfnod o dri mis, sawl gaeaf yn ôl. Ar gorn hynny yr oedd hi wedi cymryd yr hyfdra o'i alw'n 'ti' pan fyddent ar eu pennau eu hunain. 'Chi' ydoedd mewn cwmni.

Ond heddiw yr oedd ar ei ben ei hun bach, yn werinol ei wisg ac yn fawr ei ddysg, rhwng paneli pren ei stydi yn yr Adran. Pum munud arall a buasai Rhiannon wedi'i golli ac yntau wedi'i throi hi adref at ginio ei wraig.

'O, diar!' ebychodd, gan ofni'r gwaethaf. Adwaenai Rhiannon ers rhai blynyddoedd, fel myfyriwr yn ei Adran, fel cariad yn ei wely. (I fod yn fanwl gywir yn ei gwely hi y bu'r caru, ond prin fod hynny o dragwyddol bwys.) Ac fel aelod o'i staff.

Merch hunanfeddiannol ac academaidd ddisglair gyda'r mesur cywir o hunanhyder, meddyliodd. Y math o ferch y byddai dyn canol-oed fel ef yn chwilio amdani fel cywely. Gwyddai fod canfod y cydbwysedd cywir o hunanhyder yn gallu bod yn broblem. Yn enwedig mewn merch. Rhy ychydig, ac fe gaech chi un o'r eneidiau colledig hynny oedd angen canllawiau ar arwyddbyst beunyddiol. Gormod, ac roedd gennych rywbeth gwaeth—y gofid o ddelio â chorwynt a ymwthiai i bob twll a chornel. Ni chwenychai'r Athro hynny, yn ei Adran nac yn ei wely. Ond Rhiannon Idris? Echel solet. Yr ymgnawdoliad dela posib o gydbwysedd.

'Tydy o'n ddim byd personol, paid â phoeni,' tawelodd ei feddwl gan lithro'n siapus i'r gadair ledr grand o flaen ei fwrdd. 'Fe gaf i eistedd, yn caf? Wedi bod ar 'y nhraed yn darlithio trwy'r bora.'

'Wrth gwrs. Oes 'na broblem?'

'Wel . . . rwy'n gw'bod nad eith o ddim pellach . . . A rhywbeth mympwyol braidd sy wedi 'nharo i neithiwr. Rwyt ti'n gw'bod am y gyfrol yma am feirdd o ferched sy gen i'n mynd trwy'r wasg?'

'Mwy na gw'bod amdani, Rhiannon, mi ddarllenais i'r llawysgrif cyn iti ei hanfon hi i'r wasg.'

'O, do, do, wrth gwrs.'

'Rwy wedi bod yn meddwl gofyn iti sut mae petha'n dŵad yn eu blaen.'

'Wel! Tydyn nhw ddim,' atebodd Rhiannon yn biwis, ei gwefusau'n tynhau. 'Ar hyn o bryd, beth bynnag. Lleucu Llwyd ydy'r drwg yn y caws.'

''Dach chi ddim am ddeud wrtha i fod beirdd yn gallu melltithio'n gweisg ni o'r tu hwnt i'r bedd? Mi wn i fod un neu ddau ohonyn nhw'n ddigon o bla yr ochr hon i'r gweryd . . . Ond rown i wedi rhyw obeithio y caem ni i gyd lonydd unwaith iddyn nhw fynd i'r ochr draw!'

Chwarddodd Rhiannon yn annifyr. Gallai gofio ei gorfodi'i hun i roi gwên ar ei hwyneb ar y gobennydd. Ond deallai fod ei ffraethineb yn ei wneud yn ffefryn mawr ar Radio Cymru.

'Na, wel, nid Lleucu Llwyd yn bersonol, wrth gwrs. Ei theulu hi sydd wedi ymyrryd. Neu i fod yn fwy manwl, Mrs Morfudd Price.'

Cododd yr Athro fand lastig oddi ar ei ddesg a phlethodd ef yn ddeheuig rhwng ei fysedd. 'A!' ebychodd.

'Mae 'na hanes iddi?'

'Oes . . . a nac oes. Mae "hanes" yn air rhy gryf, rwy'n meddwl.' Serennodd ei lygaid wrth flasu'r foment. Roedd wrth ei fodd gyda'i frawddeg fachog, ddoethinebus. Rheswm arall pam y câi wisgo wyneb poblogaidd academiaeth. 'Mae hi wedi byw am flynyddoedd ar y ffaith ei bod hi'n weddw i'w gŵr. Hi ydy'r math o ddynes a fu'n dyheu drwy ei bywyd priodasol am y diwrnod y câi gyflwyno Gwobr Goffa ei gŵr.'

'Doeddwn i ddim yn sylweddoli fod 'na Wobr Goffa Annwyl Price.'

'Na. Does 'na ddim, Rhiannon. Ceisio darlunio'r ddynes iti'r ydw i.'

'O debyg iawn! Mae'n flin gen i.'

'Mae hi wedi bod yn weddw bardd am fwy o flynyddoedd nag y buodd ei gŵr hi erioed yn fardd, mae hynny'n siŵr i ti. Tydw i ddim yn gyfarwydd â hi, er 'mod i, wrth gwrs, yn gyfarwydd iawn â'r teip. Hoff iawn o gerdded Maes y 'Steddfod mewn dillad od a chymryd gwylia mewn llefydd anghyffredin, yn y gobaith y cân nhw wadd i sôn am y profiad ar raglen radio.'

Hy! Roedd yr Athro'n un da i siarad, meddyliodd Rhiannon. Ond ddwedodd hi ddim.

'Sut mae hi wedi gallu drysu dy gynllunia di?'

'Fe ges i'r llythyr 'ma gan Wasg y Seren Fora yn deud fod Morfudd Price yn gwrthwynebu 'mhennod i ar Lleucu Llwyd yn y gyfrol,' eglurodd hithau. 'Wela i ddim pa hawl sy ganddi. Ond yn ôl Seren Fora mae hi wedi gosod amoda ar y casgliad o gerddi Lleucu Llwyd mae hi'n ei baratoi iddyn nhw. Ac un o'r amoda ydy nad ydyn nhw i gyhoeddi dim arall gan neb ar Lleucu Llwyd. Sefyllfa hollol wallgo.'

'Dos at wasg arall.' Yr ateb syml.

'Wela i ddim pam y dylwn i. Tydy o ddim fel petawn i wedi deud dim byd cas am ei ffrind mynwesol hi. Ro'n i'n or-glên, os gofynni di i fi.'

'Eiddigedd, ella?'

'Neu beth os oes ganddi rywbeth i'w guddio?' O'r diwedd, roedd Dr Idris yn dod at y pwynt. 'Fe es i'n ôl neithiwr i ddarllen peth o'i gwaith hi. A fedrwn i ddim peidio cofio'r ferch fach dawel, boenus o swil oedd yn y Coleg 'ma 'run pryd â fi . . .'

'Mae'r rhai mwya distadl weithia'n blodeuo'n rhyfeddol. Amball un yn troi'n Driffid, hyd yn oed. Rwy wedi'u gweld nhw'n troedio'r coridora 'ma fy hun, yn egin bach digon gwantan yr olwg. Lle maen nhw heddiw? Yn Gyfarwyddwyr Addysg a chynhyrchwyr teledu.'

'Wel! Ella mai ti sy'n iawn. Ella mai rhyfygu'r ydw i. Ond fe wellodd Lleucu Llwyd fel bardd yn ddramatig ar ôl symud i dŷ Morfudd Price.'

'Mae honno'n hoffi cymryd rhyw adar bach clwyfedig dan ei hadain. Dyna'r teip ydy hi. Lloches i'r gwan. Nawdd i'r celfyddyda.'

'Ond ydy o ddim yn bosib mai cerddi Annwyl Price enillodd y goron 'na i Lleucu Llwyd? Dyna fo! Dyna fi wedi cael bwrw 'mol. Roeddet ti'n un o'r beirniaid y llynedd. Fe soniaist ti yn dy feirniadaeth am ddiffyg moderniaeth y cylch cerddi. ''Wedi eu rhewi mewn amser fel pileri o iâ.'' Dyna ddeudist ti yn y *Cyfansoddiadau*! Oedd hi ddim yn bosib fod 'na stôr o hen gerddi Annwyl Price gan ei weddw?'

Anadlodd yr Athro yn araf, fwriadus. Roedd yn arwydd i Rhiannon dewi am ennyd. Cyfle iddo gael ei wynt ato. Cyfle i chwerthin yn dawel braf wrtho'i hun. A chyfle i hel cwestiynau.

'Wyt ti'n meddwl mai cynllwyn oedd 'na?' mentrodd holi ymhen ychydig eiliadau. 'Oedd Morfudd Price a Lleucu Llwyd yn gweithio ar y cyd? Ynteu dwyn y cerddi wnaeth Bardd y Goron?'

Nid merch y chwiw afresymol a'r dychymyg rhy ffrwythlon oedd Rhiannon. Roedd ganddi bwynt.

'Ond does dim fedar yr un dyn byw ei wneud ynghylch y peth,' meddai'r Athro'n ddwys gan edrych arni fel pennaeth ei hadran yn hytrach na fel ei chyn-gariad. 'Mae'r amheuon 'ma wedi'u lleisio o'r blaen. Am feirdd llawer pwysicach nag Annwyl Price na Lleucu Llwyd mewn rhai achosion. Wyt ti am greu sgandal llenyddol . . . a hwnnw, ella, yn ddi-sail?'

Ochneidiodd Dr Idris y Ditectif.

'Damcaniaeth sy gen i'n unig, dwi'n gw'bod. Ond diawch, mae'n ddamcaniaeth ddifyr, yn tydy? A ph'run bynnag, rydw i am fynd at wraidd yr amoda 'ma sy gan Morfudd Price. Rydw i am alw arni yr wythnos nesa ar fy ffordd i Lundan. Ac mae gen i apwyntiad i weld brawd Lleucu Llwyd—ei hanner brawd hi, i fod yn fanwl gywir. Yn ôl Gwasg y Seren Fora, ei mam hi piau'r hawlfraint ar ei gwaith, ond does gan honno ddim diddordeb yn y pwnc ac mae hi wedi trosglwyddo'r cyfrifoldeb i gyd i Morfudd Price i bob pwrpas. Gawn ni weld a fydd 'na ruddin amgenach yn y brawd 'ma.'

'Ymroddedig, fel arfer, Rhiannon. Unwaith mae rhywbeth wedi rhoi tân yn y bol 'na, does dim atal arnat ti.'

Gwenodd Rhiannon. Yn fwy naturiol garedig y tro hwn. Cododd ac ymddiheurodd am ei gadw oddi wrth ei ginio.

'Mi fydd stwnsh arferol Rita wedi troi'n oer fel llyffant ar y bwrdd iti,' meddai'n ddrygionus.

'Nawr, nawr, Rhiannon.'

'Sori.'

'Ac rwy'n addo meddwl dros dy ddamcaniaeth di.'

'Diolch. Mae jest yn gas gen i adael llonydd iddi. Rwy'n caru barddoniaeth ormod i adael i agwedd ddiddorol arni fynd i ddifancoll.'

Tynnodd yr Athro ei siaced oddi ar gefn ei gadair a gwisgodd hi'n frysiog.

'Mae'n dda clywed dy fod ti'n caru barddoniaeth, o leia. Llawn cystal, yntê, a minnau'n dy dalu di i ddarlithio ar y Gogynfeirdd, y Rhamantwyr a Beirdd yr Ugeinfed Ganrif!'

Agorodd Rhiannon y drws mawr deri. Ond roedd ysgafnder a brys ei lais yn ysgogi ymateb.

Nid gêm oedd llên-ladrad. Nid oedd hi'n credu fod y cylch o gerddi a briodolwyd i Lleucu Llwyd yn haeddu coron, p'run bynnag . . . Ond ni wirfoddolai'r farn honno i unrhyw un o'r beirniaid—ac yn sicr nid i'w Hathro.

'Barddoniaeth yw breuddwyd ein hil ni,' troes arno'n ffyrnig. Pam y dylai o fynd adre at gysur carbohidrad cinio'i wraig heb gael rhywbeth amgenach i'w dreulio? Pam y dylai o olchi'i ddwylo o awduraeth y cerddi arobryn? Onid oedd o'n rhan—yn rhan hanfodol—o'r broses a roes fri i'r stwff henffasiwn?

Nid rhyw enigma bach diddorol i'w drafod yn y Babell Lên ymhen blynyddoedd, ymhell ar ôl i bawb farw, fel nad oedd unrhyw berygl o enllib, oedd hyn.

Yr oedd mor hanfodol â difodiant y cymunedau Cymraeg. Mor beryglus â'r gwastraff a gleddid yn y tir. Mor farwol â'r felan oedd yn nodweddu cymaint o'n cancr.

*Barddoniaeth yw breuddwyd ein hil ni. Hebddi ni fyddem byth yn cysgu. Ond o'i herwydd nid ydym byth yn deffro.*

34

Ar brydiau, roedd yn gas gan Rhiannon farddoniaeth.

## 1. 9  amser anghyfleus i angladd

*'I thought you couldn't stand your ex-step-father, Skinner,'*
gofynnodd y Pennaeth iddo'n egr.

*'I never said that, sir,'* atebodd Dafydd yn wyliadwrus. *'Never really knew him that well. Packed off to prep school at a young age. But he's dead now.'*

*'And you want time off for his funeral in Plymouth?'*

*'I want to accompany my mother there, yes, sir.'*

*'Even though she divorced him God knows how many years ago?'*

*'Yes.'*

*'There must be something very gratifying in going to an ex-husband's funeral.'*

*'I wouldn't know, sir.'*

*'Yes! Well! Fair comment, Aaron. I don't wish to make an issue of this. It's just that it's hardly a fortnight since you had a week's leave and you know how short of man-power I get over the summer months. You went down to Wales for that week off as well, didn't you?'*

*'Yes, sir, that's right. Hadn't been there since my sister's funeral. Things to attend to.'*

*'Attended a lot of funerals of late, haven't you? Well! I suppose sisters are more understandable than ex-step-fathers. Not that I'm close to my sister, mind. Haven't seen her in years. She married a circus muscle-man and they have a house in Maida Vale. And yours was a poetess. Won a crown and all!'*

*'It's a funny old world, sir,'* grwgnachodd Dafydd.

*'Yes. Well! I'm sorry now, you know, that I couldn't let you go down to Wales that day to see the ceremony. Awkward time wasn't it?'*

*'First week in August.'*

*'Yes. See what I mean, Aaron? An awkward time.'*

## 1. 10  ar y rhiniog

Cadw purdeb Lleucu Llwyd oedd y nod. Dyna pam y gwrthwyn-ebai Morfudd Price gyhoeddi'r bennod arni.

Safodd Rhiannon yn lletchwith yn y drws. Ni châi wahoddiad i mewn i'r tŷ, roedd hynny'n amlwg. Ac nid ychwanegai'r glaw ddim oll at ei chysur.

'Loes calon imi yw pob ymgais i feirniadu a dadansoddi'i gwaith hi.'

'Ychwanegu at ei statws hi fel bardd yw fy nod i,' ebe'r ysgolhaig gwlyb. 'Ydach chi wedi darllen fy ysgrif i ar Lleucu?'

'Na. Dwi ddim yn moyn ei darllen hi chwaith, Dr Idris.'

'Ydach chi'n galw hynny'n rhesymol?'

'Galwch e'n beth fynnoch chi,' meddai'r weddw'n wên-felys. 'Chawsoch chi mo'ch dwylo ar unrhyw gerddi ond y rhai a gyhoeddodd hi yn ystod ei hoes. Mae 'na nifer o rai eraill. Efallai, ar ôl imi gyhoeddi fy nghasgliad cyflawn o'i gwaith hi y bydd lle i asesiad cytbwys. Ond dyw hynny ddim yn bosib heb fod yn gyfarwydd â'r cerddi i gyd.'

Ochenaid rwystredig o du'r wraig ar y rhiniog.

'Mae 'nghyfrol i'n rhoi portread o bob bardd dan sylw yn ogystal â chloriannu'u gwaith nhw. Mae'n amlwg nad oeddach chi'n gw'bod be oedd fy amcan i.'

'Plîs ffoniwch i weld ydy hi'n gyfleus cyn galw eto,' ebe Morfudd gan anwybyddu'r sylw. 'Nawr, maddeuwch imi, ond rhaid imi gau'r drws. Fe ffoniodd cydnabod imi sy'n byw ym mhen draw'r stryd i ddweud fod dau *Jehovah's Witness* ar eu ffordd yma, a rwy am wneud yn siŵr fod y drws yn glep cyn y dôn nhw.'

A hynny fu. Esgus tila. Drws clep. Sgolor siomedig yn sefyll y tu allan i dŷ cerrig nobl yn un o faestrefi Caerdydd. Cysgod gwan gaiff hi gan y boplysen sy'n tyfu ger ei char wrth iddi durio ym mherfeddion ei bag am yr allweddi.

Dyna'r darlun. Gwelwn yma yr elfennau sydd yn dod ynghyd yn ffotosynthesis ffawd.

Caewyd y drws arni unwaith eto. Cafodd drochfa nad yw yn ei haeddu. Mae'r allwedd ar goll.

Nid yw Rhiannon erioed wedi syrthio mewn cariad yn ei byw. Mae'n bwysig cofio hynny. Dyn a ŵyr, bydd yn ei hatgoffa'i hun o'r ffaith yn ddigon aml.

Er ei doethuriaeth, nid yw bob amser yn ddoeth. Er ei disgleirdeb, nid yw bob amser yn cael dod allan yn y nos. Er ei bod hi mor gynhyrchiol (bydd myfyrwyr yn rhuthro fel gwiwerod ar hyd risgl ei hysgolheictod), does dim gwanwyn yn ei bywyd. Dim ŵyn yn prancio. Dim atgyfodiad yn y pren.

Does dim dail. Ddim eto.

## 1. 11   cyrff mewn cas cadw

Eisteddodd Dafydd a'i fam yng nghefn yr eglwys. Cadwasant yn ddigon pell o lan y bedd.

'Ffolineb yw mynd i'r angladd 'ma o gwbwl.' Dyna a ddywedasai Dafydd yn gyhuddgar yn y car yn gynharach y bore hwnnw a hwythau ar y ffordd i Plymouth.

'Mae e braidd yn dwp, sbo!' cytunodd hithau. Ond mynd ymlaen oedd raid. 'Hyd yn oed pan ma' dou'n cytuno'i bod hi'n well gwahanu ma' 'na lot o barch yn aros, Dafydd. A fi'n cofio lot o'r pethe da. Ma'n rhaid i fi fynd heddi. Ma' Lleucu 'da fi i feddwl amdani, yn un peth.'

'Doen nhw'n gwneud dim â'i gilydd. Doedd e'n gwneud dim byd â neb ohonoch chi, oedd e?'

'Na. Ond fe ddylwn i fynd, o ran parch iddi hi. Ac os aeth e i ffwrdd a phriodi'r *Oxford Don* 'na, doedd 'dag e neb ond fe'i hunan i'w feio. Menyw ddeallus iawn oedd y peth ola oedd ei angen arno fe, ddwedwn i. Dyna'r peth ola sydd ar unrhyw ddyn annibynnol ei angen. Dyna pam rwy mor falch na phriodest ti fenyw ry ddeallus. A dweud y gwir, rwy'n ofni 'falle iti fynd yn rhy bell i'r cyfeiriad arall.'

'Rhowch daw arni nawr, Mam, 'na ferch dda!'

A thawedog a syber fu hi drwy'r gwasanaeth. Gwasanaeth angladd Eglwys Loegr. A'r rheithor, druan, yn cofio adeg pan taw un wraig yn unig a ddeuai i gladdu gŵr.

Cyrhaeddodd Rhisgell a'i mab yn ddigon cynnar i gymryd eu lle yng nghefn yr eglwys. Gorweddai'r ymadawedig yn ei lifrai olaf o flaen yr allor.

Pan ddaethai'r weddw or-ddeallus a'i gosgordd heibio, gwyrodd Rhisgell ei phen i'r dde yn araf er mwyn cael gweld. Wrth gwrs, cofiodd yn sydyn fod gan Brenda blant o'i phriodas gyntaf. Eglurai hynny'r ddau gwpwl canol-oed. Y naill gwpwl yn ŵr a gwraig a'r llall yn ddwy wraig. A rhaid fod plant gan y ferch briod (os priod hefyd?) achos daeth dau grwt plorog i mewn yn hwyr, pan oedd y gweithgareddau ar fin dechrau, a rhuthro'n ddiurddas at weddill y teulu yn y corau blaen. Roedd clustdlws yr un gan y ddau ac amheuai Rhisgell fod *chewing gum* yng ngheg un ohonynt. On'd oedd bywyd yn mynd yn fwy tebyg i opera sebon bob dydd, gresynodd. Roedd gan bob teulu un o bopeth erbyn hyn.

Yn dynn ar sodlau'r ddau lanc (ond yn cerdded yn llawer llai heini) daeth gŵr cefnsyth, gwyn ei wallt ac eistedd yn y côr gyferbyn â Dafydd a'i fam.

Sbeciodd Rhisgell arno, gan amneidio'i phen, ond roedd y dyn eisoes wedi plygu mewn gweddi. O leiaf roedd hi wedi'i adnabod. Tybed oedd hithau'n cadw cystal wrth heneiddio?

# 1. 12   telegram

'Wiw inni weld ein gilydd eto. Stop. Mae'r cyfan drosodd ac am y gorau. Stop. Rhaid i ti gytuno. Stop. Mae Jim a fi yn ffrindiau eto. Stop. Dymuniadau da. Stop. Alwyn. Stop.'

Dymuniadau da, yn wir! Roedd e'n rhy fên i dalu am air ychwanegol er mwyn rhoi 'Pob dymuniad da'. Cardi oedd Alwyn Perkins os buodd un erioed! Gwynt teg ar ei ôl e! Rhoes Rhisgell ei dwrn ar waith a rhowlio'r papur yn belen.

1964 oedd y flwyddyn, a daeth yr amlen y diwrnod iddi adael y fflat yn St. John's Wood. Dim cyflog Aelod Seneddol i ddod i'r coffrau mwyach. Dim mwy o fywyd Llundain. *A dyna daw ar bethau. Bydd dawel, galon ysig, a phaid â disgwyl mwy.*

'Popeth yn iawn, Rhisgell? Dim newyddion drwg, gobeithio!' gwaeddodd ei hen fodryb arni.

Safai honno allan wrth y lifft ar y landin yn cynorthwyo gyda'r gwaith o gludo'r cistiau te i Paddington. (Llundain oedd cartref ei modryb. Daethai hi a'i gŵr yno i werthu llaeth yn ôl yn y dauddegau. Er iddi ymddeol, Llundain fyddai ei chartref parhaol bellach. Roedd ei mab yn Gockney a'i gŵr ym mynwent Hackney.)

'Ydy, Anti. Popeth yn iawn. Jest hen ffrind yn dymuno'n dda imi yn fy nghartre newydd.'

Gadawodd y belen bapur ar y silff-ben-tân. Un weithred olaf o ryfyg yn wyneb perygl. Er nad oedd enw'i gŵr bellach yn britho'r papurau newydd. A beth bynnag, Eifftiwr oedd wedi prynu'r fflat a phrin y gallai ef ddarllen y geiriau heb sôn am ddeall y gair.

Gweithred esgeulus oedd hi, serch hynny, meddyliodd wedyn. Ond erbyn hynny roedd hi yn y tacsi ac ar ei ffordd i'r orsaf. Roedd hi'n rhy hwyr.

# 1. 13   cerdded mewn cylchoedd

'Mae Brenda'n mynnu'ch bod chi'n dod yn ôl i'r tŷ am baned o de.'

Arglwydd Morrisville oedd yr henwr golygus. Alwyn Perkins oedd e i Rhisgell, ond cafodd ei ddyrchafu i Dŷ'r Arglwyddi gan Wilson yn nechrau'r saithdegau. Roedd y Sefydliad wedi maddau iddo wedi'r cyfan. Rhyfedd fel y bydd hen gynghreiriaid yn bictiwr o gwrteisi flynyddoedd ar ôl y gyflafan.

'Na. Mae'n well inni beidio. Fe fydden ni'n tarfu ar y teulu,' atebodd Dafydd.

'Rwy newydd ga'l gair â hi ac mae'n mynnu. Rŷch chi wedi dod o bell ac ma' siwrne faith o'ch bla'n chi 'to. Dewch, da chi. Symo fi ishe gorfod mynd ar 'y mhen 'yn hunan,' ymbiliodd yr Arglwydd. 'Fydd dim raid inni aros yn hir.'

'Diolch 'te,' atebodd Rhisgell gan achub y blaen ar ei mab.

Ar ôl ysgwyd llaw yn gynnes a gwenu'n llugoer, aeth yr Arglwydd at lan y bedd gyda'r teulu, tra enciliodd y fam a'i mab i gysgod ywen. Ywen braidd yn ddiawen heb fardd o dan ei gofal yn y gro.

Teimlai Rhisgell a Dafydd gysgod Lleucu dros angladd ei thad. Ac yn y semi bach traddodiadol (nad oedd hanner cymaint o fargen â'i byngalo bach hi, meddyliodd Rhisgell) syrthiodd yr Arglwydd i un o'r beddau cymdeithasol hynny a geir yn britho sgwrs y galarwyr ar ôl pob cynhebrwng.

'A sut mae Lucy? Ble mae hi'n cadw'r dyddie hyn?'

*Faux pas*, wrth gwrs. Ond torrwyd stori hir yn fer mewn dim o dro.

'O! Bobol bach! Do'n i'n gw'bod dim o hyn. Wedi byw yn Llunden yr holl flynydde, anodd iawn cadw i fyny gyda'r hyn sy'n digwydd.'

'Roedd e ar dudalen flaen *Y Cymro*,' atebodd Rhisgell Lloyd yn sarrug. 'Efalle y dylet ti ddechre'i gymryd e bob wthnos sha Llunden 'na, yn lle dy fod ti'n rhoi dy droed ynddi fel'na 'to.'

A gadawodd ef i fynd am y gegin, ei soser yn ei llaw a'i bag llaw yn hongian ger ei phenelin.

'*Thank you for letting my mother come,*' ebe Dafydd wrth eu gwesteiwraig.

'*I was a bit surprised that she wanted to,*' atebodd Brenda rhwng mwg ei sigarét. '*Christ, I've had enough of this cat's pee. My daughter-in-law makes the most disgusting cup of tea I know of. Should have let my daughter and her friend make the tea. They at least know which colour it's supposed to be. But wouldn't you like something stronger, Mr Skinner?'*

'I'm driving, Mrs Lloyd.'

'O, sod that. Leave your conscience in here on my posh carpet. Come and walk the boards with me in Jim's study. Come on, let your hair down . . .'

Llawr o flociau pren hardd oedd i'r stydi, ac arno ddesg a chadair, silff lyfrau, cabinet ffeilio a chwpwrdd diodydd.

Arllwysodd y weddw chwisgi bach yr un i'r ddau ohonynt a dywedodd mai dyma lle y byddai'i diweddar ŵr yn treulio llawer o'i amser. Wyddai hi ddim ar ba berwyl.

'We were very happy,' ebe hi gan roi pwyslais ar y rhagenw. 'But they were sad years. Wilderness years with a gifted man banished . . . "Exiled" was often his word. Not that he was a Welsh Nationalist by any stretch of the imagination but I think he missed being part of the Welsh way of things.'

'Self exile, surely?' troediodd Dafydd yn ofalus.

'No. Not really. Well, maybe you're right. But it was for a noble reason. He wanted to stay away from your mother and from Lucy. He did it for them, really. To spare everyone embarrassment.

'Not that he wasn't excited when he saw her back in January. He was daunted by the prospect, mind you. As nervous as hell. But most of all he was excited. I could tell.'

'He saw her last January? Lucy? My sister?'

'Yes. Didn't you know?'

Gallai Brenda weld y syndod ar wyneb Dafydd wrth i'r ddau gerdded o gwmpas y ddesg oedd ar ganol y llawr, y naill yn cerdded i gyfeiriad gwahanol i'r llall.

'No,' gollyngodd Dafydd yr ateb o'i enau ar ôl hir gysidro mewn amser byr. Gwyddai fod ei wyneb wedi ei fradychu ac nad oedd fiw iddo ddweud anwiredd. 'My mother and I assumed that they never made any contact with each other.'

'They didn't, my dear boy. Not as much as a Christmas card, which I found very strange. After all, I send Christmas cards to people I absolutely detest, just to acknowledge that link, no matter how tenuous. Don't you? Just to get that sense of doing one's Christian duty . . . and keep the Post Office happy?'

'They sound like feelings my wife might have, Mrs Lloyd.'

'Well, there we are, you see! But Jim always said he'd vowed never to make any contact and he never broke it . . .'

'Until?'

'Until this letter came.' Arhosodd y weddw'n stond a daeth diwedd ar y gêm gerdded.

'Have you kept it?'

'I really couldn't tell you. I don't think I ever saw it. Jim might have kept it, but don't ask me to look for things now. Not today of all days.'

Ni phwysodd Dafydd.

'She and her friend were coming down to stay on Bodmin Moor, she said. Could she come to see him.'

'She came here? You met her?'

'No . . . No . . . After giving it some thought, Jim felt neutral ground would be best. So they arranged to have lunch together and then, when they were getting on quite well, it seems, they went for a spin in the car. Jim said he took her round to show her the local sights. They spent hours together, anyhow. He didn't come home until early evening.'

Doedd Dafydd ddim am dramgwyddo a chadwodd ffrwyn ar ei gwestiynau, ond dywedodd wrth y weddw ei fod yn caru'i chwaer a dyna pam ei fod e mor awyddus i ddod i wybod cymaint ag y medrai am ei misoedd olaf.

'He said very little about their afternoon. Very little indeed about her, actually. In an odd way he seemed relieved. That's all. And her name wasn't mentioned after that day . . . not until the day she died. Your mother got one of her neighbours to ring up. Not a Welsh voice at all, despite the fact that she lives right over on the west coast. Anyway, I answered the 'phone and I ended up being the one who had to tell Jim the sad news.'

'How did he take it?'

Ochneidiodd Brenda cyn ateb. Roedd heddiw'n ddiwrnod hir a'r holwr proffesiynol, er bod swyn iddi yn ei gadernid gwryw-aidd, yn dechrau troi'n fwrn.

'It will seem a silly answer, but I really don't know. He asked me for the details I'd been given on the 'phone and then locked himself in here for about three hours. Again he hardly ever mentioned it afterwards and as you know, probably, sent no flowers or anything.'

Roedd y ddwy ddiod wedi eu hyfed a'r gwydrau bach diaddurn yn segur ar ben y ddesg pan agorodd y drws.

'Oh! This is where you've been hiding!' ebe'r wraig ddaeth i mewn.

'Patricia, this is Mr Aaron Skinner, Jim's ex-step-son. That's right, isn't it? As the world becomes more complicated one keeps having to add appendages to such descriptions.'

'That's right,' ebe Dafydd gan estyn ei law, a gymerwyd yn wresog gan y wraig mewn du.

'Patricia is my daughter and I think she's about to tell me that she's on her way back to Canterbury.'

'That's right, Mother. Mitch and I are just collecting our things. And we'll see you this weekend, won't we?'

41

'Yes, darling.'

Dilynodd Brenda ei merch er mwyn dychwelyd at ei chyd-alarwyr. Ond wrth y drws, troes yn annisgwyl o chwareus at Dafydd, gan sibrwd, 'Mitch is short for Michelle, you know.'


## 1. 14   celwydd yn dod i olau dydd

'Celwydd? Pa gelwydd? Naddo wir, ddwedes i'r un celwydd wrthoch chi,' gwadodd Morfudd Price yn swta.

Gwadu. Gwadu. Rhaid fod ceiliog yn canu yn rhywle. Ymhell o'i thomen hi.

Casâi Dafydd hi fymryn bach. Peth anghyffredin iawn. Anaml iawn yr ymatebai'n reddfol i neb.

'Fe fues i yn angladd Jim Lloyd brynhawn ddoe, Mrs Price, a chael ar ddeall eich bod chi a Lleucu wedi talu ymweliad â'r ardal ddechrau'r flwyddyn. Ychydig wythnosau'n unig cyn marw Lleucu.'

'Do. Dyna chi,' atebodd Morfudd yn hamddenol.

'Fe ges i ar ddeall 'da chi nad oedd Lleucu'n gwneud dim byd â'i thad.'

'Doedd hi ddim. Rown i'n meddwl eich bod chi'n gw'bod am yr un ymweliad yna. Mae'n hawdd anghofio, yng nghanol eich holl gonsýrn diweddar, nad yw'ch teulu yn arfer eich gweld o un pen blwyddyn i'r llall.'

'Na hidiwch amdana i, Mrs Price.' Roedd yn dechrau siarad fel petai wrth ei waith. 'Dwedwch wrtha i am y trip . . . am y cyfarfyddiad.'

'Do'n i ddim yno. Roedd eich diweddar wleidydd yn bendant iawn ar y pwynt.'

'Ond pam roedd Lleucu am ei weld ar ôl yr holl amser 'na. Cywreinrwydd? Rhywbeth arall? Oedd hi'n gw'bod ei bod hi ar fin marw?'

'Bobol bach! Yr holl gwestiyne 'ma! Ond nid Lleucu oedd am weld ei thad.'

'Fe 'sgrifennodd hi ato.'

'Dwn i ddim beth mae'r fenyw 'na wedi bod yn ddweud wrthoch chi,' ebe Morfudd Price yn bendant, 'ond fe alla i'ch sicrhau chi nad Lleucu gysylltodd â'r hen walch. Y fe 'sgrifen-nodd ati hi . . . A chyn i chi gael cyfle i ofyn—ydy, mae'r llythyr 'da fi.'

Hwyliodd Morfudd Price o'r ystafell yn hyderus a phan ddaeth yn ôl roedd ganddi amlen i'w hestyn iddo.

'Darllenwch hwn ac fe gewch chi weld mai ar daer erfyniad Jim Lloyd yr aeth eich chwaer a fi i Gernyw. Ar ei wŷs swyddogol e, bron, gallech chi ddweud, o dôn y llythyr. A dyna sut y cawsom ni'n hunen lawr fan'na yng nghanol gaeaf. Yn y Country Club Hotel 'na yn St. Irvon heb gyfle i feddwl ddwywaith am gost y daith. Bant â ni. A draw â Lleucu i'w gyfarfod ar ei gais. Wel! Peidiwch â delwi fel'na, ddyn. Darllenwch y llythyr trosoch eich hun i chi gael gweld.'

# 1. 15   moch mewn twlc gwydr

Tanllwyth o dân yng nghanol Mehefin! Amser cinio yn nhafarn y Salisbury, St. Martin's Lane, Llundain, a'r twristiaid yn cael gwerth eu harian.

Camodd Dafydd trwy'r bar talcen. Tafarn enwog oedd hon mewn ffordd o siarad. Hen gyrchfan boblogaidd i actorion a hoywon eraill. Roedd pawb o Dylan Thomas i Quentin Crisp wedi cael tynnu'u lluniau yn y palas gwydrog. Y drychau hardd o bobtu yn adlewyrchu eu hunain, gan anwybyddu'r tryloywon dynol.

Wrth fwrdd bach crwn yn y prif far eisteddai merch ifanc yn darllen *Vogue*.

'Fe ddaethoch chi o hyd i'r lle 'ma'n iawn?' mentrodd Dafydd. Rhoes hithau'r cylchgrawn ar y bwrdd. Bu'n disgwyl rhywbeth mwy garw. Rhywbeth llai amlwg. Gwelai trwyddo'n syth. Byddai'n blentyn bach i ryw ddynes rhyw ddydd. Yn llond côl o hogyn drwg a wnâi rywbeth er mwyn cael cariad mam. Er mwyn cael maddeuant. Er mwyn cael mwythau.

Estynnodd yntau ei law. Hanner cododd y ferch benfelen fel petai hi'n ddyn. Roedd hi'n iau na'r disgwyl. Yn llai o rebel ac yn fwy o sialens.

'Dr Rhiannon Idris, rwy'n tybio?'

'Ie. Ac Aaron Skinner, rydw innau'n tybio?'

Gwenodd y ddau ar eu ffurfioldeb. Roeddynt fel dau ysbïwr yn petrus wneud y cysylltiad cyntaf. Torri'r garw. Cyn cael plymio i ddirgelion ei gilydd.

'Dafydd yw'n enw cynta i, mewn gwirionedd. Bydde'n well 'da fi petaech chi'n fy ngalw i'n Dafydd.'

Cytunodd Rhiannon gydag ail wên fach ond ni ddywedodd ddim.

'Diod arall 'te?' gofynnodd yntau.

Cyn dyfod y dyn bu Rhiannon yn sipian ei dŵr Perrier yn araf. Nid oedd yn hoff iawn o gael ei chadw i aros. Ac roedd y botel bron â bod yn wag.

'O'r gora! Diolch. Fe gym'ra i botel arall o'r stwff 'ma, os gwelwch yn dda.'

Dychwelodd y dyn â pheint yn y naill law a'r botel yn y llall.

'Rwy'n rhyfeddu at rwyddineb eich Cymraeg chi,' ebe Rhiannon ar ôl diolch.

'Dyna mae pawb yn ei ddweud wrtha i y dyddie hyn. Mae'n rhaid fod diflaniad y siaradwyr Cymraeg yn digwydd ynghynt nag own i'n sylweddoli. Ac ŷch chi'n arbenigwraig yn eich pwnc, felly fe gymera i'ch clod chi fel compliment arbennig.'

'Wn i ddim am hynny,' ebe Rhiannon mewn fflach o wyleidd-dra.

'Gwreiddie yn Nyffryn Nantlle. Gradd Dosbarth Cynta yn y Gymraeg. Doethuriaeth. Swydd fel darlithydd. Dŷch chi erioed wedi symud o gadarnle Cymreictod nac ysgolheictod, ŷch chi? Wn i ddim beth yw'ch crap chi ar realaeth ond fe ddylai'ch crap chi ar y Gymraeg fod yn go sownd, gobeithio.'

'Sut y gwyddoch chi gymaint amdana i?'

'Dyna 'ngwaith i, Rhiannon. Ddown i byth i gwrdd â dieithryn . . . neu oes 'na'r fath air â dieithwraig, dwedwch . . .? heb ddod i w'bod cymaint ag y medrwn i amdano'n gynta.'

'Rydach chi'n swnio'n beryglus iawn.'

'Dewch 'nawr. Dyw pobol fel fi ddim yn hollol ddieithr i chi.'

'Dynion, 'dach chi'n ei feddwl?'

'Na. Fe all gwragedd hefyd wneud 'y ngwaith i. Sôn am eich helbulon chi dros yr iaith rown i. Do'n i ddim yn disgwyl y siwt smart, a dweud y gwir. Dyna pam y des i mewn jîns 'yn hunan.'

'Naïf iawn, os ca i ddeud,' achubodd Rhiannon fantais ar ei wendid. 'P'run bynnag, mae hynny flynyddoedd yn ôl. Dwi ddim yn cofio rŵan ai gwrthod talu treth car ynte drwydded teledu wnes i. Diau eich bod chi'n fwy cyfarwydd â'r ffeithia na fi.'

'Rŷch chi'n dal i feddwl 'mod i a'm siort yn eich erbyn chi?'

'Be 'dach chi'n ei feddwl?'

'Ydw i ddim yn elyn yn eich golwg chi?'

'Chi ŵyr eich petha. Cwestiwn i chi'ch hun ydy hwnna, nid i fi. O'm rhan i, y gorffennol ydy'r gorffennol.'

'Nage, Dr Idris. Y gorffennol yw hanes. Oes raid imi ddysgu hynny i chi? Fi, o bawb? I chi, o bawb? A 'dwn i ddim a ddylwn i dynnu'ch sylw chi at hyn, ond rwy'n credu mai priod-ddull Seisnig yw "y gorffennol ydy'r gorffennol". Dyw'r gystrawen ddim yn Gymreig i 'nghlust i, beth bynnag.'

'Cystrawen pwy sydd yn bur y dyddia yma, Dafydd?'

Trwy ychwanegu ei enw bedydd—yr enw y dewisodd ef iddi hi ei alw arno—gobeithiai dynnu'r colyn o'i choegni.

'Dim cystrawen bur. Dim gwaed pur. Dim calon bur. Mae 'na frycheuyn ar fy meddwl i yr eiliad hon.'

Mymryn o surni barodd i Rhiannon wenu arno'n hunanfeddiannol. Oedd hi'n igam-ogamu ei glyfrwch? Ynteu'n cerdded i'w gyfarfod ar hyd yr un llwybr?

Nid dod i gyrchu plismon wnaeth hi. Ac yn sicr nid dod i'w bryfocio. Am feithrin ymddiriedaeth yr oedd hi. Ond gallai hwn ei chynhyrfu heb wneud dim ond bod. Meddai'r ddawn i fod yn ymosodol heb symud gewyn. Brawd bardd oedd e. Yr oedd yno berygl ac nid oedd Rhiannon wedi ei rag-weld.

'Petaen ni'n gymeriada mewn nofel byddem yn siŵr o fynd i'r gwely efo'n gilydd yn hwyr neu'n hwyrach. Ai dyna'r brycheuyn sydd ar eich meddwl chi?'

'Hawdd ichi'ch fflatro'ch hun, Rhiannon. Mae'n wir eich bod chi'n ddeniadol. Yn rhywiol, hyd yn oed. Ond nid dyna oedd 'da fi mewn golwg.'

'Tynnu'ch coes chi'r ydw i. Mae'n flin gen i,' ebe hi'n anghysurus. 'Dydy petha ddim yn dod i'r fei fel'na yn y byd real, ydyn nhw?'

'Fe fedren nhw yn ein byd real ni,' anghytunodd Dafydd, nes peri dryswch i'r doethur. 'Byd beirdd yw'ch byd chi a byd dihirod yw fy myd i. Yr un byd yw e. Dim ond trychineb sy'n creu'r syniad o ehangder.'

Oedodd i gael ei borthi, fel mochyn yn disgwyl i'r cibau gael eu taflu ato. Ond parhau'n ddieiriau wnaeth y twlc a doedd ar ei dafod ddim angen dim y gallai hi ei daflu i'w gyfeiriad.

Os taw ef oedd y mochyn, hyhi oedd yr hwch. A gwyddai Rhiannon eu bod nhw yn un o'r cerddi onomatopeig hynny a ddôi i'r fei yn 'Steddfod yr Urdd bob blwyddyn. Cyfle i blantos bach gael eu tafodau hyblyg i rochian a sochian am y gorau.

Nid yr un peth oedd darn adrodd a cherdd.

'Ym myd y beirdd a'r dihirod dyw'r foesoldeb draddodiadol ddim yn ddilys,' parhaodd Dafydd. 'A dyw'r rhod ddim yn ddibynnol ar foesoldeb, beth bynnag. Nid realaeth na moesoldeb yw'r rhwystr mwya i'n bywyd rhywiol ni gyda'n gilydd, ond y ffaith na fydda i byth yn cysgu 'da neb ond fy ngwraig.'

'A bwrw fod ffyddlondeb yn bod—fel rhywbeth real sy'n bod go iawn ac nid fel damcaniaeth yn unig—mae yn ein gwneud ni'n ddilychwin a diniwed. Dyna ni'n gytûn ar hynny, o leia.'

'Dyw diniweidrwydd ddim yn bosib i chi. Nac i finne, chwaith,' condemniodd Dafydd gyda dwyster a oedd aelwyd gyfan o'r 'Steddfod Gylch a'r 'Steddfod Sir.

'Fe allwn i wneud efo chi yn fy seminarau. Mae 'na ymennydd o 'mlaen i'n mynd yn wastraff.'

'A chorff?'

Daeth criw o Americanwyr swnllyd o'r bar bach, yn dianc o danllwyth dianghenraid yr aelwyd. Amddifadasant Rhiannon o'r cwestiwn.

'Pardwn?'

'Dim byd o bwys.'

'Ond roeddach chi'n deud nad oedd diniweidrwydd yn bosib imi.'

'Rydyn ni y tu hwnt iddo. Y ddau ohonom.'

'Y tu hwnt iddo?' gofynnodd Rhiannon gyda syndod gwirion-eddol. 'Neu heb ei gyrraedd eto. Ella mai ymbalfalu ato y mae pob copa walltog . . .'

'Na, na,' torrwyd ar ei thraws. 'Nid pob copa walltog. Mae rhai yno'n barod. Yn byw mewn stad o ddiniweidrwydd beunydd.'

'Ydyn nhw'n farw?'

'Na. Ond maen nhw'n fethedig,' atebodd Dafydd yr un mor gellweirus. 'Nhw yw'r rhai sy'n byw yng nghadair olwyn cymdeithas. Yn cael eu gwthio o gwmpas gan gonfensiyne. Dyna i chi beth yw diniwed. Y dall, y byddar a'r diffrwyth. Dyna pam na fydda i byth yn edrych ar ddiniweidrwydd fel rhinwedd . . . Na'r diniwed fel pobol rinweddol. Mae gen i fwy o barch at y dieuog na'r diniwed.'

'Felly! 'Dach chi ddim yn ddiniwed a 'dach chi ddim yn rhin-weddol. Dim ond diwair! Ffyddlon!'

'Fydda i byth yn cyfri 'mod i'n ffyddlon i 'ngwraig. Dwi ddim yn ei nabod hi'n ddigon da i hynny. Ond mae hi jest yn ffaith na fydda i byth yn rhannu 'nghorff 'da neb arall.'

'Ffyddlondeb, yn ôl geiriadur y rhan fwya ohonom.'

'Na. Rwy'n meddwl y dylai ffyddlondeb fod yn rhywbeth mwy positif na hynny. Peth negyddol yw'ch diffiniad chi. Peidio crwydro. Dyna i gyd. Rwy wedi deisyf iddo fod yn rhywbeth mwy na hynny erioed.'

Yna, doedd dim ateb, tybiodd Rhiannon. Roedd hi hyd yn oed wedi methu'r unig gwestiwn o bwys a berthynai i'r drafodaeth.

Y gwahaniaeth rhwng realaeth a damcaniaeth oedd y gwahaniaeth rhwng llais a thafod. Haniaeth oedd y naill a'r llall yn gusan. Efallai?

Ie, efallai! Dim ond efallai oedd hynny hefyd. A hwnnw'n efallai digon brau. Os nad oedd modd cael gafael ynddo â dwy law, nid oedd yn perthyn i realaeth. Ac felly, roedd lle iddo ar gwrs Rhiannon Idris.

'Oedd eich chwaer yn rhannu'i chorff efo rhywun?'

'Ddim hyd y gwn i,' atebodd Dafydd.

'Ond mae gennych chi'ch damcaniaeth?'

'Dyw damcaniaethe heb ffeithie ddim yn werth taten.'

'A weithia fe fedrwch chi ddarparu'r ffeithia i ffitio'r ddamcaniaeth?'

'Nid lle mae fy chwaer fy hunan yn y cwestiwn, Rhiannon. Mae 'da chi feddwl isel iawn ohono i.'

Oedd o wedi'i frifo? Nid oedd wedi'i synnu gan ei hawgrym. Dyma beth oedd enghraifft o fochyn yn tin-droi yn y llaid ond yn cadw'i lygaid ar y lloer.

A 'lloer' oedd y ddelwedd ym meddwl Rhiannon. Nid 'lleuad'. Roedd hi'n cydnabod fod 'na bendefigaeth yn y baw. Rhyw urddas. Rhyw fardd, efallai.

Pa wrach ddrwg droes y gwrda glandeg yn soch-soch llychwin? Tywysog y stori dylwyth teg yn rhywbeth llai nag arwr? Y bardd yn borcyn yn ei fudreddi ei hun?

Roedd hi am ei olchi. Ei seboni. Ei sgwrio. Ei halltu'n ddihalog.

'Mae'n flin gen i eto.' Llithrodd llygaid Rhiannon yn ôl o ddelw'r drych o'i flaen at wyneb Dafydd.

'Ŷch chi wedi datrys y dirgelwch eto?'

'Wn i ddim. Rwy wedi 'sgrifennu'r ysgrif 'ma arni. Fe ddylwn i fod wedi dod â chopi efo fi, mae'n debyg. Sori. Ond yn ei cherddi hi mae'r ateb i unrhyw ddirgelwch sy 'na. A dyna pam ro'n i am gael gair efo chi, fel ei brawd hi.'

'Ie. Sut gwyddech chi fod ganddi frawd? A sut daethoch chi o hyd iddo?'

'O! Prin ei fod o'n ddirgelwch fod gan Lleucu Lloyd frawd.

Mae'ch hanes teuluol chi wedi ymddangos yn helaeth yn y papura yng Nghymru yn ystod y misoedd diwetha 'ma.'

'Ydy, debyg.'

'Rhyfedd i'w thad hi farw fel 'na, yntê? Mor fuan ar ei hôl hi.'

'Ddoe rown i yn yr angladd.'

'O! Roeddach chi'n cadw cysylltiad 'ta?'

Gwadodd Dafydd y cyhuddiad. Bellach, roedd ei wydryn yn dechrau gwacáu a'i gywreinrwydd ar drai.

'Â Lleucu 'ta? Roeddach chi'n agos ati hi?'

'Ai agos yw'r gair? Ie, falle. Welais i fawr arni yn ystod y blyn-ydde diwetha 'ma. Ond roedd yr atgofion yn bwysig imi. Maen nhw'n bwysig byth. Plentyndod, rwy'n ei feddwl.'

'Ond yna fe ddaeth hi dan ddylanwad Morfudd Price.'

'Dyna i chi fenyw! Rŷch chi'n gyfarwydd â hi?'

'Nac ydw. Na. Nid cyfarwydd ydy'r gair. Ond fe alwais i arni'n ddiwahoddiad i ofyn iddi wyneb yn wyneb ynglŷn â'i gwrthwynebiad.'

Eglurodd eto beth oedd y broblem ynglŷn â'r gyfrol.

'Eich mam biau'r hawlfraint hyd y gwela i, Dafydd. Da chi, peidiwch gada'l iddi ei roi'n gyfreithiol i'r ddynes 'na. Does wybod beth wnaiff hi.'

'Mae hi'n broblem imi, erbyn hyn, rwy'n cytuno. Jôc oedd hi yn fy ngolwg i ar y dechre ond erbyn hyn mae'n fwy.'

'Mi allai ddinistrio'r cerddi. Ydach chi wedi meddwl am hynny? Gwaith un o feirdd mwya pwysig Cymru yr ugeinfed ganrif. Yn sicr un o'r merched pwysica yn holl hanes llenydd-iaeth Gymraeg.'

Gobeithiai Rhiannon weithio ar ei anwybodaeth. Er iddo gadw'i iaith, siawns nad oedd yn gwybod y gwahaniaeth rhwng Gwenallt a Martha Plu Chwithig. Efallai y gallai drefnu cyrch liw nos . . . rhyw antur enbyd i achub ffrwyth yr awen o'r tŷ 'na yng Nghaerdydd . . . ac o grafangau'r weddw o warchodwr.

Dwy botelaid o ddŵr â swigod ynddo ac âi ei dychymyg yn rhemp!

Yn ddiweddarach gofynnodd Liz i'w gŵr a oedd y ferch 'na a gyfarfu dros ginio'n hardd. Gwelai Dafydd hynny ynddo'i hun yn anghyffredin, gan nad oedd Liz fel arfer yn holi gair am ei waith na dim a wnâi.

'Yes,' atebodd yn freuddwydiol. 'She reminded me of our Lleucu in some strange way. The way that sad twinkle came into her eyes whenever she waffled.' Rai munudau a myrdd o fyfyrdodau'n ddiweddarach ychwanegodd, *'I'd like to make love to her one day . . . when the time is right.'*

Ofer ei sibrydion. Roedd Liz eisoes yn rhochian chwyrnu wrth ei ochr.

## 1. 16 neges ar beiriant ateb

'O! Hylô, Arglwydd Morrisville. Aaron Skinner sy'n siarad. Fe gwrddon ni yn angladd eich hen ffrind, Jim Lloyd, yn Plymouth. Rwy'n siŵr eich bod chi'n cofio. Fe adewais i neges gyda'ch howscipar ddoe ac echdoe. Falle nad yw hi wedi pasio'r neges 'mlaen ichi. Fe hoffwn i gael gair â chi pan fydd hi'n gyfleus. Rwy'n deall fod 'da chi ddogfenne alle fod o ddiddordeb i mi. Plîs ffoniwch fi ar . . .' Rhoes ei rif. 'Llawer o ddiolch.'

Ddôi Dafydd byth yn gyfarwydd â'r hen declynnau yna, er mor aml y dôi ar eu traws wrth ei waith. Yr oedd fel gadael neges i'r marw. Yn gam bach o ffydd er nad yn llam. Doedd dyn byth yn siŵr a gâi e ateb.

Oes rhywun yno? Ai yn ofer y mae tafod yn ffurfio geiriau? A megin y fron yn rhoi gwynt i'r llais?

Synhwyrai Dafydd ei oferedd ffydd. Ni châi ateb. Ni fynnai'r Arglwydd Morrisville ei ateb.

Cymun yr anffyddiwr oedd yr eiriolaeth hon. Enaid unig oedd yn gweddïo trwy adael negeseuon yn hytrach na thrwy gynnal sgwrs.

Rhoddodd y fraich yn ôl ar nyth y ffôn. Roedd defod olaf y ffydd a'r cwrteisi wedi'i chyflawni. Gwyddai fod y llais ynghlwm, heb adlais nac ateb, yn y llwnc mud.

## 1. 17 jôc neu ddwy

*'No, they certainly weren't close,'* atebodd Brenda. *'Very rarely saw each other in the early years. Jim had always made an effort to arrange to meet Alwyn whenever he went up to London, but he gradually came to realize that it was an embarrassment to his old friend. And it was always a one-way link. Alwyn never made any attempt to contact Jim. So they drifted apart. And when Alwyn was made a lord, Jim knew that he'd been forgiven whereas he himself never was.'*

*'What did he do all those years?'* gofynnodd Dafydd.

*'Some of his old chums got him a job with an insurance company down here. That's why we came here initially. Nothing grand. Just an office job. Jim wasn't one of your latter-day Socialists, Mr Skinner. All taking silk or lecturers. Pure grass roots material was my Jim. I doubt if he was very good at this office job of his. It always sounded deadly boring whenever he mentioned it. They gave him early retirement.'*

*'You seemed to have a comfortable life, none the less.'*

*'There was my lecturing, of course.'*

*'Why did you give up your post at Oxford?'*

*'Love, I suppose. The Edward the Eighth syndrome. But as always, it was a bit more complicated than that. Nothing for you to worry your pretty little head over.'*

Fe feiddiai fod yn nawddoglyd gydag ef. Edmygai Dafydd hi am hynny.

Aeth hithau yn ei blaen i sôn am ddwy daith yn darlithio yn yr Unol Daleithiau. Cawsai'r gwleidydd a gollodd ei ffafr â ffawd fynd gyda'i wraig yr ail dro.

*'When the walls all fall about you, you make sure that the hut you manage to build from the ruins is as comfortable as you can make it.'*

Edrychai hithau'n iau heddiw na'r hyn a gofiai Dafydd ohoni ar ddiwrnod yr angladd. Ond yn rhyfedd iawn, synhwyrai fod y siarad am ei gŵr yn fwy syber. Efallai ei bod hi'n haws gwamalu ar ddiwrnod angladd, tybiodd Dafydd, gan fod y ddefod mor afreal. Yma heddiw. Acw 'fory. Darfod. Diflannu.

Ie, roedd y diflaniad yn fwy afreal na dim. Llais wedi mynd. Cnawd wedi mynd. Arferion bach bob dydd wedi dod i ben heb batrwm na rheswm yn y byd.

Y wardrob oedd y dodrefnyn mwyaf abswrd ar ôl marwolaeth, dychmygai Dafydd. Llawer mwy doniol ddu na'r arch. Rhesi o ddillad ar siâp corff nad oedd mwyach yn bod. Jôc ddu yn hongian mewn tywyllwch.

Ces oedd e hefyd, o feddwl! Ces ac adyn! Angau.

Da gan y weddw oedd bod yn ôl yn ei chartref ei hun. Roedd cartrefi'r plant yn groesawus ond rhaid oedd torchi llewys a bwrw ati.

*'And you gave all the papers and things to Lord Morrisville?'* gofynnodd Dafydd eilwaith mewn anghrediniaeth.

*'Well, yes, I did. Rash of me, wasn't it? All the Welsh language stuff, that is. I didn't even look through things properly. There was no point. And he turned up that day out of the blue . . . It was just on the spur of the moment. I said he could read through things—especially that manuscript.'*

*'And you said you thought it was an autobiography?'*

'*Alwyn said the title meant "Confessions of a Ruin", whatever that is in Welsh. You'd know, wouldn't you? Your mother said that you'd retained your knowledge of the language remarkably well. What's the point, Mr Skinner, I ask myself? Still, it's come in handy now if you want to read this thing of Jim's.*'

'*To see if it throws any light on Lleucu, you understand . . . On Lucy, that is. She used the Welsh form of her name for her poetry.*'

'*That sounds delightfully Celtic,*' ebe Brenda'n ddilornus. '*You all seem to enjoy playing these little jokes.*'

'*And you don't mind if I read the manuscript?*'

'*No. Before you go I'll get you Alwyn's address in London. Tell him that I said it was all right. And I suppose I should write to him myself to tell him. If you find anything interesting, any conspiracies to murder or maps for hidden treasure, you will let me know, won't you?*'

# 1. 18   piser yn y cefnfor

Adnabu Dafydd yr Arglwydd hyd yn oed ac yntau heb gerpyn amdano.

Mewn siwt angladdol ddu, cadwai ei oedran. Heb ddim ond tywel yn llac am ei gylch, gallai Dafydd weld ei fod mewn profedigaeth.

Ar air howscipar yr henwr y penderfynodd Dafydd ei ddilyn y prynhawn hwnnw. Ofer fu pob cais i'w weld. Pob neges resymol. Daeth yn bryd rhoi sioc i'r system. Achosi tipyn o chwys.

Gallai'r gŵr iau weld nad oedd crychau mân ei wyneb ond mesur bychan iawn o grychau lluosog ei gorff hynafol. Corff nas bugeiliwyd yn ofalus iawn oedd hwn a eisteddai ar y fainc gyferbyn. Ôl y gorfwyta a'r drefn ddiymadferth yn hongian yn rhychau afiach amdano. Serch hynny, eisteddai Alwyn Perkins yn gefnsyth yn erbyn y teils poeth, ei wyneb yn dal yn urddasol yn ei hagrwch ac yn sgleinio'n wyn trwy'r cymylau o stêm.

Cododd Dafydd ac aeth draw i eistedd yn ei ymyl ar y fainc.

Rhythu i'r mwg yn ddisyfl a wnaeth yr henwr, ond tynnodd ei dywel yn dynnach o gylch ei wregys.

'Oer 'ma on'd yw hi?' mentrodd Dafydd yn gellweirus. Yn gellweirus o garedig. Nid yn gellweirus o gas.

Cyffrôdd yr hen ŵr teitlog, ond yn fwy gan sŵn y Gymraeg na chan gecru'r cwestiwn.

'Mae'n amlwg fod 'da chi fantais trosof,' atebodd yn betrus-gar. 'Ddylwn i'ch nabod chi?'

'Aaron Skinner,' ebe Dafydd. 'Fe gwrddon ni yn angladd Jim Lloyd. Er nad oedden ni'n ddieithr i'n gilydd mewn gwirionedd. Mae Mam yn taeru'ch bod chi wedi fy magu i lawer tro yn eich côl.'

Troes y pwdryn ar ei bensiwn ei ben am y tro cyntaf.

'Mae'n flin 'da fi, Skinner. Nabyddes i mohonoch chi trwy'r tarth,' meiriolodd yn araf. 'A fiw ichi edrych yn rhy ofalus ar ambell un yn y lle 'ma.'

Dyma beth oedd dal cadno mewn baddondy. Ac yntau'n hen law ar fynd trwy'r byd gan edrych ym myw llygad cyn lleied o bobl â phosibl.

'Fyddwch chi'n dod 'ma'n aml? Eriôd wedi'ch gweld chi 'ma o'r bla'n.'

'Na,' atebodd Dafydd. 'Dod ar un perwyl arbennig wnes i.'

'Wy bownd o fynd mâs o'r stêm 'ma,' torrodd yr Arglwydd ar ei draws. 'Fi jest â ffeinto.'

Cododd a chamodd yn ofalus at y drws. Wel! Fe gâi osgoi ei gwestiynau am ennyd, meddyliodd Dafydd, ond yn y diwedd fyddai ganddo'r un ddihangfa.

Roedd hi'n hawdd i Dafydd fod yn ddilornus tuag ato. Tueddai i ddilorni'r hen, yr hagr a'r darostyngedig. Rhan o'i hyfforddiant, tybiai, heb ddewis wynebu'r ffaith ei fod yn gyw o frîd, a'r brîd hwnnw'n un nad oedd heb ei frychau.

Roedd wedi ceisio dianc rhag ei dylwyth. Ar ryw olwg, nid oedd ei fywyd ond un ddihangfa fawr o'r domen. Ond tomen ei genhedliad oedd hi. Nid ei addysg na'i fagwrfa.

Eto, roedd Lleucu wedi dewis mynd yn ôl. Yn ysbrydol, felly. Ysbrydol? Ei blydi barddoniaeth. Ei hymlyniad wrth ddefnydd-io'r Gymraeg. Yr enw. Yr enaid yr oedd hi am i bawb ei weld.

Petai Lleucu wedi torri'n rhydd, byddai yntau wedi gwneud hynny'n llwyr a llawen, gyda'i drylwyredd arferol. Byddai'r enw Cymraeg ddewisodd ei dad arno (ei fam ddewisodd Aaron ar ôl ei thad) wedi ei hen anghofio.

Ond mynnai llais merch fach ddal i gwtsho ato yn y nos. Ei damcaniaethau'n sêr yn nos sidêt y system.

Gorchudd oedd enaid, yn ôl Lleucu. Côt fawr o beth. A'r dychymyg, yr ysbryd a'r ffydd yn byw yn ei phocedi. Nid ynghudd yn y cnawd o gwbl. Ond yn llifo'n gwmwl tystion anweledig a thryloyw. Yr ochr hon i'r croen. Yr ochr hon i'r cnawd. Hyn a wnâi ei haeriadau mor syfrdanol. Dyna pam y gallai'r enaid, a phopeth oedd ymhlyg ynddo, ddianc mor hawdd pan fyddai i'r corff ddarfod.

Cerddodd yntau trwy ager y deml Fictorianaidd i lanweithdra ac at dymheredd claear y cawodydd.

Dim golwg o Alwyn Perkins, sylwodd Dafydd. Oedd enaid ambell un wedi diflannu cyn i'r cnawd droi'n gelain? Rhywbeth i bendroni trosto. Pam yr ymddangosai rhai mewn gwth o oedran fel gwelwon gwag? Y llygaid oedd fel arfer yn gadael y gath o'r cwd. Y pyllau mwll. Neu'r goleudai di-fflam. Poblach ddi-fflach yn dal i fynd trwy'u pethau heb affliw o bwrpas i'w byw na'u bod. Y rhuddin diriaethol yn dal i'w hysgogi i wneud eu dyletswyddau o ddydd i ddydd. Ond gwir bwrpas anadlu wedi hel ei bac.

*Pam cymryd ynni o'r haul? Pam sugno dŵr o'r ddaear?*

Byddarwyd y cwestiynau, cwestiynau bardd, gan lif y dŵr uwch ei ben. Yn iro. Ffromi. Llosgi. Lluo. Y dŵr fel llafn metal yn crafu'r enaid yn lân, yn cribo gwlân y siwmper sanctaidd oedd yn feddal ac annileadwy o amgylch ei gorff.

Y dafnau gloyw ym mlew du ei frest fel aloi unigryw o arian a glo.

Ai hyn a'i gwnâi'n unigryw? Efe, Dafydd Aaron Skinner? Y corffyn yma o ddyn? Y goeden gadarn a synhwyrai ddiogelwch rywle yn y gwreiddiau pleth o dan y pridd?

Ai'r noethlymundod hwn oedd ei unig gyfle? Ai'r rhaeadrau rheoledig hyn mewn palas hedonistaidd oedd ei unig siawns i fod yn rhan o'r môr?

Wrth gwrs, roedd pob un enaid unigol yn unigryw. Roedd ei brofiad prin o'r Ysgol Sul wedi dysgu hynny iddo. Roedden nhw hyd yn oed wedi ategu hynny yn y Cadets. Roedd Duw yn bod. A Christ yn atgyfodedig. A pherffaith hawl gan Lleucu i'w damcaniaethau. Duw gadwo'r Frenhiniaeth.

Ond un cawg oedd ef. Un piser. A chynnwys pob un a godid o'r cefnfor yn unigryw. Nid ef oedd piau'r dafnau, dim ond y cyfuniad arbennig ac unigryw a lynai wrtho. Ar ddiwedd y dydd, yn ôl i'r môr â'r dŵr. Câi elfennau ei enaid eu codi eto. Mewn rhyw adyn arall. Neu rhyw angel.

*Un môr. A llawer llestr.*

*A Lleucu yn ei bedd.*

A llifodd y diferion ar eu cryfaf. Yn ddylif o drugaredd. A gaeai ei lygaid. Ac a gludai'r sebon o encilion ei gorff.

Camodd o'r gawod yn ei noethni gan ymbalfalu am ei dywel wrth rwbio'r dŵr o'i amrannau. Am eiliad fach teimlai'n waeth na noeth, fel petai heb enaid. Ond wedi ei olchi roedd y gwawn o'i gwmpas. Nid ei olchi ymaith. Dôi sawr ei chwys unwaith eto i ddweud wrtho fod ei enaid yn bod. Talm yn unig oedd hyd yr enaid rhydd. Y foment wedi'r cymun. Yr awr cyn darganfod y bedd gwag.

Treiglai'r croen ymaith. O hyd ac o hyd. I'w atgoffa o ddamcaniaeth y groten.

Codai gwynt ei chwys i'w ffroenau. Cosai'r croen mewn lludded. Crafodd Dafydd ef mewn blinder. Yn brawf o ddysgeidiaeth ei chwaer.

Dyna beth oedd llwch y llawr. Dafnau budron ein bod yn hofran yn ein hawyr. Gan orffwys ar wynebau'r pethau y rhoddem gymaint o bwys arnynt. Ac yn brawf fod yr enaid o'n hamgylch. A'r corff yn gollwng ei fudreddi trwyddo.

*Tyrd, Tomos! Tynn dy law dros lwch y llawr. Rho dy fysedd yn chwys fy nghesail.*

*Dyma beth yw credu. Dyma ystyr bod yn lân.*

Taenodd y tywel yn llipa am ei gorff ac aeth i chwilio am fainc dawel i orffwys arni yn yr ystafell orffwys.

Gwyddai ei fod yn agos, agos at Lleucu yn y munudau hyn.


# 1. 19    ugain punt ac ugain mlynedd

Cyn agosed ag anadl boeth. Mor agos â hynny. Mor gaeth â'r gath yng nghôl y prifardd. Mor sawrus â'r *gin* yn ei bol.

'Wyt ti wedi gweld faint o slotian wnest ti heno?' gofynnodd Morfudd gan ysgwyd bil y bar o dan ei thrwyn.

Roedd llai na deuddeg awr cyn i Lleucu gwrdd â'i thad eto am y tro cyntaf ers ugain mlynedd ac roedd hi'n fwy meddw nag arfer.

'Dwyt ti eriôd yn edliw imi! Ma' 'da fi dd'wrnod mowr o 'mla'n i 'fory!' llefarodd y bardd.

Trwy gamu'n ôl, gall y gorffennol a'r presennol gydgerdded tua datrysiad y dyfodol. Fel dau mewn lifrai cowboi. Yn baglu'n dindrwm tua'r machlud. Dyma beth yw perthnasau perffaith. Y brawd a'i wn, y chwaer a'i choron. Mae'r naill yn bwydo'r llygad a'r llall yn frith gan atalnodau. Gyda'i gilydd maent yn cwmpasu pob mynegiant. Yn troi geiriau yn greiriau. A chreiriau yn eiriau. Gwyrthiau sy'n anodd i'w llyncu.

'Dros ugain punt! Gwerth dros ugain punt o yfwch wedi mynd

i lawr y lôn goch. A thithe yma ar dy ben dy hun bach yn y twll 'ma maen nhw'n ei alw'n lolfa.'

'Nid arna i mae'r bai fod y gwesty'n wag. Dwêd nad wyt ti'n edliw imi? Plîs?'

'Wrth gwrs nad ydw i ddim, Lleucu.'

'Ac fe gest ti ddiod yn y bil 'na hefyd.'

'Un brandi oedd hynny, Lleucu. Orie'n ôl.'

'Wel! Plîs, paid â sôn am y bil 'na 'to. Gofyn iddyn nhw'i ychwanegu fe at yr un bil mawr. Fe dalwn ni cyn gadael.'

Arfer pawb oedd talu cyn gadael.

Gwagiodd Lleucu ei gwydryn olaf a rhedodd y gath i guddio, tra aeth Morfudd at y bar gyda'i bag. Tynnodd lyfr siec ohono a gwenodd ar y dyn.


# 1. 20    chwys yn y diwedydd

Gwenodd Dafydd wrth eistedd yn y gadair-bwrdd-llong nesaf at un Alwyn Perkins.

Doedd cadair ganfas feddal felly'n dda i ddim at gadw corff yn lluniaidd. Suddodd Dafydd ynddi.

'Dyw'r cyngor ddim yn gwario rhyw lawer ar adnodde'r lle 'ma, ydyn nhw?' gofynnodd i dorri'r garw unwaith eto.

'Sori?'

Doedd Dafydd ddim yn bwriadu gorfod dechrau o'r dechrau bob tro wrth dorri sgwrs â hwn.

'Na hidiwch am hynny. Rown i am gael gair â chi am rywbeth arall. Dyna pam y des i mewn i'r twll 'ma.'

'Twll i chi, falle, ŵr ifanc, ond i hen bensiynwr fel fi ma' 'na ostyngiad sylweddol iawn.'

'Gostyngiad neu godiad, does dim ots 'da fi be sy'n dod â chi 'ma!' palodd brawd y bardd yn ei flaen. 'Ond rŷch chi'n ddyn anodd iawn i gael gafael arno.'

'A sut gwyddech chi 'mod i 'ma?'

'Fe ddwedodd eich howscipar wrtho i pan alwais i yn eich tŷ chi.'

'Fe alwoch chi yn fy nhŷ i? Yn ddiwahoddiad! Ma'ch haer-llugrwydd chi'n mynd yn rhy bell, Mr Skinner. Ma' 'da fi ambell ffrind digon dylanwadol o hyd, cofiwch.'

Troes yn gastell tan warchae, barnodd Dafydd. Caer fach lipa, syth ei muriau ond gwantan ei gwneuthuriad.

'O, ie? A beth wnewch chi? Galw ar eich hen ffrindiau i ddod i'ch achub chi? Dwi ddim yn meddwl fod angen gorymateb i'r sefyllfa, o's e? Rwy wedi bod yn sifil, Arglwydd Morrisville. Yn sifil iawn. Ac amyneddgar. Llythyr. Neges ffôn. Negeseuon gyda'ch howscipar. A dweud y gwir, rwy'n rhyw feddwl y bydde pobol gyffredin yn barnu mai chi oedd yr un anghwrtais.'

'Does dim ishe ichi fod yn flagardus, o's e?'

'Ond dyna 'mhwynt i, gyfaill. Dwi ddim yn derbyn 'mod i'n flagardus. Y chi sy'n gwrthod bod yn rhesymol.'

'Symo fi am atgyfodi'r gorffennol,' cyhoeddodd yr henwr. I fod yn deg, roedd y geiriau a'r llefaru'n rhesymol iawn. Yn wahanol i Dafydd, fe hoffai'r henwr y seddau meddal a geid yn ystafell lled boeth y baddonau Twrcaidd. Dyma lle'r ymgasglai'r hen ddynion. Ceid cysur di-boen rhwng teils glas a gwyn yr ystafell gron. Hen ddynion yn dianc am brynhawn i ladd amser mewn gwledd o lanweithdra. Ac yn groes i'r gred gyffredin, nid oedd yno fawr o sôn am y gorffennol. Os oedd hi'n 'wlad arall', gwlad wedi'i goresgyn oedd hi a'i thrigolion yn awr yn ddinasyddion newydd na fynnent fynd yn ôl i'r hen drefn.

'Pam aethoch chi i weld Brenda Lloyd 'te?'

Ochneidiodd Alwyn. Fe ddylai losgi'r llyfr. Ond sut gallai e egluro hynny i Brenda?

'Symo fi'n ei nabod hi'n dda iawn. Rhyw unwaith neu ddwy y cwrddes i â hi eriôd cyn angladd Jim.'

'Yna pam aethoch chi i'r angladd 'te? Oeddech chi'n cadw cysylltiad clòs ag e dros y blynydde?'

'Na. Ddim o gwbwl . . .' Yn wŷr ifainc roeddynt wedi rhannu llawer, wrth gwrs. Yr un ymgyrchoedd. Yr un brwydrau. Yr un llwyfannau o arabedd. Yr un tân coeth yng nghylla'r ddau ohonynt. Jim wedi aredig ei Sosialaeth o draddodiad Rhyddfrydol Ceredigion ac yntau, Alwyn, wedi ei gloddio o'r wythïen gref o Radicaliaeth yn y Cymoedd. '*Disaster* oedd eich tad, gyfaill. 'Na fi'n gweud wrthoch chi'n strêt.'

Troes ei ben i wynebu Dafydd. Edmygai hwnnw ef am ymdrechu i roi argyhoeddiad y tu ôl i'r pethau pwysig a ddywedai.

'Doedd e ddim yn dad i mi, diolch byth.'

'Wel! Beth bynnag oedd e . . . Wel! 'Na fe! Mae'n well gadael y meirw i orffwys.'

'A beth am y byw?'

Pwysodd Dafydd ymlaen yn ei gadair anghysurus. Y gwres sych yn dechrau agor meindyllau ei groen. Gwyrodd ei ben i gyfeiriad y gŵr. I newid tac. I godi pont newydd. I adael i'r chwys lifo unwaith eto.

'Beth am y byw, gyfaill?'

Estynnodd y gwleidydd ei law i afael yn annisgwyl yng ngarddwrn y dyn arall. Os oedd yma ymddiriedaeth newydd, roedd gobaith osgoi'r gwaethaf. Fe ddylai fod wedi ateb ei negeseuon ynghynt, er mwyn osgoi cynyddu'r amheuon ymhellach.

'Brenda Lloyd, er enghraifft. Hi ofynnodd ichi fynd lawr i Plymouth i'w gweld, siŵr o fod?'

'Nage, gyfaill. I Gaer-gaint. Roedd hi'n aros yno 'da'i merch. Wel, anodd iawn oedd gwrthod. Menyw eitha hoff o ga'l ei ffordd ei hunan, os gofynnwch chi i fi. Dyna'r math ar fenywod y bu Jim o dan eu bodie drwy'i oes.'

'A beth oedd hi'n moyn 'da chi, yn y Caer-gaint 'na?'

'*Canterbury* yw Caer-gaint, gyfaill. A beth oedd hi'n moyn oedd i fi fynd drwy'r llawysgrif 'na. "Atgofion Adfail" yw'r teitl arno fe. Wedi'i 'sgrifennu mewn inc coch bras ar y tudalen cyntaf. Alle hi byth ddarllen y peth, wrth gwrs. Ac roedd hi'n eitha crac am y peth. *Bad joke* roedd hi'n ei alw fe. Achos bod e wedi'i 'sgrifennu fe'n Gymra'g, 'chi'n gweld.'

Fe welai Dafydd i'r dim. Alwyn wedi galw'n ddisymwth yn Plymouth, yn ôl Brenda. Brenda wedi ei erchi i Gaer-gaint, yn ôl Alwyn.

'Rown i wedi'n synnu'n hunan, cofiwch,' aeth yr Arglwydd yn ei flaen. 'Doedd dim siâp ar ei Gymra'g ysgrifenedig e pan own i'n ei nabod e.'

'Ac oedd e wedi gwella dros y blynydde?'

'O, oedd. Whare teg. Dwi ddim yn arbenigwr 'yn hunan, ond o leia, fi'n gallu darllen y cwbwl.'

'Ŷch chi wedi gorffen â'r llyfr 'te?'

Oedodd Alwyn am ennyd. Sut oedd gwadu hyn heb ei gwneud hi'n amlwg ei fod yn dweud celwydd?

'Na . . . ddim cweit. Ma'n well imi ei ddarllen e i gyd i'r pen, sbo, gan 'mod i wedi addo i Brenda. Gorchwyl diflas iawn yw e, cofiwch.'

'Beth petawn i'n rhoi tan ddydd Mawrth nesa ichi?'

'I beth?' Codwyd braw ar yr henwr. Roedden nhw'n ôl yng ngwlad y bygythiadau.

'I orffen darllen y llawysgrif 'na. Wedyn fe ddo' i rownd i'w chasglu.'

'Digon diflas yw e, 'chi'n gw'bod. Lot o'i hanes cynnar e yn Shir Aberteifi. A lot o esgusodion am beth ddigwyddodd yn *nineteen sixty three*. Sa i'n gweld yr un cyhoeddwr â diddordeb yn y peth.'

'Ta waeth! Fe liciwn i weld :rosof fy hunan,' ebe Dafydd gan wthio'r dôn gyfeillgar i'w lais ar ei waethaf. 'Fe ddo' i draw tua thri o'r gloch. Fe fyddwch chi i mewn, yn' byddwch chi?'

Cododd Dafydd. Y chwys yn drech nag ef.

'Ac rwy'n ffyddiog y bydd y llawysgrif 'na'n saff yn eich meddiant tan hynny. Dim un ddamwain fach anffodus. Na lladrad cyfleus. Iawn?'

'Iawn.' Gorfodwyd yr Arglwydd i gytuno.

Ymatebodd Dafydd i alwad ei enaid. Os teimlai'n euog, ni ddangosai ddim. Os oedd arno gywilydd, nid oedd inclin o hynny.

Ond yn ôl o dan y gawod roedd ysbryd yn rhydd ac enaid yn lân. Ac nid hawdd oedd gweld y dagrau.

*Y dafnau hyn yw'r anweledig wedi eu troi'n ddiriaethol. Y rhain sy'n troi boch yn rudd mewn pictiwr o bader. Hwn yw'r iro nas gwêl y byd.*

*Wrth gwrs fod Lleucu'n iawn. On'd yw ei chân yn cannu. Nid enaid sydd ynghudd mewn cnawd. Y cnawd sydd i'w weld trwy enaid.*

*Bydd dŵr yn dwyn ymaith fudreddi'r ddau.*

*Gwell credu hyn, gan fod rhith y bardd yn ddibynnol ar y weledigaeth hon o iachawdwriaeth. Er, bydd Dafydd ei hun yn amau weithiau. Megis y munudau hyn o dan lif y gawod. Mae'r sebon fel gleiniau rhwng ei fysedd. Teimla'n wan ac yn gryf am yn ail wrth aros yr atgyfodiad.*

# 1. 21   gair i gall

'*Hear you've been up to more amateur sleuthing, Skinner,*' dechreuodd Pennaeth yr Uned.

'*I don't know what you mean, sir.*'

'*I mean harrassing peers of the realm in Turkish Baths, Skinner. That's the sort of caper I'm talking about.*'

'*I've never harrassed anyone in my life, sir,*' gwamalodd Dafydd yn ateb. '*I wouldn't know how.*'

'*Listen, you Welsh jerk. I don't like people breathing down my neck. I'm telling you to toe the line or else.*'

'*Or else, sir?*'

'*You know going off on your own little private investigations is strictly forbidden. You're not the renegade hero of some bloody TV series, Skinner. Grow up!'*

'*I repeat, sir, that I deny ever harrassing any peer of the realm in any Turkish Bath. If you're referring to last Thursday afternoon when I met . . .'*

'*Name no names. Christ, have you forgotten everything you've ever been taught?'*

Swynwyd Dafydd gan ffyrnigrwydd y llais.

'*I feel perfectly legitimate family matters have been blown out of all proportions in certain quarters, sir, that's all.'*

'*Those "certain quarters" are your brains, Aaron. Take a piece of friendly advice. Stay clear of certain people. They have the power to harrass me . . . in Turkish Baths and elsewhere . . . and they've the power to harm you.'*

'*I've never been frightened of wrinkled old men . . .'*

'*You ought to be, Skinner. Don't you know that wrinkled old men wield the greatest power of all in this country. They're the inheritors. Not the young. We just serve them.'*

Doedd y byd ddim yn deg. Wel! Fe ŵyr pawb hynny. Ond parhau'n unplyg a wnâi Dafydd. Dechreuodd egluro nad oedd am wneud dim ond darllen llawysgrif ond torrwyd ar ei draws drachefn.

'*Everyone is sorry about your sister, Aaron. Everyone. We haven't got much time for the social niceties round here, we're all too busy. But there was a sadness when your sister died. There was also a post mortem. An inquest. A thorough investigation by the Cardiff police. The verdict was accidental death. Now why not let her rest in peace?'*

'*There's more to it than that . . .'*

'*No. No, there isn't. She may have been a sweet girl. She was talented. She was big in Wales. So what? End of story. Understand?'*

'*Understand, sir.'*

Siaradent mewn talfyriadau. Fel cerdd o argraffiadau. Yn swta a siarp. Dau ddyn mewn swyddfa. Yn trafod bardd.


## 1. 22   ffon ac ergyd carreg

Pam?

Newydd wneud ei gyfaddefiad yr oedd Alwyn Perkins. Ei gyfaddefiadau yn wir. Fesul un ac un. Oedd, roedd wedi ei osgoi.

A pham?

'Achos does dim pwynt yndo fe, 'na pam.'

O urddas cefnsyth ei ymddangosiad yn yr angladd, trwy grychni llaethog y croen y bu mor llwyddiannus yn ei achub dros y blynyddoedd yn y baddon, hyd fratiaith nerfus yr olygfa hon, roedd Dafydd wedi gweld sawl gwedd ar ddirywiad adfail.

Doedd Dafydd ddim i wybod, wrth gwrs, ei fod yn gyn-gariad i'w fam. On'd oedd e bant yn ei ysgol? A'i chwaer yn rhy ifanc i sylwi. A'i lysdad yn rhy brysur yn ceisio golchi'i ddwylo i weld y brad dwbl o dan ei drwyn.

'Gadewch i fi benderfynu pa bwrpas sydd. Dim ond ishe darllen ydw i. Fe ysgrifennodd Jim Lloyd at Lleucu yn gofyn am ei gweld. Ddeufis yn ddiweddarach roedd hi'n farw. Rwy jest am weld oes 'na rywbeth yn y llawysgrif 'na i egluro'r sefyllfa.'

'Ond beth os oes mwy o gwestiyne nag o atebion? Beth wnewch chi wedyn?'

'Dyna ŷch chi'n ei feddwl? Dyna pam ŷch chi am imi gadw draw ar bob cyfri? Dyna pam rŷch chi hyd yn oed yn barod i godi ofn arna i, er mwyn fy nychryn?'

Pe dywedid y gwir, teimlai Dafydd yn anghysurus wrth rethregu yn ei flaen.

Dwy gerdd ymhell o'u cynefin oeddynt. Yn wir, daethai iddo'r syniad fod y tŷ hwn yng ngogledd Llundain yn ei atgoffa o Fans Cymreig y bu ynddo unwaith.

Ac roedd yntau wedi cloffi rhyfaint ar ôl y rhybudd. Ddim digon i'w gadw draw, mae'n wir, ond cloffi yw cloffi. A ffon oedd ffon, boed hi'n ceryddu neu'n cynnal.

Roedd y ddelwedd yn rhedeg o'i flaen, fel petai ganddi ei bywyd ei hun.

Byddai hyn yn siŵr o orffen mewn Angau. Pa bryd bynnag y dechreuai weld sefyllfa yn nhermau cerdd roedd Angau'n rhwym o ddilyn. Dyna'r pris a dalai am fod o dras Cymreig. Nid oedd Angau byth ymhell o'i feddwl. Ac nid oedd gymaint ag ergyd carreg o'i gerddi.

Ergyd carreg ac mae Dafydd yn lladd Goliath. Mae'r tir yn anodd i'w aredig. Ac mae'r saer maen yn naddu. Cerdd. Cerdd arall. Mwy o'r Ysgrythurau. Mwy o amaethu. Mwy o Angau. A'r mwyaf o'r rhain (o ddigon, o ormod!) oedd Angau.

Heb yr englyn coffa a'r farwnad, byddai llai i'w ddweud. Diolch byth fod pobl yn dal i farw, neu fe fyddai barddoniaeth wedi mynd yn fud erstalwm. A wedyn, ble fydden ni?

Ym mudandod mawr y bedd. Neu mewn Mans o fore oes a

hwnnw ddwy stryd i ffwrdd o'r Tiwb. Ddwy ergyd carreg o gyrraedd cerdd.

'Oes 'na rywbeth gwirioneddol erchyll yn y llawysgrif 'na?' gofynnodd fel plentyn. Plîs, Dduw, dim rhagor o ganmol rhinweddau. Dim amdo arall o liain main gweniaith. Onid oedd yr Awen bron â gwisgo'n ddim yng Nghymru o'i theilwra felly?

Ond rhaid mai 'na' oedd yr ateb.

'Diolch byth fod yr englynion 'na'n gofiadwy,' ebe modryb iddo wrth ei fam yn angladd ei dad, 'achos doedd Geoffrey ddim.'

'Am hynny rown i ishe siarad â chi,' meddai'r Arglwydd. Oedd e wedi dechrau lleisio'i feddyliau? Oedd e wedi arllwys yr atgofion 'na'n llafar yng nghlyw'r dyn arall? Dyna beth oedd esgeulustod! Ac yntau wedi bod mor sicr mai meddyliau yn unig oeddynt.

Roedd rhyw hud ar waith a byddai'n rhaid iddo fod ar ei wyliadwriaeth.

'Sa i'n gw'bod pa mor gadarn ei feddwl oedd Jim yn y blynydde olaf 'na, 'chi'n gw'bod!'

Ai hyn oedd casgliadau'r hen ŵr? Yntau ei ragarweiniad?

Gwelsai ef yn noethlymun, brin wythnos ynghynt. Yn noeth, fel pe na bai ganddo enaid o gwbl. Doedd dim hawl gan hwn i ragymadroddi onid oedd ganddo enaid. Ond roedd gan yr hyll eu heneidiau hefyd. A phwysig cofio hynny.

'Bydde lot yn gweud mai gwan ei feddwl fuodd e eriôd. Rŷch chi'n gw'bod eich hunan mor annoeth oedd e.'

'Arglwydd Morrisville, beth yw penllanw'r tonne dirifedi 'ma o rybuddion?'

Ildiodd perchennog y tŷ i'w ymwelydd. Bu'n anghysurus, gan dybio i'w alwad ffôn wneud y tric. Ond dal i ddilyn y trywydd a wnâi Dafydd.

'Mae e'n ffantastig, wrth gwrs. Fydde dim un cyhoeddwr yn breuddwydio printo shwd beth, ond fe allech chi ga'l eich tramgwyddo.'

'Gan beth?'

'Mewn un bennod o'r llyfr ofnadw 'ma, ma' Jim yn honni iddo fe a'ch mam lofruddio'ch tad,' sibrydodd Alwyn mewn arswyd.

# 1. 23 llythyr

Chwarddodd Rhiannon yn afresymol. A heb reswm. Dim ond sbeit allai ysgogi chwerthin felly.

Chwerthin digynulleidfa. Brecwasta ar ei phen ei hun yng nghegin ei fflat fechan. Y môr draw yn y pellter a llond ystafell o fyfyrwyr swrth yn disgwyl ei doethineb nid nepell i ffwrdd yn y Coleg.

Tynnodd ef o'i amlen am yr ail dro a gwnaeth ei llygaid wledd o'r geiriau:

'Annwyl Rhiannon,
Gobeithio ichi gyrraedd gartre'n ddiogel o Lundain. Rown i'n falch ichi dynny fy sylw at y problemau. Rydych chi wedi ysgogi fi i ddod i nabod fy chwaer yn well. Mae gyn i gywilidd cyn lleied rwyf yn gwybod am ei barddoniaeth.

Carwn eich cymryd i fyny ar y cynnig i ddarllen eich erthygl yn eich llyfyr.

Tybed os modd imi ddod i'ch rhan chi o'r byd i'ch gweld? Bydde fel pererindod i fi achos dim ond rhanne bach o Gymru rwyf yn gyfarwydd â nhw.'

Yn dilyn hyn, roedd cynnig pendant i fynd â hi allan am swper ar ddyddiad penodol. Clowyd y llythyr:

'Yn gywir,
Dafydd Skinner.'

Doedd e ddim yn ddoniol, wedi'r cyfan, meddyliodd. Ond doedd e ddim yn ddifrifol, chwaith.

Wfft i'r seminar! Fe gâi'r myfyrwyr ddisgwyl amdani hi am newid.

Darllenodd y llythyr am y trydydd tro. Mewn sawl ffordd roedd y mynegiant yn go agos i'w le. Ond sigledig uffernol oedd ei sillafu, meddyliodd.

Roedd yna le i wella.

# 1. 24    lleisiau uwchben llawysgrif

'Rŷch chi'n cofio fy nhad, wrth gwrs?' gofynnodd Dafydd yn ddiemosiwn.

'Ydw. Ydw'n dda. Dyn uchel iawn ei barch yn y Mudiad Llafur.'

'Am ei fod e'n cyfrannu cymaint o'i gyfoeth i'r coffrau, ife?'

'Na. Nid yn unig.'

'Rhinwedde amgenach na hynny hefyd 'da fe, o'dd e?'

'Rhaid ichi 'nghredu fi, nawr, pan ddweda i nad wy'n credu gair ohono fe. Hen lyfr dwl yw e. Lot o hen ramantu gwirion gan hen ddyn oedd wedi mynd ar gyfeiliorn ers blynyddoedd.'

Cododd Dafydd y twlpyn anniben o deip a elwid yn llawysgrif. Bu'n gorwedd ar y bwrdd isel rhyngddo ef ac Alwyn Perkins.

'Dyna'ch barn onest chi ar werth llenyddol yr honiade anhygoel 'na?'

'Jim Lloyd oedd 'yn ffrind gore i yn yr amser 'ny. Roedd siarad wedi bod amdano fe a'ch mam. Oedd, wna i ddim gwadu hynny. Ond tampro â char eich tad er mwyn ei ga'l e mâs o'r ffordd? A'ch mam yn rhoi *valium* yn ei goffi fe er mwyn hwyluso damwain? Allwch chi gredu shwt beth?'

'Rwy wedi fy hyfforddi i allu credu popeth ac i amau popeth. Bendith ddeublyg, fel y gwelwch chi.'

'Dyw e ddim gwerth ichi boeni amdano fe. Ac yn sicr, dyw e ddim yn werth ichi beryglu'ch gyrfa.'

'Wna i mo hynny,' sicrhaodd Dafydd ef. 'Ond fe garwn i fenthyg y llyfr er mwyn darllen y pethe gwrthun 'ma fy hunan. Gyda'ch caniatâd chi, Arglwydd Morrisville.'

'Fe ges i lythyr oddi wrth Brenda. Ma' hi fel 'se hi'n meddwl y daw rhyw dda o hyn. A wela i ddim fod drwg ichi ddarllen y rybish 'na os ŷch chi'n benderfynol.'

'Y chi aeth ar ei gofyn hi, yntefe? Nid hi ofynnodd i chi ddod i Gaer-gaint o gwbwl.'

Pesychodd Alwyn Perkins. Ie, celwydd bach oedd hynny. Beth oedd celwydd bach ochr yn ochr â chelwyddau mawr y byd?

Ni ddywedodd Dafydd ddim. Roedd englyn yn aml yn fwy effeithiol na chywydd. Nid hyd oedd popeth. A chwarddodd y lleisiau cudd o'i fewn. Gan gynnwys Lleucu. Sawl cyfrinach a rannwyd? Sawl cath a adawyd o'r arch? Sawl cerdd oedd yn gwneud cyfrol?

Byddai'n rhaid iddo droi at Morfudd Price am ateb. Neu Brenda Lloyd? Ei fam? Neu Rhiannon?

Merched oll. Merched a ddygai ei ddelweddau. Golchent ef yn nyfroedd berw eu dryswch. Y gwragedd â'u gwaith llaw yn geinder ir. Yn drysu. A throchi. A lladd ei dad?

Enciliodd rhag ei feddyliau ei hun. Rhag ofn nad oedd y drych yn driw.

*Mae Lleucu'n dal i losgi yn ei lwynau. A damcaniaeth newydd yn mallu ei ymennydd.*

Yr Ail Ddamcaniaeth:

LLOFRUDDIAETH

## 2. 1 cath mewn côl

'Fydda i byth yn siŵr a yw hunanladdiad yn ddewr ai peidio,' ebe Lleucu pan ddaeth Morfudd Price yn ôl ati.

Doedd ar honno fawr o awydd gwrando a gofynnodd a oedd y bardd wedi treulio'i noson yn hel meddyliau morbid.

'Na. Rwy wedi bod yn siarad â'r *rep* 'na, neu beth bynnag yw e. Mae wedi bod fel y bedd 'ma. Dim ond ni'n tri sy'n aros 'ma rwy'n credu. A'r gath 'ma sy wedi penderfynu cwtsho yn 'y nghôl i.'

'Wel! Gwesty gwledig yng nghanol mis Ionawr. Beth arall sy i'w ddisgwyl?'

'Ei lysfam e a'i lladdodd ei hunan,' ymhelaethodd Lleucu. 'Weithie rwy'n argyhoeddedig fod hunanladdiad yn ddewr a phryd arall fydda i ddim mor siŵr. Rwy'n credu fod y weithred ei hun yn ddewr. O reidrwydd, bron. Torri dy groen â rasal neu lyncu pistyll o bils. Rhaid bod peth felly'n ddewr, wyt ti ddim yn meddwl?'

'Ffordd hawdd o ddianc rhag cyfyngder yw troi dy hun yn drasiedi, os gofynni di i fi.'

'Na. Os wyt ti'n mynnu edrych arni fel'na, wrth gwrs. Dyw'r ymadawedig yn ddim ond testun tosturi a dyna ddiwedd arni. Falle mai'r peth dewr yw wynebu'r storm beth bynnag ddaw. Yn enwedig os taw rhyw sgandal sy wedi torri o dy gwmpas di. Falle taw'r rheini yw'r arwyr, y trueinied sy'n ei cha'l hi bob dydd yn y papure newydd ond sy'n mynnu dal eu tir . . . yn gwrthod mynd o'r ffordd.'

Ond onid anobaith yn hytrach na chywilydd oedd cymhelliad y rhan fwyaf o hunanfarwolaethau? Petai ei chancr hi'n dod yn ôl? Oni ddôi hi o hyd i'r ateb? Onid oedd trefnu'ch ymadawiad eich hun (yn hytrach na gadael y trefniadau i ragluniaeth) yn help garw i anfarwoldeb? Yn enwedig pan fedrech farw'n ifanc.

Roedd Hedd Wyn a Sylvia Plath wedi ei gweld hi'n iawn. Roedd Angau'n un ffordd ichi wneud enw i chi'ch hun.

A pham oedd hi yno, p'run bynnag? Pa ots ganddi hi am Gernyw? Y gwesty oer ar ganol y gors? (Na, doedd hynny ddim yn deg. Cedwid y gwres canolog ar ei uchaf gan greu gwlanen o westy cynnes.) Oedd, roedd ots. Yma'r oedd beddrodau'r tadau. Na, nid beddrodau tad. Yma'r oedd ei thad yn byw. Yma'r oedd cath yn fflwffen feddal ar ei harffed.

'Wedi yfed digon am un noson wyt ti,' barnodd y weddw o ofalwraig. Fe'i cadwai'i hun yn brysur yn casglu pecynnau gwag o greision a chnau a'u rhowlio'n belen er mwyn eu gadael yn daclus yn y soser lwch.

'Alcohol yn gostwng tymheredd y corff! Mi wn i,' ebe Lleucu gan edliw doethinebau'r weddw.

'Gad ti dy yrfa i fi,' ebe Morfudd. 'Fe ofala i nad yw dy enw di byth ymhell o sylw'r gwybodusion. Fydd dim modd i'r un penci yn yr un chweched dosbarth astudio llenyddiaeth Gymraeg heb fod yn gw'bod amdanat ti. Fe lywia i yrfa iti, o gwnaf! Gad ti'r cyfan i fi.'

'Ond ddylet ti mo'n rhwystro i rhag gwneud pethe,' chwerwodd Lleucu. 'Fe ddylen i ga'l 'y ngweld mewn rhai llefydd. Er mwyn i bawb w'bod 'mod i'n fardd mowr.'

'Hy! Sôn am y ffiasgo 'na i Gomin Greenham wyt ti 'to, ife? Y llond bws 'na o ferched anystywallt yn cydio yn nwylo'i gilydd a byw mewn pebyll. Wyt ti'n meddwl mewn difri calon mai dyna dy lefel di?'

'Rown i'n cytuno â'r amcanion. Ac rwyt ti'n credu fod lle i ferched yn y byd.'

'Lleucu fach, 'sda ti ddim syniad, o's e? Nid dy le di yw cyboli 'da rhyw antics fel 'na. Mae 'na ddigon o ferched sy'n llai o feirdd na ti i lenwi bysys i Greenham.'

Llyncodd hithau weddillion ei diod. Roedd y rhew wedi toddi gan greu diferion newydd ar waelod y gwydr. Gwyddai'i bod hi'n gaeth i arweiniad Morfudd. I drawstiau trwm y bar clyd. I'w hawen. I'w phawen.

'Ond ma' 'na farddoniaeth mewn bywyde blêr,' mynnodd. 'Ma' 'na awen mewn annibendod. Er na chei di byth feirniaid llenyddol Cymru i gydnabod hynny. Paentio parchusrwydd dros fywyde rhai o'r llenorion mwya lliwgar yw eu hunig ddiléit nhw. Fel 'tasen nhw'n gwneud rhyw ffafr fawr â phobol. Dwi ddim ishe i 'mywyd i ga'l ei gwato ar ôl i fi fynd.'

'Taw wir, Lleucu. Y gwerth ugain punt 'na o ddiod sy'n siarad.'

'Nid fi yfodd e i gyd. Sawl gwaith ma'n rhaid i fi ddweud wrthot ti? Fe gas y dyn 'na sy'n aros 'ma gwpwl o ddrincs. Ac fe gest ti un.'

'Wel! Rwyt ti'n siarad ar gyfeiliorn. Ac mewn damhegion.'

'Wyt ti'n cofio fi'n sôn wrthot ti am Peredur Gordon, y myfyriwr 'na y bues i'n mynd mâs 'dag e pan own i yn y coleg. Roedd hwnnw'n aml yn sôn amdana i yn nherme damhegion.'

'Shwt hynny?' gofynnodd Morfudd gan ildio ennyd i swyn y stori.

'Yn ôl Peredur Gordon fe ddylwn i garu Crist am 'y mod i'n fardd, os nad am yr un rheswm arall. Crist oedd y bardd mwya eriôd i droedio'r ddaear 'ma, medde fe.'

Gwnaeth Morfudd yn ysgafn o'r atgof ond baglodd Lleucu yn ei blaen. Ni fynnai gael ei thewi nawr.

''Ti'n gweld,' meddai, 'roedd e'n credu—neu roedd e am i fi gredu, yn hytrach—mai un gerdd fawr oedd ei fywyd e.'

'Ei fywyd e'i hunan?'

'Nage. Iesu Grist, siŵr iawn. Iesu Grist, ma' ishe amynedd 'da ti weithie! "Edrych faint o grebwyll llenyddol sydd yn ei ddamhegion e," ebe fe wrtha i un tro. Gan sôn am Iesu Grist, 'ti'n gweld.'

'O? A beth ddwedest ti wrtho fe?'

'Fod yn well 'da fi'r gwyrthie na'r damhegion. Haws gweld athrylith bardd pan fo'i ddelwedde'n ddiriaethol.'

'Ateb da iawn, os ca i ddweud.'

'Ac mae e'n wir, Morfudd. Nid cyfarwydd y duwdod oedd Iesu Grist ond dyn a allai droi dŵr yn win a seirff yn ffyn. Os oedd ei fywyd yn gerdd yna'r oedd y delwedde yn bethe y gallet ti ga'l gafael gwirioneddol arnyn nhw. Wyt ti ddim yn gweld hynny?'

Gwenodd Morfudd yn wybodus.

'Ai dyna sut y ca i 'nghofio, Morfudd?' ymbiliodd y bardd. 'Fel un yr oedd modd cydio yn nelwedde'i bywyd? Dwêd mai fel'na y byddan nhw'n cofio amdana i. Dwi ddim ishe ca'l 'y nghofio am y geirie'n unig. Wyt ti'n deall?'

Neidiodd y gath yn ddioglyd o'i harffed heb adael cymaint â blewyn ar ei hôl.

'Ydw, debyg.'

'Rwy am i'r delwedde i gyd fod yn real. Yn bethe â gafael arnyn nhw.'

'Mi fyddan nhw gyda fi, bach. Paid â phoeni dim.'

Ond fe boenai unrhyw un o glywed ei grŵn aneiniedig. Unrhyw un synhwyrol, hynny yw. I Lleucu roedd odrwydd y bar gwag a gwres y gath ddiflanedig yn ei chôl yn ddigon o gysur. A heno, roedd y gwydryn gwag yn anfarwoldeb ynddo'i hun. Dim ond llais oedd y fenyw arall. Dim ond geiriau yn y gwesty gwag.

'Nid dim ond troi cerrig yn fara a dŵr yn win,' mynnodd Lleucu. 'Ma' pawb yn gwneud y tric 'na nawr. Gwna'n siŵr fod 'na wyrthie eraill hefyd. Plîs.'

A chyda hynny, llithrodd y gwydryn o law Lleucu. Dawns-iodd yn simsan ar wyneb y bwrdd bach, cyn dymchwel ar ei ochr. Ni thorrodd ac ni sarnwyd yr un diferyn o'i safn.

Unionodd Morfudd y gwydryn gwag a dywedodd ei bod yn bryd iddynt droi am eu gwelyau.

## 2. 2   llythyr arall

Ar bapur A4 gwyn y geiriau hyn:

'Annwyl Lleucu,
Mae'n od galw ti wrth enw gwahanol i'r un ddewisodd dy Fam a fi. Ond mae'n eitha ffashwn yng Nghymru nawr medde nhw i fi.

Os gweli'n dda paid â bod yn grac achos bod i'n ysgrifennu. Byddi di'n gwybod bo fi wedi addo gadael llonydd i ti a dy fam, ond fe licen i dy weld unwaith. Dim ond unwaith, cofia. Os na fyddet ti am weld fi to, hynny yw.

*Sorry* os yw'n Nghymraeg i bach yn *rusty* fel ma nhw'n gweud. Fe glywes i i ti enill coron yn yr Eisteddfod. *Well done*, wir. Fi'n dal yn prowd ohonot ti, cofia.

*So, please* ringa fi ar y ffôn, neu ysgrifennu. Mae pethau pwysig mae'n rhaid i ti wybod—a maddau imi os fedri di.

Bydda i'n dishgwl clywed oddiwrth ti glou.
                    Yn gywir,
               Jim Lloyd (Data)
               J. A. Lloyd.

*P.S. Hope you've understood that, Lucy. I made a special effort just for you. My Welsh these days, both written and oral, is purely for private consumption. Please ring so we can arrange to meet, even if it's just once.*'

Cysgai Lleucu'n drwm wrth i'r postmon ollwng yr amlen trwy'r drws. Roedd hi'n drannoeth un o'i nosweithiau hwyr. Roedd hi'n aeaf llwm.

'Fe ddylet ti ateb,' dywedodd Morfudd yn dawel pan agorwyd yr amlen a darllen ei chynnwys.

'Dyn gwan yw e, cofia. Rwyt ti bob amser yn dweud wrtha i am beidio â gwastraffu'n amser 'da dynion gwan,' daliodd Lleucu.

70

Nid oedd ateb parod gan y weddw. Rhoddwyd y ddalen ymhlyg yn yr amlen ac ni chrybwyllwyd hi eto am ddeuddydd.

Erbyn hynny, roedd mes cywreinrwydd ym meddyliau'r ddwy wedi tyfu'n dderi deiliog. A chytunwyd ar y trip.

## 2.3    cynnwrf yn y nos ddu

Rhwng sgrech Lleucu a gwich-sain y gath deuai'r trwst rhyfeddaf i darfu ar gwsg Morfudd.

'Beth yn y byd sy'n bod arni nawr?' bytheiriodd dan ei gwynt.

Tynnodd ei gŵn wisgo amdani ar hast wrth ymbalfalu am fotwm y golau â'i llaw a'i sliperi â'i thraed.

Wrth agor drws ei hystafell wely gwelai'r gath yn sgrialu am y grisiau a'r bardd brwysg yn pwyso'n nerfus yn ymyl y wal.

'Rwy ar 'yn ffordd i'r tŷ bach,' eglurodd Lleucu. 'Ac fe fagles i dros y blydi creadur 'na.'

Rhoesai'r gath ei hun i gysgu yn union wrth ddrws Lleucu.

Yn y bore, pan grybwyllwyd y digwyddiad wrth y bwrdd brecwast nid oedd gan y ferch a weinai arnynt unrhyw eglurhad am y digwyddiad.

Credai'r gwestai arall, y gŵr ifanc a amddifadwyd o lysfam, mai creaduriaid benywaidd iawn oedd cathod. Mor fympwyol, meddai!

## 2.4    annwyd ar y tir

Lludded a dryswch a lenwai feddwl Lleucu ar ôl bod yn gweld ei thad.

'Rwy'n credu yr hoffwn i adael y wlad 'ma,' ebe hi'n dawel wrth ddod i mewn i lolfa'r gwesty. Bu Morfudd ar bigau'r drain, ond nid oedd am ddangos hynny. Cododd ei phen o'r cardiau post oedd ganddi o'i blaen. (Byddai'n rhaid iddi hithau daro gair ar gefn cerdyn heno, meddyliodd Lleucu wrthi hi'i hun.) Gwelodd y ferch yn diosg ei chôt wrth frasgamu draw at y tanllwyth tân.

Ymddangos yn ddidaro fu nod Lleucu, ond gan nad oedd neb arall yn y lolfa gallai feiddio bod yn noeth.

Taflodd y gôt a ddiosgodd ar gadair gyfagos. Cadair a fu unwaith yn gysurus. Nid oedd yn westy gwych na gwachul. Dinod ydoedd. Gallai Morfudd fforddio'r da, ond nid y da iawn.

'Cynhesa dipyn. Fe ga i weld oes modd inni gael cwpaned o de.'

'Na. Fe ges i de,' ataliodd Lleucu hi. 'Ac fe ddaw swper toc.'

'Shwt aeth pethe, 'te?' mentrodd Morfudd.

'Rwy am fynd oddi ar yr ynys 'ma,' traethodd y prifardd gan siarad fel petai hi'n anwybyddu'r cwestiwn. 'Y Brydain Fawr 'ma . . . Yr ynys hon.'

Rhoes Morfudd ei beiro o'r neilltu a chasglodd ei chardiau a'i stampiau ynghyd.

'Term daearyddol oedd e'n wreiddiol, 'ti'n gw'bod? Prydain Fawr. Cyn i Churchill a J. R. Jones lurgunio ystyr yr ansoddair a'i droi e'n gyflwr meddwl. I'r naill roedd e'n ymffrost ac i'r llall roedd e'n afiechyd. O'r casgliad o ynysoedd ar orllewin Ewrop, hon oedd y fwya. Dyna arwyddocâd gwreiddiol Prydain Fawr. Y fwya. Y fwya o ran maint. Mater o arwynebedd tir. Dyna i gyd. Wyt ti'n gweld?'

Gwyddai Lleucu ei bod hi'n huawdl a hyderus pan oedd hi'n sobr. Codai fraw arni hi'i hun. Dyna pam fod dianc yn apelio ati.

'Y blydi tir!' adleisiodd yn dawel. 'Rwy o ddifri, 'ti'n gw'bod? Mi fydde'n braf bod bant o Gymru.'

'Ond mi wyt ti bant o Gymru.'

'Byw o Gymru rwy i'n 'i feddwl. Ac o Brydain. O'r wladwriaeth 'ma. O'r tir.'

Trigai'r rhan fwyaf o lenorion mawr Lloegr mewn gwledydd estron. Neu gyfran go dda ohonynt, p'run bynnag. A mawr oedd eu bri. Coward. Maugham. Wilson. Greene. A'r lleill. Nid clogwyni Dover oedd eu golygfa hwy yn eu hen ddyddiau. Ond i lenor bach o Gymro, rhaid oedd gwneud y gorau o greigiau blydi Aberdaron, meddyliodd Lleucu'n ddilornus.

'Daearyddiaeth yw'r cwbwl yn y diwedd,' ebe Morfudd, a fethodd weld yr angerdd ym myw llygaid y wraig arall.

Ai daearyddiaeth oedd craidd y cenedlaetholdeb a wnâi ei deisyfiad i drigo mewn gwlad dramor swnio fel brad?

Prin oedd y llenorion o bwys oedd wedi dewis byw yn Lloegr. Ar wahân i Wyddelod. De Ffrainc neu'r Eidal oedd dewis llawer. Neu'r Swistir i'r rhai cyfoethog.

Enwau yn unig oedd y lleoedd hyn i Lleucu. Ond roedd hyd yn oed i enw ei swyn. Fel gwlad boeth heb law diflas a pharhaus. Gyda llywodraeth fach gynnes ac agos-atoch-chi. (Y ffŵl gwirion â hi, fe'i fflangellodd ei hun ar amrantiad! Dim ond gwladwriaethau ffasgaidd oedd yn gynnes ac yn agos-atoch-chi. Y gorau y gallech ei ddisgwyl gan wladwriaeth dda oedd cyfran o gymhendod a threfn, dogn o ddemocratiaeth a chael eich gadael yn llonydd.) Yn fwy na dim roedd hi am fyw mewn gwlad lle nad oedd y dail yn syrthio oddi ar y coed.

Cododd Morfudd oddi wrth ei desg ger y ffenestr. Ffwndrodd i ddal gafael ar y pecyn o bapurach yn ei llaw fach ddelicét. Doedd ganddi'r unlle i fynd iddo, wrth gwrs, a pharhaodd y lletchwithdod rhwng y ddwy am ennyd eto. Onid oedd dwyster Lleucu yn rhy ddidwyll ac yn rhy ddirybudd iddi?

'Fe ddwedes i na ddylet ti fod wedi dod i'w weld e,' ebe Morfudd mewn modd cwbl ofer. Roedd hon yn awr wan i Morfudd Price, er mai ganddi hi yr oedd y fantais dros y sefyllfa, mewn egwyddor. Ond beth yw gwerth egwyddor pan fo egin tynerwch yn rhy wan i gymryd grym?

'Gwae na chawn inne ddilyn yr haul,' hiraethodd y bardd.

'Paid â dy feio dy hun os oedd y cyfarfod 'na prynhawn 'ma'n boenus. Ddylwn i ddim fod wedi gadael iti ddod.'

Ddylet ti ddim fod wedi fy annog i i ddod, cywirodd Lleucu hi yn ei phen. Wrth i Morfudd gamu'n nes ati, camodd hithau'n ôl. Ni fynnai gael ei chysuro. Roedd lolfa gwesty fel platfform stesion—yn smachtau i gyd.

'Na hidia! Rwy'n gw'bod na cha i adael Cymru. Ddim os ydw i am ga'l f'ystyried yn fardd o bwys. Ac rwy'n gw'bod dy fod ti'n dweud y gwir, Morfudd. Rwy'n gw'bod fod 'na gylchoedd llenyddol sy'n astudio 'ngwaith i y gaeaf hwn.'

'Does 'na'r un llenor o bwys wedi mynd i'r Cyfandir i fyw. Ddim eriôd trwy holl hanes llenyddiaeth Gymraeg,' ebe'r wraig.

'Wel . . . nid o'u gwirfodd, ta beth. A chyda'r obsesiwn 'ma gyda marwolaeth y genedl, mi fydde'n drueni iti beidio â bod yno ar y diwedd.'

'O, rwy'n gweld! Dyna pam fi'n dala 'mla'n?'

Chwarddodd y ddwy i liniaru mymryn ar y naws. A daeth y gath i mewn gan gripian dros y carped. Camodd yn osgeiddig rhwng coesau'r ddwy a'i gwneud ei hun yn gysurus ar y mat o flaen y tân.

'Meddylia petawn i'n cyhoeddi 'mod i wedi gwneud cymaint o arian trwy farddoni yn Gymraeg fel 'mod i'n gallu fforddio troi'n alltud a byw'n braf mewn *villa* sydd â'i ddôr at greigie'r Riviera a thonne tawel Môr y Canoldir.' Ymhelaethodd Lleucu ar ei breuddwyd. 'Fe fydde hynny'n tynnu blewyn o drwyn ambell un.'

'Peth anghymreig iawn yw gwneud arian ar gorn Cymreictod. Mae beirdd, fel chwaraewyr rygbi, i fod yn amatur. Dyna sy'n diogelu'u purdeb nhw, am wn i. Dyna sy'n gwneud yr awen yn iach yng Nghymru. Y ffaith fod Cymru'n marw ar ei gwaethaf.'

'Bydde mynd bant i fyw yn beth rhy iach i mi 'i wneud, gan 'mod i'n 'sgrifennu'n Gymraeg. Dyna wyt ti'n 'i feddwl?'

Wrth holi, troes Lleucu'i chefn ar y sawl a holai. Aeth draw at y ffenestr a thynnodd y llenni ar draws y düwch a ddisgynnai dros gorsydd Bodmin.

Fe'i hysigwyd eilwaith gan eiriau ei thad. Rhaid fod gwneud rhywbeth drwg yn gadael ei ôl yn ddwfn yn yr ymysgaroedd. Fel rhyw annwyd dieflig.

'Wn i ddim be sy arnat ti heno, Lleucu.'

'Nid 'y nhad sydd ar fai,' atebodd. 'Y tir. Y tir ei hun sydd ar fai. Mae'r tir yn gors gan annwyd.'

Pobl fach, fel hi ei hun, oedd yn gaeth i dir. Gallai weld hynny heddiw yn yr estron dir, gyda llais ei thad yn ffres yn ei chlustiau ac yn hen, hen atgof yn ei chof.

Y trasiedïau bach bob dydd a orthrymai boblach oedd y tisian parhaus yn nhrwyn y greadigaeth. Os oedd yna Dduw, rhaid fod ei facyn poced e'n sobr o fochynnaidd, meddyliodd. (Âi â phob delwedd drawiadol gam yn rhy bell.)

'Pan fo'r tir ei hun yn sâl, mae'r symptome i'w gweld yn y bobol,' ychwanegodd.

Ni wnâi fawr o wleidydd, ond doedd hi ddim yn fardd ffôl. A hen bryd iddi gael *gin* cyntaf y dydd, meddyliodd.

Roedd y gath 'na oedd wedi syrthio mewn cariad â hi'n dechrau canu grwndi yn y gwres.

## 2. 5   cariad mam

'Wel?' mynnodd Dafydd. 'Wnaethoch chi a Jim Lloyd gyn-llwynio i lofruddio 'Nhad?'

'Wn i ddim beth sy'n bod ar blant heddi, wir,' atebodd Rhisgell yn siomedig, ond yn hynod o ddiemosiwn. 'Pam na allan nhw adael llonydd i'w mame? Ma' gan fam hawl i'w chyfrinache bach fel pawb arall.'

'Rwy'n sôn am lofruddiaeth, Mam!'

'Sôn am lofruddiaeth yw dy job di, fachgen. Ac os oedd Jim Lloyd yn dechre drysu yn ei henaint, paid â dishgwl i fi wadu na chadarnhau'i honiade fe.'

74

'Mae e'n weddol fanwl. Yn y llyfr 'ma. Y ffordd y taloch chi'r dyn bach 'na i ryddhau'r *brake-pads* yn raddol bach. Y ffordd roesoch chi *sleeping tablets* yn ei ddiod e cyn iddo fynd mewn i'r car y noson 'na gafodd e'i ladd . . .'

'O, Aaron. Gwranda arnat ti dy hunan, plîs! Fi wedi clywed gwell plot am ddou o'r gloch y prynhawn mewn cyfres deledu o Awstralia. Nawr, gad bethe fel'na, neu fe golla i'n amynedd.'

Ochneidiodd Dafydd ei rwystredigaeth.

'Nid 'mod i am ei gredu e, Mam! Nid dyna'r pwynt.'

'Wel! Fi'n falch o glywed hynny, ta beth. Nawr, cymer beth o'r *chocolate gâteau* 'ma. Sa i'n gw'bod beth sy'n bod arnat ti'n ddiweddar, na wn i. Dod 'nôl i Gymru bob *whip stitch* ac ypseto pawb.'

Ni fynnai deisen, ond dymunai eglurhad.

'Fe ffoniodd Morfudd Price fi,' bodlonodd Rhisgell ef yn ddidaro. Nid didaro ychwaith. Roedd y bwrdd yn rhy gul i hynny. 'Yn achwyn amdanat ti. Ond mewn ffordd neis, wrth gwrs. Mae'n giamster ar ddefnyddio geirie. Fe ddwedodd dy fod ti'n ceisio creu helynt iddi yng Ngwasg y Seren Fore.'

'Rwy am wneud 'y ngore glas i gael erthygl Rhiannon Idris i ole dydd. Fe ddinistria i Morfudd Price os bydd raid. Mae hi'n sylweddoli hynny erbyn hyn, gobeitho.'

'Ma' hi'n gw'bod dy fod ti fwy neu lai wedi cymryd popeth o 'nwylo i. Fe ddwedes i wrthi nad oedd 'da fi fawr o ots. Fe sicrhaodd hithe fi y bydde hi'n bwrw 'mla'n gyda'r llyfr.'

'Cerddi Lleucu?'

'Ie. Nid 'mod i'n hoff iawn ohonyn nhw'n hunan.'

Ochneidiodd Dafydd. Bu'n ceisio darllen gwaith ei chwaer a chael y gwaith yn dalcen caled. Ei ddiffygion ei hun, fe dybiodd. Ei ddiffyg diwylliant. Ei ddiffyg geirfa.

'Sentiment yn cogio bod yn sensitifrwydd,' atebodd y fam.

'Oech chi ddim yn ei charu hi? Fuoch chi erioed yn ein caru ni fel plant?'

'Ma' 'da fi hawl i orffennol sy'n mynd yn ôl ymhellach na dy genhedlu di a Lleucu,' oedd yr ateb chwyrn. Ond synhwyrai fod haerllugrwydd ei mab yn brawf o'i sensitifrwydd. Ac roedd darganfod hwnnw'n sioc. Yn fwy o sioc na chreulondeb yr ensyniad.

A beth os bu iddi ddwyn bywyd? Nid oedd grym ei gallu i garu fymryn yn llai. Dau o blant. Dau ŵr. Dau gyfenw priodasol. (Er mai prin y gallai gofio amser pan alwai pobl hi'n Mrs Skinner.) Cysgai â dau glustog o dan ei phen. Er cof am gynhyrchion ei chorff. Er mwyn ceisio llenwi'r gwely gwag. Am fod baich y benglog yn drwm ac angen esmwythâd.

## 2. 6   disgwyl am y golau gwyrdd

Liw nos, a hithau'n cerdded trwy goluddion y ddinas ar ei ffordd i gymuno gyda'r coed ar dir y castell, gwelodd Lleucu ddau drempyn yn ceisio croesi'r lôn.

Bu'r olygfa'n boen byw iddi am ddyddiau wedyn. Drannoeth, o leiaf. Am rai oriau, heb os. Wel fe'i blinwyd i'r byw ar y pryd.

Byrion oedd y ddau. Diau eu bod ill dau'n drewi. (Fiw iddi roi brawddeg o'r fath mewn cerdd. Rhy amlwg. Y cyflythreniad yn chwerthinllyd o syml ochr yn ochr â chymhlethdod y sawr.) Chwys hen. A dyheadau hŷn. Sebon yn rhad a gwirodydd yn ddrud. Roedd y naill yn Sosialydd a'r llall yn Dori. Ond tysteb i gymdeithas ar chwâl oedd y ddau.

*Tramp Rhif Un!* Sarff yn fwcl belt o gylch ei wregys. Gwydr coch wedi ei osod yn llygad i'r ymlusgiad metel. Os fflachiai'r gwydr, pŵl oedd llygad y meidrolyn. Pŵl gan danwydd. Byddai wedi bod yn lwmpyn bach cynnes, hawdd ei gofleidio mewn byd arall. Yn y byd hwn—byd y nos ofnadwy—pwysai ar ei fêt yn floesg.

*Tramp Rhif Dau!* Ei lygaid gwyllt yn ennyn ofn yn hytrach na thosturi. Roedd esgus barf ac ymddiheuriad eilliad ar draws ei swch. Saethai blew cringoch atodol o'i glustiau a ddôi'n handi fel cuddliw hydrefol maes o law pan ddeuai'n bryd iddo gysgu dan y dail. Y natur yn ei wallt ac yn ei flew yn cyd-fynd i'r dim â'r siaced guddliw am ei gylch.

Pwysent yn erbyn ei gilydd, yn disgwyl am y golau gwyrdd. Syllodd Lleucu ar y ddau yn ddigywilydd. Gwyddai'r ddau ei bod hi'n syllu. Casglent ei bod yn arfaethu cerdd ar eu cownt.

Ysgyrnygodd Tramp Rhif Dau. Pe câi gyfle byddai wedi begera arian. Y baned de dragwyddol.

*Rhowch i fardd dlodion a chwi a gewch gerdd. Rhowch drueiniaid ac ef a rydd i chwi gân. Rhowch hil ar wely angau o dan ei drwyn ac fe lunia i chwi goron a ddisgleiria am byth yn y gogoniant celfyddydol.*

Nid oedd y golau byth am newid o goch i wyrdd. Y ceir oedd piau'r lôn. Ac o'r diwedd, troes Lleucu ei thrwyn i gyfeiriad arall. Heb wybod mai hwy oedd offer dewisedig Duw i'w thywys i dragwyddoldeb.

Pwy allai wybod peth mor hurt, mor ysbrydol, mor farddon-
llyd â hynny ar stryd brysur, liw nos, yng nghanol dinas?

## 2. 7  rhyw heb rwyd diogelwch

Byddai cwsg weithiau'n mynd y tu hwnt i'r siambr gyntaf, nad
yw'n fawr gwell na phendwmpian, a'r tu hwnt i'r ail, sy'n
rhythm gwan, adnewyddol. Âi cwsg weithiau i'r beudy geir yr
ochr draw i'r ddau gyflwr yma. I'r beudy gwyn lle mae'r isym-
wybod yn carthu'i ofidiau'i hun a gwisgo'r cysgwr fel priodferch
a'i briodi â'i hunaniaeth newydd.

Deffrôdd Dafydd yn araf, araf o'r cwsg cysegredig hwn. Wrth
ddadmer, gwyddai fod i bob beudy y potensial o gadeirlan. Er
mai haniaethol oedd y cyflwr, gallai droi'r ddelwedd yn ddir-
iaethol. Hudoliaeth oedd hyn. Swyn. Clyfrwch. Tric. Ond wrth
droi'r ddamcaniaeth athronyddol yn frics a mortar, gallai droi'r
ysbrydol yn seciwlar. Y gogoneddus yn gân. Yr arwrol yn adlon-
iant. A'r eneiniedig yn englyn bach slic. Ac ar ei mwyaf bas
gallai'r ddawn hon wneud geiriau aflafar o gyfrinachau gras.

*Aralleiriad yw pob cerdd.*

*Ailenedigaeth yw pob cwsg.*

Cododd ofn ar Dafydd am ennyd wrth synhwyro'r gwacter
newydd-anedig yn ei ben. Ond yna teimlai'r llawryf fel torch
ganmoliaethus yn goron ar ei gamp. A chlywai'r blew ffres yn
tyfu ar ei frest. Nid duw ddôi o'r beudy. Ond dyn.

A allai cerdd am Belsen byth fod yn gysegredig? Onid talcen
slip, o reidrwydd, oedd unrhyw set o eiriau a ysgrifennid am
Hiroshima?

A oedd gennym hawl i eistedd mewn ystafelloedd cysurus
(moethus, meddai rhai) yn trafod rhai o feudái'r gorffennol a'r
angenfilod erchyll a aned ynddynt? A oedd ego dyn mor fawr nes
credu i'r duwdod drefnu lladdedigaethau gwaedlyd hanes yn
unswydd er mwyn esgor ar ysbrydoliaeth newydd sbon i bob
cenhedlaeth o feirdd? Yn lliwgar. Ffantastig. Ffiaidd. Oesol.
Newydd ym mhob dwthwn.

Ai un o ffafrau cynnar yr Ysbryd Glân â phrydyddiaeth oedd
anfon gwŷr i Gatraeth?

O hyn ymlaen câi Dafydd Aaron wair glân i'w stablu dan
draed. Y gobennydd sengl dan ei ben yn symbol o'i briodas
newydd. Gwynt ei gorff yn persawru'r cynfasau gwyn.

Ni fu erioed yn un i ddianc. Ac yn sicr nid i wely neb. Pwy oedd e? Ble'r oedd e? Ai medd a'i meddai?

Mursendod y goleuni cu a'i trechodd yn glynu wrth y we o enaid a'i hamgylchynai. Yn drysu'r deffro. Yn llethu'r gerdd. Ei gerdd gyntaf, hefyd. Waw! Roedd hon yn foment fawr.

Ond ni chafodd y chwiorydd gyrchu Catraeth. Cesig oedd yr unig fodau benywaidd gafodd fynd. A gweryrasant hwythau'r gerdd yn ôl eu hawen. Wrth i'w harwyr drengi yr ochr hon i'r gerdd. Ym myd y cig a'r gwaed ac nid ym myd cysurus y rhai na ellir gafael ynddynt. Y rhai nad oes gwaywffon yn bod all drywanu at eu hymysgaroedd. Y cig a'r gwaed. Ac nid y geiriau.

Bu'r cydiad yn ffyrnig. (Diriaethol.) Bu'r esgor yn esmwyth. (Delweddol.) Dyna'r gwahaniaeth rhwng digwyddiadau'r nos hon sydd newydd fod. Dau gorff rhwng cynfasau cysurus yn caru oedd Aaron a Rhiannon. Roedd yr hwyl, yr hyrddio a'r holl uniad yn gwbl real. Syniad yn ei feddwl ef wrth ddeffro yw'r hunan-epilio, yr ailbriodi. (Oes, mae dwy ddelwedd yma, rhaid cyfaddef! Esgor a phriodi. Rhoi'r drol o flaen y ceffyl, hefyd, i'r rhai sy'n credu mewn trefn. Ond diolch i'r drefn, nid yw bywyd yn drefnus. Gan taw bastardiaid bywyd yw ein breuddwydion, afrealaeth yw eu hanfod.) Felly, nid oes yma ddim go iawn. Fel pob bardd, mae Aaron yn ymhonni.

Dylyfodd ei ên gan ledaenu aelodau'i gorff yn ddigywilydd ar draws ehangder y gwely.

'Fe ddeffrist ti, 'ta?' Daeth llais melfedaidd Rhiannon o gyfeiriad y drws. Nid llais yr ystafell seminar oedd hwn. Na llais siop. Llais llofft. Llais sibrwd yr hudolwraig.

Cofiai hithau'r twlc gwydrog. Y sgwrsio annifyr. Treiglodd sgwrs yn felys. A chwblhawyd y metamorffosis. Troes y mochyn yn dywysog hardd o dan rin ei chusanau.

'Fuon ni ddim yn gyfrifol iawn, naddo?' sisialodd yn gariadus wrth gamu draw at erchwyn y gwely. 'Nac yn fodern. Na ffasiynol.'

Tynnodd Aaron ei aelodau tuag ato'n amddiffynnol braidd. Ond gyda symudiadau araf a phwyllog, serch hynny.

Crychodd ei dalcen. Neithiwr, roedd siarad ei gorff wedi bod yn ddigon iddo. Gwyddai fod anghenion y bore'n wahanol a byddai wedi hoffi cydymffurfio. Ond geiriau! Dyna'r pethau olaf yr oedd am ollwng o'i gorff y bore hwn.

'Anghyfrifol iawn, ddwedwn i,' parhaodd Rhiannon. 'Dau ddieithryn—neu led ddieithriaid—yn syrthio i'r gwely fel 'na.

Heb chwara'n saff, hyd yn oed. Mae ar bawb ofn dal rhywbeth y dyddia hyn.'

Bywyd, meddyliodd Aaron, heb allu geirio'r em. Bywyd oedd yr aflwydd mwyaf angheuol a drosglwyddid yn rhywiol. Ofn hwnnw oedd yn cadw'r hil rhag cyplu'n amlach.

Daethai condom yn amod pob cymwynas o natur gnawdol. Yn rhan annatod o'r cydiad. Ond nid neithiwr. Neithiwr, gorffennwyd sgwrs a ddechreuwyd mewn tafarn yng nghanol Llundain. Cyflawnwyd blys a âi yn ôl i blentyndod bardd o'r enw Lleucu Llwyd. Lucy Lloyd oedd enw'r plentyn. Crwydwraig. Bardd coronog. Un a dderbyniodd driniaeth am gancr.

Clywai Aaron y llaw fach yn ei law fawr.

Daethai Rhiannon yn ddolen rhyngddo a'i orffennol ei hun. Roedd hi'n ysgolhaig ymchwilgar. Yn ddadansoddwraig lew. Hi oedd yr ymchwilydd digondom a allai anturio'n saff yn ffwrch y geiriau.

Iddo ef yn unig yr oedd perygl yng ngherddi Lleucu Llwyd.

Enw tlws, tybiodd (gan wenu'n llawn trythyllwch ar Rhiannon). Ond os oedd enw yn bosibl i air, pa ffawd oedd yn aros person? (Gan gymryd yn ganiataol fod person o gig a gwaed ac felly'n amgenach na gair!) Beth oedd y tu hwnt i enwi? *Ail-enwi*? Na, rhy hawdd.

Aileni! Ailenwi! Ailfedyddio! Rhy hawdd. Rhy hawdd o lawer.

Nid oedd ei gyneddfau meddyliol cyn finioced â'i gwestiynau, eto. Nid oedd ateb eto'n bosibl.

Dim ond ei gorff allai gael gollyngdod y bore hwn. Y nos noeth yn tasgu hadau Cymreictod yn y bore bach. Nid oedd wedi dymuno cymaint â 'Bore da' iddi eto, ond eisoes dechreuasai'r llawryf wywo a throesai un neu ddau o flew ei fron yn wyn.


# 2.8 cynllwyn y tair R

Nid oedd semi sidêt fel hwn ym mherfeddion Powys yn ymddangos yn gymesur iawn â chyfrolau epig Russell Raglan Rees (neu'r Tair R fel y'i gelwid mewn rhai cylchoedd).

Ai yn y tŷ di-nod hwn yn un o drefi bychain y gororau y cenhedlwyd y Dadeni? Ai hon oedd mangre'r arwrgerdd fawr o fywyd a ymgnawdolwyd ym mherson y bardd?

Yr Athro a argymhellodd i Rhiannon ei bod yn ymgysylltu â'r enigma blonegog. Russell Rhys oedd Tad yr Awen Gyfoes yng

Nghymru. Neu o leiaf dyna'r ddelwedd a feithrinid ganddo. Mewn gwirionedd, doedd e'n dad i neb na dim. Ar wahân i swigen o wynt ei hunan-dyb—a chynnyrch gwaith llaw, yn hytrach na chypliad, oedd hynny.

Ond Russell oedd Tad Bedydd y Mudiad (os oedd yna 'fudiad'). A phwy a'i gwâd?

Ar y diwrnod glawog hwn o haf arweiniwyd Rhiannon drwy addurniadau bach ffyslyd y cyntedd i helaethrwydd y llyfrgell. Tybed ai'r tywydd annifyr ynteu effaith anffodus ei fraster ar ei chwarennau oedd yn gyfrifol am y mapiau mawr o chwys ar ei grys? Diferai dau Awstralia, un o dan bob cesail.

'Mae gen i ddiddordeb mawr yn eich achos chi,' sicrhaodd hi, fel twrnai yn bugeilio cleient. Roedd Rhiannon eisoes wedi amlinellu'r problemau ynglŷn â'i chyfrol yn y llythyr cyntaf a ddanfonodd ato. 'Menyw ofnadwy yw Morfudd Price. Menyw y fall! Fe sbaddodd ei gŵr, 'chi'n gw'bod!'

Fe glywai'r doethur ei hun yn gwywo o dan y pwysau. Er cymaint y croesawai rywun o statws Russell Rees (Rhysel Fardd oedd ei enw yn yr Orsedd) yn gynghreiriad, gwyddai yn ei chalon fod hyn fymryn fel cynllwynio gyda'r Diafol. Yn wir, edrychai'r mamoth llenyddol fel ymgorfforiad o'r Gŵr Drwg. Blewiach fflamgoch o gylch ei wyneb a thas ar dân ar draws ei gorun.

Ond waeth iddi werthu'i henaid, ddim. Syniad yr Athro oedd iddi gael y bennod o'i chyfrol ar Lleucu Llwyd wedi'i chyhoeddi yn *Pengwern*, cylchgrawn chwarterol a olygid gan yr eryr balch o'i blaen.

Pan ddaethpwyd at y pwnc, cydsyniodd y prifardd yn llawen.

'Mae *Pengwern* yn anhepgorol i bob myfyriwr, ddwedwn i.'

'Rydyn ni'n derbyn pob rhifyn i'r Adran yn awchus,' ebe Rhiannon gyda phob gronyn o ddidwylledd at ei gwasanaeth.

'Fyddwch chi ddim yn derbyn eich copi personol, Dr Idris? Na, o gofio dyw'ch enw chi ddim ymysg y tanysgrifwyr, ydy e?'

'Na. Ond rwy'n gredwr cryf mewn cefnogi'r siopa lleol. Ei brynu dros y cownter fydda i bob mis.'

'Bob chwarter, Dr Idris.'

'Ie . . . be haru mi? Bob chwartar, siŵr iawn.'

'Mi awn i mor bell, wyddoch chi, â honni ei fod e'n anhepgorol i bawb sy'n ymddiddori yn y Pethe. Mae'n lladdfa, wrth gwrs, ceisio cadw'r rhychwant mor eang â phosib a'i gadw'n bur ar yr un pryd. Ond dyna fe, rwy wedi ymgysegru 'mywyd i'r

80

tasge hyn. Fiw imi ddisgwyl i bobol fod yn ddiolchgar. Nid yn y Gymru sydd ohoni, yntê? Ha! Ha!'

Oedodd am gytundeb ond un sâl am borthi oedd Rhiannon.

'Maddeuwch imi,' ebe hi o'r diwedd ar ôl sylweddoli ymhen hir a hwyr fod gofyn iddi ddweud rhywbeth. 'Rhyfeddu at yr holl lyfra 'ma sy gynnoch chi'r ydw i.'

'O! Dyw'r casgliad ddim yn gyflawn eto. Rwy'n dal i ddisgwyl cyfrole fel y casgliad cyflawn o waith Annwyl Price, er enghraifft.'

Syrthiodd y ddau i drafodaeth frwd ynglŷn â diffyg ymddangosiad y cyfryw gyfrol. A mentrodd Rhiannon grybwyll ei damcaniaeth mai cerddi Annwyl Price oedd cerddi Lleucu Llwyd, gyda rhai mân newidiadau.

Roedd sbardun yn y syniad, mae'n amlwg, gan i'r aderyn a ddaearwyd ym mraster ei ddysg ei hun ddechrau magu adenydd. Fe astudiai weithiau'r ddau fardd yn ddiymdroi, yn syth ar ôl iddi adael. Ychydig oedd ar gael o weithiau'r ddau, wrth gwrs. Hynny a wnâi'r gwaith o brofi'n anodd. Ond roedd yna ddirgelwch gwerth ei ddatrys. Ac fe borai'n ddyfal yn ôl-rifynnau popeth o'r *Llenor* a'r *Genhinen* i *Pais a Barn*.

'Chawsoch chi mo'ch haeddiant, wyddoch chi,' gwenieithodd y ddarlithwraig. 'Mi enwa i gyfrol arall sydd ar goll o'ch casgliad chi. Cyfrol deyrnged i chi.' Rhaid fod swyn y diawl yn dechrau gweithio.

'O! Twt! Mae digon o amser i hynny,' atebodd y Tair R gan geisio swnio'n wylaidd, oedd yn groes i'r graen iddo, er bod ganddo ddigon i fod yn wylaidd yn ei gylch. 'Er, mi glywes sôn,' ychwanegodd, 'fod yr Academi'n meddwl comisiynu un. Ychydig iawn o feirdd mawr yr ugeinfed ganrif sydd wedi'u cydnabod hyd yn hyn, 'chi'n gw'bod.'

Nid fel bardd yn gymaint yr oedd Rhiannon wedi ei weld fel gwrthrych teilwng i gyfrol deyrnged, ond yn fwy fel ffigwr lliwgar, ymfflamychol yn y byd llenyddol Cymraeg. Russell Raglan Rees oedd Iolo ei ddydd. Yn ffugio mawredd er mwyn cuddio'r mieri. Ac yn dantryms i gyd, fel bod y ddrama a greai yn tynnu llygaid pawb oddi ar y drain a'r ysgall.

'Rwy'n ddigon siŵr y bydd 'na Wobr Goffa i chi ryw ddydd,' rhagrithiodd Rhiannon. Ac roedd 'na lawer yng Nghymru yn ysu am y cyfle i'w chyflwyno, meddyliodd.

'Gweinidogion a chantorion pop sydd wedi cael y clod i gyd yn ystod y blynyddoedd diwethaf 'ma,' ymsoniodd y gŵr mawr. 'A darlledwyr, wrth gwrs. Os nad ŷch chi ar y bocs bob dwy funud, dŷch chi'n neb. Hyd yn oed mewn cylchoedd ddylai fod â chanone beirniadol amgenach.'

'Fe gawsoch chi glod pan enillsoch chi'r gadair,' meddai Rhiannon yn fyrbwyll o ddifeddwl. Brathodd ei thafod. (Yn ffigurol, hynny yw, nid yn llythrennol.) Doedd hi ddim am ddweud gair arall.

'Nid sôn am glod haeddiannol ydw i, cariad. Er mai digon prin fuodd hwnnw hefyd. Fe wyddoch chi fel y mae adolygwyr yn fy nghasáu i â chas perffaith. Nid methu gweld athrylith fy nghyfrol ddiwetha i wnaethon nhw . . .'

'*Gwrthod* gweld ddaru nhw. Rwy'n gw'bod,' rhuthrodd Rhiannon i achub y blaen arno. O'r diwedd roedd hi'n ôl ar y trywydd cywir.

'Mae 'na glod sy'n haeddiannol nid yn unig am orchestion penodol. Ond mewn modd mwy haniaethol . . . esoterig, os mynnwch chi. Welwch chi be sy gen i mewn golwg, Rhiannon? Gobeithio y ca i'ch galw chi'n Rhiannon, gyda llaw. Rwy'n meddwl fod yn rhaid i ni sy'n gwarchod y safone sefyll gyda'n gilydd, 'chi'n gw'bod. Sefyll ar fy mhen fy hun y bydda i fel arfer. Yn fy nhŵr ifori, yn ôl llawer. Ac roedd fy mam yn arfer dweud mai ar fy mhen fy hun yr oeddwn i i fod. Yn sefyll ben ac ysgwydde uwchlaw'r gweddill.'

'Mae mama mor aml yn llygad eu lle,' rhyfygodd Rhiannon, ei llais yn llawn anwyldeb hiraethus am fam nas adnabu erioed.

'Wyddoch chi pwy oedd ei hoff fardd hi?' gofynnodd yn wresog ar gorn sylw Rhiannon. 'Dyfalwch!'

Roedd hi'n mynd i gyfogi neu chwerthin! Daliodd ei stumog yn dynn ac amneidiodd ei hysgwyddau'n anwybodus.

'Cynan!'

Daeth yr ateb yn ddigon sydyn a swta i ladd egin yr embaras.

'Dwi'n synnu dim,' meddai hi.

'Na finne,' ategodd yntau. 'Dyna hoff fardd pob menyw o genhedlaeth Mam, hyd y galla i weld. Dyna pam rwy'n gwrthwynebu'r holl ffŷs 'ma sy am y glêr. Am i feirdd go iawn gael eu gwobr ydw i.'

'Ydach chi ddim yn meddwl fod Cynan yn fardd go iawn?'

'Rhiannon, cariad, nid dyna ddwedes i! Ydych chi ddim yn gwrando, neu rywbeth? Sôn am y cantorion pop 'ma oeddwn i. Un giwed o gitâr o fore gwyn tan nos a'r un traddodiad Cymreig y tu cefn iddyn nhw. Heb Bantycelyn neu Ddafydd Edmwnd—wel! Pa obaith sydd? Ydych chi'n meddwl fod eu chwarter nhw wedi clywed hyd yn oed am Dewi Emrys?'

'Mae'r broblem yn yr ysgolion,' mentrodd Rhiannon. 'Rydyn ni'n gweld diffyg bob blwyddyn gyda'r glas-fyfyrwyr. Erioed wedi clywed sôn am neb nad oedd ar y cwrs lefel "A".'

'Mi wranta i eu bod nhw wedi clywed sôn am Lleucu Llwyd. A diolch i chi am yr erthygl 'na. Mae'n bryd i rywun sefyll lan i'r fenyw 'na. Gelyn i greadigrwydd, fel ag yw hi! Fe ysgrifennes i ati, wyddoch chi, yn dilyn marw Lleucu, yn gofyn a oedd ganddi gerddi yn ei meddiant y cawn i eu gweld, gyda'r posibilrwydd o'u cyhoeddi yn *Pengwern*. Y cyfan ges i'n ôl oedd cerdyn post a llun o gastell Caerdydd arno. Ar y cefn roedd y geirie, "Nid yw'n bosib, mae'n flin gennyf!" Hy! Fel petawn i eriôd wedi gweld castell o'r blaen! Glywsoch chi eriôd shwt beth?'

'Mae brawd Lleucu wedi cymryd cryn ddiddordeb yn ei hanes bellach. Mae hynny'n help. A dweud y gwir bydd yn rhaid i mi ruthro a'ch gadael, mae'n flin gen i. Rwy'n ei ddisgwyl i alw arna i heno.'

Heno oedd yr oed. Heno'r oedd hi'n ateb ei alwad. Galwad yr Aaron hwnnw droes yn Ddafydd ac a dry drachefn yn Aaron.

Wrth ysgwyd llaw i ffarwelio â Rhysel Fardd, sylwodd Rhiannon unwaith eto ar y staen chwyslyd o dan ei gesail. O na byddai'n haf o hyd!


## 2. 9   seiat, saethu a sigâr

'Cyn i Ymneilltuaeth ddŵad i Gymru roedd hi fel Theatr Fach ar Faes gwareiddiad ac roedd y drasiedi'n mynd rhagddi. Ond diddymwyd y perfformiad gan y piwritaniaid a gasâi bob math o chwarae. Ailgydiwyd yn y ddrama erbyn hyn, ond troes o fod yn drasiedi i fod yn ffârs.'

Yr Athro a siaradai ac Aaron oedd ei gynulleidfa.

Galwasai tra oedd Rhiannon yn y gawod a gorfodwyd brawd y bardd i godi o'i bendwmpian yn y siambr gyntaf.

'Galw i weld pa hwyl gafodd Rhiannon gyda'r baedd gwyllt wnes i,' eglurodd, 'gan mai fi oedd wedi'i hannog i'w weld.'

Cythruddwyd Aaron am eiliad, gan iddo dybio efallai mai cyfeiriad ato ef oedd y 'baedd gwyllt'. Oedd e wedi'i dwyllo? Ai tric oedd y cyfan? Yr unig gwestiynau gwerth eu gofyn oedd rhai y gallai plant fod wedi'u gofyn. Y 'Pam?' tragwyddol.

Daeth ei westeiwraig o'i baddondy yn gwisgo tywel mawr o'i chylch ac achubodd y sefyllfa.

Cyflwynwyd y ddau ddyn a gwahoddwyd pawb i goffi.

'Fedra i ddim aros yn hir,' ebe'r Athro. 'Mae gen i bwyllgor cyllid am ddeuddeg.'

'Ond pam nad oes neb wedi saethu'r Cynhyrchydd?' torrodd Aaron ar draws, yn ddiweddarach, pan droes y sgwrs at gyflwr Cymru. 'Neu'r Cyfarwyddwr?' Wyddai e ddim pa un o'r ddau oedd y trosiad cywir i gydymffurfio â *scenario*'r dyn arall. 'Neu'r ddau?'

'Cwestiwn od gan ddyn sy'n credu mewn cyfraith a threfn,' mynnodd yr Athro. 'Y gwir ydy, does neb wedi bod yn fodlon lladd neb arall dros Gymru erioed.'

'Mi fuodd yna ferthyron,' ebe Rhiannon, fel petai hi'n gwrthddweud ei Hathro. 'Yn Brotestaniaid ac yn Gatholigion.'

'Do. Ond ai sôn am ddyfodol yr hil ydan ni, neu ddyfodol crefydd . . . Cristnogaeth i fod yn fwy cywir. Mae gwladwriaethau'n byw yn ddigon ffyniannus ar grefyddau ar wahân i Gristnogaeth,' ebe'r Athro. 'Sôn am ba ddifodiant yr ydan ni?'

'Mae'r gred ar led fod y ddau ynghlwm wrth ei gilydd yng Nghymru,' pryfociodd Rhiannon. 'Pan farwith Ymneilltuaeth fe farwith Cymru.'

Aeth y ddrama yn ei blaen ac eisteddodd Aaron yn ei jîns glas a'i grys-T gwyn yn is-gymeriad ar y cyrion. Rhiannon a'i chyngariad a rannai'r setî (er na wyddai Aaron ar y pryd fod y dyn arall yn gyn-gariad i'w gariadferch newydd). Roedd y sedd yn hir ac eisteddai'r ddau led person neu ddau oddi wrth ei gilydd, ond nid oedd hyn yn ddigon i lwyr lesteirio cenfigen Aaron. Pam yn y byd mawr oedd e am ddod yn ôl i hyn? I drafodaeth drymaidd ar ddarfodedigaeth oedd y tu hwnt iddo yn ymenyddol.

Ond efallai mai dyma a olygai'r dyn doeth yn ei berorasiwn? Efallai mai ffârs yn unig oedd hyn? Wedi'r cyfan, onid oedd wedi dweud mai'r theatr oedd Cymru, nid y ddrama? Pan ddôi'r ddrama hon i ben fe ddôi un arall yn ei lle. I'w pherfformio yn yr un theatr. Ond o natur wahanol. (Amrywiaeth piau hi.) Ac mewn iaith arall. A byddai sgript yr hen un yn dal ar gael mewn llyfrgelloedd. Er mwyn i ysgolheigion gael porfa Geltaidd i bori arni.

Os oedd e'n fardd . . . Os oedd e'n frawd i fardd, roedd hyn yn codi cyfyng-gyngor. Roedd canu'i chwaer (yr ychydig yr oedd ef wedi ceisio'i ddarllen, beth bynnag) yn ei hanfod yn Gymreig. Ac yn Gymraeg. A phwy fyddai yma ymhen can mlynedd i'w ddarllen? Nid ei blant ef ei hun. Na'i wyrion.

Tybed a oedd Lleucu wedi colli cwsg dros y pethau hyn?

Tybed a oedd hi wedi colli'i bywyd dros y pethau hyn? Dirgelwch o hyd oedd y cyfarfod rhyngddi hi a'i thad. O wybod yr honiadau yn hunangofiant bondigrybwyll hwnnw, anodd dychmygu beth y gallai fod wedi ei ddweud wrthi.

A hithau mor hawdd i'w chlwyfo. Gwelai ef hi fel Ophelia frau. Yn gau ac yn gynrhon i gyd.

Ac yntau'n Hamlet unwaith eto. Yn sigâr fach dwt rhwng bys a bawd y wladwriaeth. Yn carthu'i lwnc. Yn 'ch' ac yn 'll' i gyd.

Dyna'r pethau oedd yn marw o'r tir. Y synau bach smala 'na a glymid gyda synau eraill i greu geiriau. Dyna beth oedd barddoniaeth iaith. Y gallu yma i glymu. I geulo. I greu sŵn. Fel bod i'r sŵn hwnnw ei ystyr. Er mai haniaeth ddiafael ydoedd.

Roedd fel yr enaid yn yr olchfa ddynol. Y gwawn a gymylai'n haenen gudd o gylch y corff.

Caethiwyd ef gan fudandod am yr eildro'r bore hwnnw, wrth i Rhiannon a'i bòs ddirwyn eu hystrydebau i ben.

'Mae'n dda gen i glywed i ddoe fod yn fuddiol,' ebe'r Athro wrth godi i adael.

Roedd ddoe bob amser yn fuddiol. Rhuthrodd y wireb trwy feddwl Aaron. A chymryd na chawsom ein lladd na'n parlysu ganddo. Gwyddai sut y gallai bwled falu asgwrn cefn. A synhwyrai bellach fod geiriau yn gallu lladd. Oedd geiriau wedi lladd ei annwyl chwaer? Ei annwyl chwaer?

'Brwydr arall o'n blaena,' parhaodd y darlledwr/pwyllgor-ddyn/gweinyddwr/ysgolhaig. (Cymwynaswr/godinebwr/stor-ïwr/llyfrbryf. Rhiannon oedd yr un a wyddai fod y rhestr, wrth gwrs, yn ddiddiwedd.) 'Maen nhw am docio un darlithydd arall oddi arna i.'

'Dyna fu'r sôn,' ebe'r ddarlithwraig yn bryderus ddigon.

'Nid fod dy swydd di mewn perygl, Rhiannon. Does dim perygl yn y byd. Fedrai'r Adran ddim cario 'mlaen hebddat ti.'

'Does dim angen mynd at ormodiaith,' cellweiriodd hithau yn ôl.

'Wel, mae wedi bod yn bleser eich cyfarfod, Mr Skinner.' Cododd Aaron i ysgwyd llaw â'r dyn. 'Mae 'na edmygedd mawr i waith eich chwaer yng Nghymru. Ac rwy'n gw'bod fod y diddordeb rydych chi wedi'i gymryd ym mhroblema Rhiannon yma i gyhoeddi'i llyfr wedi bod yn gefn iddi.'

'Diolch i chi am ddangos imi faint o'r gloch yw hi ar Gymru,' oedd ateb Aaron.

Roedd hi'n chwarter i ddeuddeg.

'Tyrd yma,' gorchmynnodd pan adawyd ef a Rhiannon ar eu pennau'u hunain. Roedd yn grwtyn bach unwaith eto. Yn grwtyn mawr. Ac roedd Lleucu wedi ei lladd.

Er mawr syndod iddi hi'i hun, ufuddhaodd Rhiannon.

## 2. 10    stori papur newydd

'Cerddi Annwyl Lleucu Llwyd' oedd y pennawd a dyma'r adroddiad oddi tano:

Gwnaed awgrymiadau annisgwyl o ddramatig mewn darlith a draddodwyd yn Nhreffynnon nos Wener diwethaf. Yn narlith fisol Cymdeithas Lenyddol Gosmopolitan Clwyd haerodd Dr Rhiannon Idris, a wnaeth ymchwil i feirdd o ferched, fod gweddw'r bardd Annwyl Price yn ei hatal rhag cyhoeddi astudiaeth o fywyd a gwaith y Prifardd Lleucu Llwyd (fu farw yn gynharach eleni) mewn cyfrol a baratowyd ganddi. Dywedodd fod un o brif gyhoeddwyr Cymru, Gwasg y Seren Fore, eisoes wedi gwrthod cyhoeddi'r gyfrol oni chymerir y bennod ar Lleucu Llwyd allan.

Yn ôl Dr Idris y rheswm a roddwyd iddi oedd fod Gwasg y Seren Fore eisoes wedi ymrwymo i gyhoeddi casgliad cyflawn o waith Lleucu Llwyd dan olygyddiaeth Mrs Morfudd Price. Bu Lleucu Llwyd yn rhannu tŷ gyda Mrs Price yng Nghaerdydd yn ystod blwyddyn olaf ei hoes.

Awgrymwyd bod gan Mrs Price rywbeth i'w guddio wrth atal beirniaid llenyddol rhag asesu gwaith ei chyfeilles. Pwysleisiodd Dr Idris nad oedd dim byd yn ei herthygl a allai beri gofid nac anniddigrwydd i deulu a chyfeillion Lleucu Llwyd.

Wrth ateb cwestiwn ar ddiwedd y ddarlith syfrdanwyd y gynulleidfa o ddeuddeg gan ensyniad y gallai Mrs Price fod yn cael trafferth yn gwahaniaethu rhwng cerddi Lleucu Llwyd a cherddi anghyhoeddedig ei diweddar ŵr.

'Mae 'na debygrwydd pendant rhyngddynt o ran arddull, ffurf a themâu,' dywedodd Dr Idris wrth ein gohebydd yn ddiweddarach.

Dywedodd Morfudd Price wrthym y byddai'n gofyn am adroddiad llawn o'r hyn a ddywedwyd gan swyddogion Cymdeithas Lenyddol Gosmopolitan Clwyd, ond ychwanegodd na fyddai'n petruso rhag dwyn y mater i sylw'i chyfreithiwr, petai raid.

Ar ran y gymdeithas a drefnodd y ddarlith, dywedodd yr

ysgrifennydd, Dr Gareth Brake fod yr holl ddigwyddiad yn anffodus iawn ac na wnâi anghydfod o'r fath unrhyw les i enw da Treffynnon. 'Rydym yn brysur iawn yn ceisio denu diwydiant newydd i'r dref a does wybod pa ddrwg all haeriadau hyll fel hyn ei wneud.'

Hip, hip—Hwrê! Bloeddiodd Russell Raglan Rees ei lawenydd. Byddai erthygl Rhiannon yn ymddangos yn y rhifyn nesaf o *Pengwern*.

Gwae fi, ochneidiodd Morfudd Price! Byddai'n rhaid iddi wneud rhywbeth ynglŷn â cherddi Annwyl nawr.

O, wel! ebychodd Rhiannon Idris. O leiaf roedd ei henw yn y papur, hyd yn oed os oedd hi'n dal heb fod mewn cariad.


# 2. 11   dim trip i'r haul

*'I don't care if you do love her,'* poerodd pennaeth yr Uned ei fustl. *'She's not interfering in the smooth running of my operations. Understand, Taff?'*

*'Yes, sir. Highly amusing.'*

*'Late back is late back. It means someone else has to cover. And why can't your bit-on-the-side be a bit nearer home?'*

*'With all due respect, I don't see that it's any of your business,'* poerodd Aaron. Roedd yn dechrau 'laru ar y cerydd.

*'Using your influence to get at confidential records is my business, Skinner,'* atebodd y Pennaeth. *'Something about your father's death, I understand. Copies of the coroner's report sought after how many years? Twenty-five? Thirty?'*

*'I don't see . . .'*

*'Everything my men are involved in is my business, Skinner. That little truism should be implicit in the very fibre of your being. Every breath you take, every fart you fake, I know about.'*

*'I know the score, sir.'*

*'So there'll be no little trips to Spain, will there?'*

*'Spain, sir?'*

*'Yes, Skinner. Sunny Spain. Where a certain ex-mechanic now owns a couple of bars and a thriving discotheque. He left this country just three months after giving the vital evidence at the inquest into your father's death, claiming that the car had faulty brakes. He said he'd told your father the car was unsafe, but that your old man had insisted on driving it away. Intelligent man, was he, your dad? Because that doesn't sound like the action of an intelligent man, does it?*

'*You agree with me that it all sounds suspicious?*'

'*Whether I do or whether I don't, it's none of my business. And guess what? It's none of yours either.*' A gwenodd y dyn yn rhadlon ar y dyn arall. '*Stick to the Costa del Abersock. Forget the Costa del Sol. These investigations are getting out of hand. This is my last friendly warning. The iron glove goes on for the next squeeze. Do I make myself clear?*'

'*Yes, sir.*'

'*Don't risk it, Aaron. You need your balls for your Welsh lady. Wears a tall black hat, does she?*'

'*No, sir,*' atebodd Aaron. '*And I never said I loved her.*'

## 2.12   trafodaeth deledu

*Betsan:* Yn y wasg Gymraeg yr wythnos hon ymddangosodd y llythyr hwn (*ymddangosodd y llythyr yn annarllenadwy o fach ar y sgrîn*) gan Rhiannon Idris, yn gwadu iddi honni mai Annwyl Price oedd gwir awdur cerdd Lleucu Llwyd. Honna yn y llythyr taw camgymeriad yw darllen unrhyw ensyniad o'r fath o'r hyn a ddywedodd yn Nhreffynnon. Ond â yn ei blaen i ddweud, ac rwy'n dyfynnu, 'Onid peth rhyfedd yw i Mrs Price ymboeni cymaint dros gyhoeddi casgliad cyflawn o waith Lleucu Llwyd a hithau heb erioed wneud ymdrech debyg dros ei diweddar ŵr? Ychydig iawn o gerddi a gyhoeddwyd yn ystod oes Annwyl Price, ar wahân i'r gyfrol denau, *Cyw o Nyth Gras*.'

Yma gyda mi mae Rhiannon Idris a Morfudd Price. Ga i ddechrau gyda chi, Morfudd Price. Beth am y cwestiwn 'ma o gerddi eich gŵr? Oes 'na ddirgelwch yn eu cylch nhw?

*Morfudd:* Does 'na'r un dirgelwch ar wahân i'r un a greodd Miss Idris. Mae 'na hanes am ferched yn colli'u penne yn Nhreffynnon, wyddoch chi, ac rwy'n meddwl fod y ferch ifanc 'ma yn llinach Gwenffrewi.

*Betsan:* Fe ddown ni at y cyhuddiadau 'na yn y man, Mrs Price. Ond beth am gerddi'ch diweddar ŵr?

*Morfudd:* Fan hyn . . . ac rwy'n gobeithio fod y camera'n gallu gweld y rhain . . . mae gen i lawysgrifen y ddau. 'Y ngŵr i a Lleucu Llwyd. Mae'r ddau wedi marw a dim ond chwe mis sydd er claddu Lleucu. Mae'r holl gyhuddiade 'ma wedi peri loes calon i'w mam hi. Nawr, dishgwlwch mewn difri. Dwy lawysgrifen gwbwl wahanol.

Ac fe ddweda i rywbeth arall wrthoch chi hefyd. Rhywbeth y bydde'r hollwybodus ddoctor yn ei w'bod yn barod, petai hi wedi gwneud mymryn o ymchwil. Rwy wedi casglu rhai o gerddi Annwyl. Roedd rhifyn y gaeaf 1976 o'r *Friallen* i fod i gyhoeddi deuddeg o gerddi. Y fi oedd wedi'u casglu nhw o wahanol ddrorie a chypyrdde yn y tŷ acw, ond fe stopodd Cyngor y Celfyddyde ei grant tuag at y cylchgrawn ym mis Mai a welodd y rhifyn eriôd ole dydd. Nonsens haerllug yw awgrymu fy mod i, rywsut, yn gyndyn i hybu gwaith 'y ngŵr.

*Betsan:* Wel, Rhiannon Idris. Dyna chi wedi gweld dwy lawysgrifen wahanol y ddau fardd. Beth sy gyda chi i'w ddweud nawr?

*Rhiannon: (Pesychodd cyn yngan gair.)* Wela i ddim fod y ddau ddarn papur 'na'n profi dim. Wn i ddim be sy arnyn nhw yn y lle cynta . . .

*Morfudd:* Cerddi, 'merch i. Dwy wahanol gerdd. Y naill gan Annwyl Price a'r llall . . .

*Rhiannon:* Os ca i orffen yr hyn roeddwn i am ei ddweud.

*Betsan:* Ie, Mrs Price. Gadewch inni glywed ochr Dr Idris i'r stori.

*Morfudd:* Dŷch chi eriôd wedi byw 'da bardd. Dyna sy'n eich corddi chi. Chawsoch chi eriôd y fraint o ddod i adnabod un yn dda. Dim ond mewn llyfre. Falle taw dyna pam mae e mor bwysig ichi gael eich enw ar lyfr sy'n llawn o feirdd. Symo chi'n gw'bod shwt beth yw e i gael bardd gatre ar yr aelwyd. (*Synhwyrai fod y defnydd o'i thafodiaith naturiol yn gwneud iddi swnio'n fwy cynhesol yng nghartrefi pobl.*) Fi wedi ca'l y fraint o rannu aelwyd gyda dou.

*Rhiannon:* Ond pam felly'ch bod chi mor gyndyn o adael i mi gyhoeddi'r bennod ar . . .

*Morfudd:* Achos na fuoch chi eriôd yn 'y ngweld i. Ychydig iawn o gerddi Lleucu Llwyd sydd wedi'u cyhoeddi, ar wahân i'r cylch cerddi buddugol yng nghyfrol y *Cyfansoddiade*. Shwt allech chi wneud astudiaeth lenyddol o unrhyw werth arni? 'Da fi mae'r rhan fwyaf o'i gwaith hi!

*Rhiannon:* Mae fy llyfr i'n cynnig bywgraffiadau o feirdd sy'n ferched. Y gyfrol gynta i gymryd yr awen fenywaidd o ddifri yng Nghymru.

*Morfudd:* Wyddoch chi ddim amdani, 'merch i. Y fi, a fi yn unig, sy'n gw'bod am fisoedd ola Lleucu Llwyd.

*Betsan:* Ond siawns, Mrs Price, nad oes gan eraill hawl i draethu barn a chynnig beirniadaeth lenyddol? Ydych chi'n dweud ei bod hi y tu hwnt i feirniadaeth a dadansoddiad?

*Morfudd:* Nadw. Dyna'r pwynt yn hollol. Rŷch chi wedi taro'r hoelen ar ei phen. Gofyn ydw i shwt y gall Miss Idris feirniadu

. . . a gweud y pethe ddwetsoch chi nawr . . . heb i mi yn gynta gyhoeddi'r casgliad llawn o'i gwaith? Mae'n amhosib!

*Rhiannon: (Gallai weld fod dyn bach yn arwyddo i Betsan ddod â'r eitem i ben.)* Efallai y byddai'n syniad da i Mrs Price gyhoeddi holl gerddi'i gŵr a holl gerddi Lleucu Llwyd gyda'i gilydd rhwng yr un cloria. Wedyn, gallai'r darllenydd geisio gweithio allan trosto'i hun pwy sgwennodd beth . . .

Gwasgodd Aaron fotwm ar y teclyn wrth ei benelin gan ddiffodd y set.

Byddai'i fam wedi hoffi gweld y rhaglen i'w diwedd ond ni ddywedodd ddim. Roedd arni fymryn o gywilydd. Embaras fyddai'n air gwell, meddyliodd, ond nid oedd gair Cymraeg cynhenid amdano.

''Tase hi ddim ond wedi dod ata i am sbel ar ôl dod o'r hen le 'na. Fase pobol ddim dan yr argraff 'mod i'n fam wael wedyn.'

'Mam fach, pam na allwch chi alw pethe wrth eu henwe iawn?' oedd ymateb Aaron. 'Yr hen le 'na yw'r ysbyty, debyg, lle cafodd hi driniaeth am gancr, lle y dioddefodd hi iselder ysbryd.'

'Gobeithio dy fod ti'r un mor hoff o ddefnyddio'r geirie iawn am bethe gyda Liz, dyna i gyd ddweda i.'

'A beth yw ystyr hynny, 'te?'

''Ti'n gw'bod yn iawn.'

'Atgoffwch fi.'

'Y berthynas 'ma 'da honna welon ni nawr ar y teledu. O's angen imi ddweud rhagor?'

'Rŷn ni'n gwahanu, dyna i gyd. Mi fydd Liz yn iawn.'

'Mae'n derbyn y peth, odi hi? Falch o weld dy gefn di, siŵr o fod.'

'Mae hi wedi cael bron i bymtheg mlynedd ohona i. A dau o blant. All hi ddim cwyno. Fe fydd 'na golli statws, wrth gwrs, wrth iddi fy ngholli i . . .' Roedd hi'n chwith gan hyd yn oed Aaron ei hun i feddwl fod yna statws yn perthyn i fod yn briod ag ef. 'Ond fe ofala i y bydd hi'n iawn. Doedd hi byth yn 'y ngweld i, p'run bynnag. Gweithio pob awr ddanfonai Duw, ac un neu ddwy na wyddai e ddim amdanyn nhw. Mi fydd hi'n well ei byd hebddo i.'

Digon posibl, tybiodd Rhisgell yn ddoeth.

'Pryd wyt ti'n gad'el, 'te?'

'Heno?'

'Nage. Gad'el Liz a'r plant.'

'Wn i ddim. Rŷn ni mewn cyfnod o . . . o drawsnewid. Wn i

90

ddim be wna i eto. Aros yn Llundain, falle. Fiw imi ruthro pethe.
Mi ddyle pob gweddnewidiad gymryd tymor.'

*Nid dros nos y dôi'r wennol yn ôl i'r tir. Golygai wythnosau o hedfan.
Nid ar amrantiad y tasgai'r oen o groth y ddafad. Fe gymer feichiogiad i
ddod i fod. Hyd gaeaf hir yw hyd dyfodiad pob gwanwyn.*

Erbyn diwedd yr hydref fe ddylai'r dail fod dan draed a
byddai'n haws gweld y coed a hwythau yn eu noethni. Yn gyrff
i'r patholegydd. Heb ynau eu heneidiau i ddrysu'r dadansodd-
iad. Gallai yntau, Aaron, weld ei waredigaeth. A gweithredu.

Am y fam? Roedd hi'n falch o weld ei mab yn dod ac yn falch
o'i weld yn mynd. Dim ond ei chynhyrfu'n ddiangen a wnâi'r
ymweliadau cynyddol a gwell oedd ganddi gynnyrch tiwb y
teledu na chwmni cynnyrch ei chroth ei hun. Yn wir, roedd
cynnyrch tiwb o *toothpaste* yn debycach o roi gwên lân ar ei
hwyneb. Roedd modd perthyn gormod. A chlymu'ch hun yn
rhaff hyd grogi.

Digon iddi bellach oedd sbeis y sgrîn. A'r cyfaill yn y cornel
ddôi â phob sothach i'w chartref. Sôn am siarad plaen; caech
ddigon ohono ar y teledu! Mwy nag a gaech chi gan gyfeillion o
gig a gwaed. Gallech ddibynnu arno i roi'r enw iawn ar bopeth.
Ond yn wahanol i Aaron, nid oedd byth yn ei gwylltio. Na
chodi'i gwrychyn. Na pheri gofid.

Wrth wylio'r teledu ar ei phen ei hun ni fyddai Rhisgell byth
yn gwrido.

## 2. 13   diwedd gwâr i greadur gwyllt

'*The main evening news had a discussion about the authorship of some
poems as its main item!*' adweithiodd Brenda Lloyd. '*What a blessed
country your Wales is! And how divine your language. Mind you, I've
always said that the nearest Philistia ever got to having a sovereign state was
England.*'

'*Yes,*' atebodd Aaron gyda smaldod. '*But I don't know how
blessed the country is any more. My education has been enhanced and I'm
told that everything is in decline. The language a wild thing in danger of
extinction. Like a hunted animal. Predatory. Scavenging. Ready to devour.
But most of all, a likely candidate for extinction.*'

'*Perhaps the Duke of Edinburgh heads some World Wildlife Fund who
can come to the rescue. And anyway, I thought it was the natives themselves
who were burning down the forests. All those pretty little rural retreats
reduced to ashes.*'

Roedd hynny'n beth dieflig yn nhyb Aaron. Fod creadur ar ei gythlwng yn sarnu'i wâl ei hun. Byddai'n rhaid eu dal. Y dynion dienw hyn.

Rhyngddo a'r weddw yn lolfa gysurus ei chartref, gorweddai llawysgrif Jim Lloyd ar fwrdd isel.

*'I'm thinking of going there to live,'* meddai Aaron wrthi.

*'On a rescue mission? Or to enjoy a regularly more uplifting sort of news bulletin on the television?'*

Gwenodd o glywed ei choegni. Roedd hi wedi troi'i chefn ar gymaint er mwyn cariad. Hawdd oedd gweld fod gan Brenda Lloyd hawl i weld y byd fel lle doniol.

*'Of course,'* aeth hithau yn ei blaen, *'I've always thought both the socialist and nationalist perspective of Wales as a down-trodden, suppressed people to be somewhat fallacious. I've thought so ever since Jim told me there was no adequate Welsh word for "victim". Was he right?'*

Ni allai Aaron fod yn siŵr.

*'No nation which doesn't have a succinct word for "victim" could have suffered that much.'*

## 2. 14   darn o hunangofiant

Anodd iawn yw byw gyda mi fy hun a gwybod am y pethau hyn a wneuthum. Un dydd, pan fydd rhywun arall yn darllen hyn o eiriau a minnau wedi blaenu, rhaid fydd sefyll o flaen Gorsedd Duw a 'nghalon yn ddu gan liaws o bechodau. Yn ddi-os, llofruddiaeth fydd y fwyaf ohonynt.

I'm hamddiffyn fy hunan ni allaf lai na dweud mai un daer oedd Rhisgell Skinner. Nid oeddwn am greu sgandal a cholli cyfle ar yrfa wleidyddol. Bryd hynny, perthynai stigma i ysgariad. Mae'r stigma hwnnw wedi gwanio llawer erbyn heddiw gyda phoblogeiddio'r ffenomenon. Ond wrth i uchelgais fy mwyta'n fyw rhaid oedd osgoi'r posibilrwydd o gael fy enwi fel *correspondent* petai Rhisgell wedi penderfynu ysgaru ei gŵr.

O ran Rhisgell ei hun, nid oedd hithau am golli gafael ar yr arian. Yma eto gwelwn fod y drefn wedi newid. Gall gwraig hawlio hanner golud ei gŵr erbyn heddiw, waeth beth fo amgylchiadau'r ymwahanu. Ond bryd hynny ni dderbyniai Rhisgell fawr ddim, ar wahân i gynhaliaeth Aaron. Yr oedd cronfa annibynnol wedi'i sefydlu'n barod i ddanfon hwnnw i'w ysgol breswyl.

Gwelir felly, ddarllenydd, mai trachwant ac uchelgais a barodd inni drefnu damwain Geoffrey Skinner.

Ni chawsom ein dal, ond ni fedrem fod yn hapus ar ôl hynny. Anghofiasai Rhisgell yn llwyr am y peth, yn ôl pob ymddangosiad. Ar ôl y cwêst, ni soniasom air am y peth. Yr oedd y ddamwain angheuol fel petai hi heb ddigwydd, er bod yr arian a ddaeth at fy nefnydd ar ôl priodi Rhisgell yn golygu fy mod yn gallu byw tipyn yn well fy myd a llai trafferthus na'r rhelyw o Aelodau Seneddol Llafur o Gymru. Yma eto daeth tro ar fyd erbyn hyn, ond stori arall yw honno.

Hoffter o'r bywyd cysurus a arweiniodd, maes o law, at fy ngwendidau eraill a'm cwymp cyhoeddus. Cafodd ffawd y gorau arnaf, wedi'r cwbl, ac arian Geoffrey, yn anuniongyrchol, fu'n gyfrifol. Un da yw Duw!'

Dyna baragraffau olaf y bennod yn hunangofiant Jim Lloyd ar lofruddiaeth honedig tad Aaron.

Y cyfeiriad at Aaron oedd yr unig dro y defnyddiwyd ei enw yn y cant a hanner namyn un o dudalennau.

Efallai taw dyna pam iddo eistedd aml noson hyd berfeddion yn ei gartref yn Llundain yn darllen ac ailddarllen y geiriau.

Ond a oedd gwirionedd yma?

'Crebwyll Piwritanaidd cryf iawn,' oedd sylw cyntaf Rhiannon pan gafodd hi gyfle i ddarllen y llawysgrif. 'Calfinaidd, bron. Yn y ffordd mae o'n perthnasu Duw a'i bechoda, er enghraifft. Wrth gwrs, mae angen golygu ar yr orgraff . . . dyblu 'n' ac ati. Ond at ei gilydd mae ôl William Morgan yn drwm ar y traethu. Sy'n annisgwyl, o ystyried y cefndir.'

'Pam?' holodd Aaron.

'Ar ôl byw o Gymru cyhyd. Byth yn twyllu drws capel. Hyd yn oed cyn gada'l, prin ar y cyfan fydda'i ddefnydd o Gymraeg cyhoeddus, ddwedwn i. Mae'n dipyn o syndod ei fod o'n siarad Cymraeg efo ti a dy chwaer. Wrth gwrs, Cymraeg y capel fydda'i Gymraeg cyhoeddus o, rwy'n cydnabod. Ond mae'r dylanwad yn dal yn rhyfeddol o gryf pan ystyri di mai petha ei ddyddia mebyd oedd mynychu oedfa ac Ysgol Sul. Fe weli di fan hyn ei fod o'n defnyddio mwy nag arddull iaith y capel. Mae'r ddysgeidiaeth o gosb ac iachawdwriaeth yma. Fel Calfin o'r iawn ryw.' Ac ychwanegodd gyda grym ysgolheictod yn dod i'r wyneb o dan golur ei ffeministiaeth: 'Mae o hyd yn oed yn meddwl mai benywaidd ydy pechod. Ac rwy'n siŵr ei fod o'n iawn o ran meddylfryd y Piwritan, hyd yn oed os ydy o'n anghywir o ran gramadeg y Gymraeg.'

Os taw mynegiant o blentyndod Jim Lloyd oedd yma, onid cynnyrch ei ail blentyndod oedd y cyfan? Posib! Neu jôc? Posib iawn!

'Neu falle'i fod e am adael rhywbeth *juicy* y galle Brenda ei gyhoeddi a'i droi'n arian ar ôl ei farw.'

'Wyt ti wedi sylweddoli hefyd ei fod o'n sgwennu fel petai o'n gw'bod y bydda fo farw toc?' gofynnodd Rhiannon. 'A ph'run bynnag, os oedd o am i Brenda wneud arian, pam sgwennu'n Gymraeg?'

'*What should I do with it?*' holodd Brenda Aaron cyn iddo adael y prynhawn hwnnw y dychwelodd y sgript iddi.

'*Oh! I'd burn it,*' atebodd yntau'n ddidaro. Roedd y ffotocopi a dynnodd o bob tudalen eisoes yn ddiogel yn fflat Rhiannon.

## 2. 15   llofruddiaeth a llyfr carpiog

'Morfudd,' gofynnodd Lleucu mewn llais tyner ond gydag angerdd tawel, 'wnei di'n llusgo i gerfydd 'y ngwallt i mewn i'r dyfodol?'

'Os bydda i yma, Lleucu fach,' atebodd y wraig yn dawel. Wrth wrando ar Vivaldi a sipian hanner gwydryn o sieri myfyriai dros y dedwyddwch o weld hoff lyfr yn datgymalu trwy ei or-ddefnyddio.

'Na! Addo i mi,' mynnodd Lleucu. 'Ma' arna i'r arswyd o feddwl fod 'y nyddie gore i eisoes wedi blaenu heb i fi 'u gweld.'

'Twt, Lleucu,' wfftiodd Morfudd, ond nid mewn modd angharedig. 'Rhaid iti achub dy ddyddie dy hun. Mi fydda i i ffwrdd nos 'fory. Wyt ti'n cofio? A thrennydd. Bydd yn gyfrifol amdanat dy hun am newid.'

'Rhoi'r poteli lla'th mâs . . . Cloi'r dryse . . . Gwneud yn siŵr fod y trydan wedi'i ddiffodd . . . Ond beth os ydw i'n iawn?'

Dyddiau Llundain. Dyddiau Plas Helygen. Dyddiau Coleg. Y coed a'r cwtsh clyd. Beth os taw'r rheini oedd y dyddiau da? Dyddiau Lucy. Y ferch fach a'r deisyfiadau mawr. Dyddiau'r Goron. Y cerddi gorau oll o'i hôl. A hithau'n plymio tuag at ryddiaith.

'Beth petawn i'n dirywio'n nofelydd?'

'Bardd wyt ti, siŵr,' sicrhaodd Morfudd hi gydag anwyldeb anghyffredin. 'Ti yw'r pennaf prydydd fu dan fy adain i.'

Ni ddarbwyllwyd Lleucu. Lledai'r ofn yn ei chrombil. Yr ofn fod y dyddiau disglair o'i hôl a dim byd ond cysgodion o'i blaen. Petai botwm *fast forward* ar beiriant ei hoedl fe'i gwasgai'n ddi-ymdroi er mwyn rhuthro trwyddo a chyrraedd yr ochr draw.

Hawdd oedd iddi feddwl hynny. Deuddydd yn unig oedd ganddi ar ôl. Deuddydd cyn y godwm bendramwnwgl i lawr y grisiau. A hithau heb fodd i wybod.

'Paid â mynd allan eto nos 'fory,' meddai Morfudd. 'Ond mynd wnei di. Pa dda ddaw byth o fy ymbil?'

Cododd o'i chadair a dychwelodd y gyfrol y bu'n ei hanwylo yn ei chôl i'w lle ar y silff.

'Rwy'n falch na wnest ti eriôd gymryd dramodydd dan dy adain, Morfudd,' ebe Lleucu'n goeglyd.

'Gofidio amdanat ti fydda i,' haerodd y wraig hŷn. 'Rwy'n gw'bod nad wyt ti byth yn credu hynny, ond mae'n wir. Mâs tan yr orie mân. Yn meddwi a hel cwmni gwehilion cymdeithas. Finne'n ceisio rhoi cartre deche iti fan hyn, er mwyn iti gael dy draed tanat.'

'Wyt ti am imi sefyll ar fy nhraed fy hun ryw ddydd? Yn hytrach nag aros fan hyn gyda ti?'

'Does 'da ti ddim syniad beth alle ddigwydd iti. Mâs yn hwyr y nos fel'na. Dair blynedd yn ôl roedd 'na hanes . . . llofruddiaeth erchyll . . . rhyw fenyw o Riwbeina oedd wastad yn mynd mâs â'i chi am dro yn hwyr y nos. Un bore fe ddaethon nhw o hyd iddi ar dir diffaith . . .'

Yn gelain, wrth gwrs! Gallai Lleucu weld diwedd y stori drosti'i hun. Gallai weld y diwedd yn dod, deirblwydd ar ôl y digwydd.

'Roedd hi wedi'i hagor o fan hyn i fan 'co.' A llusgodd Morfudd ei bys o odre'r *kaftan* i fyny at ei mynwes. 'Nid drama yw peth fel'na Lleucu fach, ond bywyd.'

'Swnio'n debycach i farwolaeth i fi,' cellweiriodd y bardd, gan godi a chofleidio'r wraig hŷn.

Ni fyddent byth yn rhannu jôc. Rhywbeth i'r naill ei ddefnyddio'n arf yn erbyn y llall ydoedd hiwmor.

## 2. 16   gwersi gormes

'Fedra i ddim cofio amser nad oedd gen i un,' byrlymodd Rhiannon, gan wasgu'r allweddellau cywir ar ei chyfrifiadur. 'Edrych! Rwy'n gallu storio holl farcia traethoda'r myfyrwyr gyda sylwada ac asesiad ac ati. Gyda'r cyfan yn gwbwl gyfrinachol. Llawer gwell na rhyw ffeil y gall pob Tom, Dic a Harri wthio'i drwyn iddi.'

Mynnodd roi enghraifft iddo o allu rhyfeddol y teclyn trwy alw'r manylion am un o fyfyrwyr ei dosbarth anrhydedd i'r sgrîn.

O ran datblygiad ei ddysg a'i ddawn roedd y creadur yn gwneud yn burion yn ôl y marciau, a chymryd fod Aaron yn eu darllen yn gywir. Yn ôl y rhagolygon câi radd Dau Un.

Orig nodweddiadol oedd hon, gresynai Aaron. Er, efallai, fod gresyn yn air rhy gryf. Ond yn bendifaddau, roedd yno elfen o edliw.

Wrth fynd rhagddynt, aethai'r penwythnosau hyn gyda Rhiannon yn fwy o wers nac o wefr.

'Rwy am drio caru'r pethe rwyt ti'n eu caru,' dywedodd ef wrthi'r eildro iddo ddod i'w gweld. Nid oedd wedi gallu credu'r peth yn gwbl argyhoeddedig, hyd yn oed wrth ddweud, ond ers y bore hwnnw y deffrôdd gyntaf yn ei gwely bu'n rheidrwydd arno i ddeisyfu'r hyn y mae beirdd a thadau i fod i'w ddeisyfu.

'Dydy hynny ddim yn bosib,' fu ei hateb swta. 'Alla i ddim gwneud dim byd amgenach na dysgu iti sut mae petha'n perthyn. Fedra i ddim hyd yn oed dy gymell di i garu.'

Ac felly y bu. Chwaraewyd y gêm yn ôl ei rheolau hi. A chydnabyddai'r disgybl fod brwdfrydedd heintus yn nulliau dysgu'r athrawes. O fewn dim daeth i wybod pwy oedd cefnder Bardd yr Haf. A pham fod ei chwaer ei hun yn llinach Dilys Cadwaladr.

Chwarae bach oedd y dysgu. Chwarae plant oedd y rhyw. Ond ni ddaethai i adnabod Lleucu'n well. Ac nid oedd Rhiannon ac yntau fymryn yn nes. Ymgynefinent â'i gilydd. Yn lletchwith weithiau ac yn llawn angerdd bryd arall. Ond nid oedd babi ar y ffordd. Dim bychan i fod yn brawf.

Amheuai ar ôl mis neu ddau mai twyll oedd ei honiad nad oedd hi ar y bilsen. Ond yna un bore gwelodd ei misglwyf disymwth yn sarnu'r cynfasau. Ac yn araf daeth i gredu na fyddai byth yn ei phriodi nes ei bod yn feichiog.

Yn ei chryfder y bu'r unig gynnydd. Daethai hwnnw fwyfwy

i'r amlwg. Doedd hi ddim yn ufudd. Nac yn hawdd i'w chyrraedd. Amhosibl bron ei choncro. Er mor llwyr y rhoddai'i hun iddo yn ymddangosiadol. Cadwai rywbeth ohoni'i hun ymhell o'i afael. Fel Liz, i raddau, gresynai. (Yn awr, roedd gresyn yn air cymwys.) Fe'i tynghedwyd i rannu'i gorff gyda gwragedd nad oedd e byth yn gallu'u trechu'n llwyr. Er i Liz ildio'n awchus i'w awdurdod ar un olwg, synhwyrai fod rhyw gilfach ohoni a gadwai oddi wrtho, yn dragwyddol Loegr. Yn dir nas goresgynnwyd.

Ildiasai iddo'n rhywiol heb drafferth yn y byd. Cymaint felly, fel y tybiasai Aaron weithiau ei bod hi wedi caru'i bidyn yn fwy na'r un nodwedd arall o'i gorff, ei ysbryd na'i bersonoliaeth. Am mai hwn oedd offeryn ei dreiddiad ohoni. A'r symbol o'i darostyngiad hithau. Yn y cnawd diasgwrn roedd angerdd ei chariad ar ei gryfaf. Oni charai gwraig bidyn ei gŵr nid oedd ganddi hawl i'w stad briodasol. Byddai'n sarhad ar yr ordinhad, meddyliodd Aaron. Ac yn nyletswyddau'r *coup* milwrol hwn yng ngwlad ei chorff aethai ei wraig gyntaf yr ail filltir. Yn aml. Yn ufudd. Ac yn llawen fel lleian.

Ac eto, gwyddai Aaron na fu ef a Liz erioed yn un. Nid go iawn. Nid fel y dychmygasai pan oedd yn blentyn y byddai un dydd yn fod cyflawn ar ôl priodi. Yng ngoleuni cenedlaetholdeb Rhiannon gallai bron â chredu mai mater o genedligrwydd ydoedd. Ac roedd swyn iddo yn y gred honno. Ond gwyddai o'r gorau fel y treiddiai dwylo dyn (heb sôn am ei bidyn) yn hawdd trwy enaid er mwyn meddiannu corff. Y jôc oedd na theimlai enaid ôl y bysedd. Digydiad oedd eneidiau. Yn gymwys fel geiriau.

Felly, nid oedd y Saesnes a'r Gymraes mor annhebyg wedi'r cyfan. Ar wahân i'r ffaith fod hapusrwydd iddo yng ngwersi Rhiannon. Ac mai rhwng ei chluniau hi y cafodd ei aileni.

Yr oeddynt yn hapus yn y misoedd cynnar hyn, heb gweryl na'r un gair croes. Mae'n bwysig sylweddoli hynny.

Am a wyddai Aaron, anialdir oedd y wlad nad oedd eto wedi llwyddo i'w gorchfygu. Nid oedd gan ei fethiant i'w meddiannu ddim oll i'w wneud â'r ffaith nad oedd yntau mewn cariad.

## 2. 17 gwn ar gledr llaw

'Cyfrol ar y beirdd Cymraeg o bwys sy'n ferched! Ai dyna sut y gwelwch chi gyfrol eich ffrind?' gofynnodd Morfudd Price. 'Cyfrol denau iawn fydd hi, yn ôl pob golwg. Bydd angen clawr go drwchus arni os gofynnwch chi i fi, i wneud iawn am ddiffyg swmp y cynnwys.'

'Mae 'na farchnad rwy'n deall i unrhyw gyhoeddiad ffeministaidd,' atebodd Aaron.

'O'r hyn rŷch chi newydd ei ddweud, wyddoch chi ddim beth yw ystyr y gair. Ond ta waeth am hynny.'

Aaron ei hun oedd wedi gofyn am gael dod trwodd i'r heulfa. Awst oedd hi ac roedd yr haul yn driw i'w draddodiad. Am unwaith. Yn rhy boeth, efallai, ar y gwydr lluosog a chwyddai ei wres. Safai perchennog y tŷ yn ôl wrth ddrws y gegin, yn esgus gwrando am y tegell yn canu.

'Edrych ar y bogail benywaidd, 'te,' lled-awgrymodd Aaron ymhellach. Pam oedd e hyd yn oed yn esgus bod yn glên efo hon? Ni wnâi ddim ond ei glymu ei hun yn glymau. 'Mae'n llai o faint, yn fwy tyner ac yn llai blewog na'r un gwrywaidd, yn ôl yr hyn rwy'n ei ddeall.'

'Dim ond dyn sydd wedi astudio tipyn ar ei un ei hun allai ddweud hynny.'

'Wna i ddim gwadu hynny, Mrs Price. Mae 'mogail i'n 'y nghlymu i wrth Lleucu.'

'Mae'ch dealltwriaeth chi o berthnase teuluol yn wyrdroëdig iawn,' chwarddodd Morfudd, 'ac yn egluro llawer.'

'Yr un fam oedd 'da ni,' atebodd Aaron yn ddiamynedd. 'A byth er marw Lleucu rwy wedi gorfod fy holi fy hun a oedd hi'n gw'bod ei bod hi'n mynd i farw.'

'Ust! Rwy'n meddwl 'mod i'n clywed y tegell yn dod i'r berw,' ebe Morfudd gan godi'i llaw at ei chlust yn gellweirus cyn troi ar ei sawdl yn ôl i gorff y tŷ.

'Mae 'da chi degell sy'n ei ddiffodd ei hun,' ebe Aaron wrth godi o'i gadair wiail a'i dilyn. 'Nawr, dwedwch wrtha i, oedd hi'n gw'bod ei bod hi'n mynd i farw?'

'Fe wyddon ni oll ein bod ni'n mynd i farw.'

'Peidiwch â cheisio bod yn glyfar 'da fi. Yn enwedig gydag arf mor ystrydebol â brawddeg fel'na.'

'Rwy'n berson preifat iawn, wyddoch chi,' troes Morfudd ato gyda'r tynerwch cain a feddai'n furmur yn ei llais. 'Ond rŷch chi a'r fenyw 'na ŷch chi'n ymhél â hi wedi 'ngorfodi i hyd yn oed i fynd ar y teledu i f'amddiffyn fy hun. Nawr, sa i'n gw'bod pam eich bod chi'n fy nghasáu i. Fues i eriôd yn ddim byd ond caredig gyda Lleucu. Hael fydde llawer yn ei ddweud. Rhoi lloches iddi ar ôl y driniaeth egr 'na. Cartre, pan nad âi hi i'w chartre'i hun. Wnes i eriôd edliw yr un dim iddi. Dim un pryd o fwyd. Dim un gwydryn o'i gwenwyn. Rown i hyd yn oed yn gallu troi llygad ddall i'r graith 'na ar draws ei bron, er ei bod hi'n graith nodedig o hyll.'

Crychodd aeliau Aaron. O wres chwyddedig a goleuni annaturiol yr heulfa roedd hi'n braf dod yn ôl i dymheredd mwy niwtral. Llifai'r chwys yn oer unwaith eto, wrth i'r geiriau ei glwyfo am ennyd. A pheri iddo fod yn fud yn hwy na hynny!

'Anllad ŷch chi hefyd,' meddai o'r diwedd. Aethai'r wraig ymlaen â'i gorchwyl ymddangosiadol garedig o hulio te. 'Sut all un fel chi gasglu cerddi neb? Rown i mo'r chwyn i chi, heb sôn am y blode.'

'Wn i ddim beth sy'n corddi'ch casineb chi, ond roedd Lleucu'n eich caru chi, 'chi'n gw'bod.'

'Gw'bod hynny sy'n fy ngwneud i'n gandryll o blaid y gwir,' atebodd Aaron. 'Rwy'n credu'n gydwybodol fod 'na ryw ddirgelwch ynglŷn â'i marwolaeth hi. Hynny, cofiwch chi, ddaeth â fi at eich drws chi yn y lle cynta. Yr ymweliad 'na â Chernyw i weld ei thad, er enghraifft. Rwy'n anniddig iawn . . .'

'Petai hi ond yn eich gweld chi nawr, Aaron! Mi fydde wrth ei bodd. Roedd hi'n cymryd diléit rhyfedda mewn storïe ditectif a phethe felly ar y teledu. O'ch achos chi, rwy'n meddwl. Unrhyw hen ddirgelwch. Waeth pa mor anghredadwy. Ditectifs ac ysbïwyr a dihirod fel'na. Roedd hi wrth ei bodd.'

'Datrys dirgelwch yn rhedeg yn ein gwaed ni, mae'n amlwg.'

Yn groes i ddymuniad Aaron, arweiniwyd ef yn ôl dan wybren las yr heulfa, y baned de yn ei law.

'Fe ddangosai ddiddordeb neilltuol yn y dystiolaeth fforensig. Grwpiau gwaed pobol. Blewyn yn cael ei ddarganfod ar ysgwydd yr ymadawedig. Croen dieithr yn cael ei ganfod o dan yr ewinedd.'

'Croen dynol yw llwch, wyddoch chi? Y gyfran helaethaf ohono, ta beth. Od meddwl, on'd yw e, Mrs Price, fod dafne o'r hyn ydyn ni'n hofran o gwmpas yn yr awyr.'

Gwenodd Morfudd Price yn ansicr, heb allu penderfynu a oedd rhyw falais neu gymhelliad cudd i'r dweud ai peidio.

'Yn y bôn, yr un yw gwaith y bois fforensig 'ma a gwaith gwraig tŷ ofalus.'

'Dewch nawr, Aaron! Rwy'n siŵr eich bod chi'n gor-symleiddo. Does dichon i'r rhan fwya ohonon ni w'bod pa gastie maen nhw'n eu defnyddio i brofi hyn a thaflu amheuon ar y llall. Cynllwyn rhwng gwyddonwyr, awduron teledu a dychymyg y gwyliwr yw e.'

'Cynllwyn yw pob proffesiwn, yn ôl rhywun. Cynllwyn yn erbyn y lleygwr.'

'Dwi ddim yn meddwl taw lleygwyr ydyn ni, Aaron.'

'I beth eich ordeiniwyd chi, 'te?'

Ochneidiodd Morfudd, gan dynnu'i dilledyn llaes o'i chylch. Nid oedd haul na the yn ddigon i'w chynhesu.

'Pam na allwch chi adael llonydd iddi? Eich chwaer chi oedd hi. O ran parch i'r ffaith honno, gadewch lonydd i bethe. Oni chlywsoch chi fi'n dweud 'mod i wrthi'n casglu'r cerddi? Pan fydda i wedi rhoi trefn ar bopeth fe gewch chi weld y casgliad cyn imi ei ddanfon at y Seren Fore. Beth amdani? Ydy hynny ddim yn swnio'n deg?'

'Fydd y gwir a'r holl wir yn y rheini?'

'Bobol bach, na fydd! Dyna syniade od sy 'da chi ynglŷn â barddoniaeth. Roedd yn gas ganddi farddoniaeth. Fydd yno fawr o wirionedd yn fan'no.'

'Casáu?'

'Oedd, wrth gwrs,' atebodd y wraig yn wybodus. Roedd hi wrth ei bodd yn ei daflu oddi ar ei echel. 'Fe dreuliodd hi gymaint o'i hamser yn ymdrybaeddu mewn barddoniaeth, roedd hi'n ei chasáu.' Fel y bydd putain yn casáu rhyw, bu bron iddi ychwanegu. Ond nid oedd am sarnu'i goruchafiaeth sydyn trwy ddefnyddio delwedd ry ymfflamychol.

'Ai dyna pam y bu hi farw?' Cwestiwn plentyn. Y 'pam' tragwyddol unwaith eto. Roedd trem Aaron allan ar y lawnt gaeth. A'r wal gerrig. Ac roedd ei chwaer yn sefyll rhyngddynt. Yn ddrychiolaeth deilchion yn y gwydr crasboeth. Chwibanai'r hen ganiadau o'r gro a thu hwnt. Yn awel o ryddhad trwy fagl *sauna*. Chwys oer.

'Roedd hi'n gwylio'r teledu er mwyn gweld delwe ohonoch chi.' Amserodd Morfudd ei lluoedd geiriol yn berffaith. Un *offensive* arall, bois! 'Roedd hi'n barddoni am ei bod hi'n casáu barddoniaeth. Dyna'i ffordd hi o geisio'i lladd. Llawen ei hawen. Trwy ei defnyddio roedd hi'n gwneud ei gore glas i'w dihysbyddu nes ei bod yn ddim.'

Myfyriodd Aaron. Nid oedd lladd bardd yn gyfystyr â lladd barddoniaeth. Pan nad oedd odl ar ôl. A phob delwedd wedi'i defnyddio. A'r trosiadau oll yn gyrbibion. Erys cnawd. Llifa gwaed.

Rhoddodd ei de o'r neilltu. Er yn boeth bu'n fodd i dorri syched. Heb berlysiau'r baned gafodd yno gynt.

Roedd y weddw wedi dysgu cymaint â hynny, meddyliodd. Ac wedi ymwrthod â'r demtasiwn i'w bryfocio. Diolchai am hynny. Y fath ymhelaethu ar draul paned o de!

Byddai Lleucu wedi hoffi eistedd yma gyda'i brawd yn yfed te prynhawn, pendronodd Morfudd. Un o'r oriau bach amheuthun hynny nas cafodd eu profi.

Onid oedd y fangre'n llawn seithugrwydd ac atgofion diodd-efaint? Sawl bardd a welwyd yn blaguro yma? Cyn crino yn y gwyntoedd croesion? A phlygu i'r drefn?

Sgathrwyd perlau sawl prydydd ar hyd cartref hon, meddyliodd Aaron. Doedd wybod ei sgôr. Ond roedd yr ystadegau'n profi ei bod hi'n giamstar ar gladdu beirdd. Gwell nag amryw gangstyr yn diddymu ei elynion.

Darllenodd hithau ei lygaid a chododd mewn braw gan gamu'n ofalus yn ôl i gysgod y gegin.

'Rwy am w'bod beth oedd yn drech na hi.' Deuai llais Aaron wrth ei chwt. 'Ar wahân i'r awen.'

Troes Morfudd a dyna lle safai'r dyn. Fel gelyn wedi'i gornelu. Neu gi wedi cyrraedd pen ei dennyn.

'Dewch trwodd i'r ystafell ffrynt,' ildiodd hithau. Sylweddolai fod y gwir dan warchae. Blinder a'i trechai yn y diwedd. 'Fe ddylen ni allu siarad yn deidi â'n gilydd.'

Tynnodd Aaron wn o boced ei siaced a chlywodd dyner lais yn dywedyd: 'Rown i'n gw'bod eich bod chi'n arfog.'

# 2. 18   digalondid o dan wybren fwll

'Mi fydde'n dda gen i tase barddoniaeth ddim yn bod,' ebe Lleucu un dydd yn yr heulfa. 'Dwi'n meddwl 'mod i wedi colli'n ffydd yn yr awen. Dyw'r gynghanedd ddim yn bod. Dwi ddim yn credu ynddi mwyach. Mae e fel dweud nad ydw i'n credu mewn Duw neu Siôn Corn.'

Gwenodd Morfudd am ben ei chellwair.

'Ac o'r ddau yna p'run wyt ti'n meddwl yw'r anghrediniaeth waethaf?' gofynnodd.

'O, peidio â chredu yn Siôn Corn, siŵr iawn,' atebodd Lleucu'n bendant. 'Ma' plant bach yn ddiniwed yn eu ffydd. Dyw hynny byth yn wir am oedolion. Dyna pam fod anghrediniaeth gymaint yn waeth iddyn nhw.'

Roedd Lleucu am fod gyda'r plant, fel na fyddai diffyg ffydd mewn dim byth yn peri loes iddi. Cytunodd Morfudd.

Un o'r prynhawniau hynny yn nechrau Tachwedd oedd hi, pan suddai'r tymheredd a phan ddisgynnai'r dail. Amgylchynid eu gardd gan wybren wen a golau, yn gefnlen gyfleus i sgwrs.

'Wyt ti wedi meddwl,' ebe Lleucu wedyn ymhen sbel, 'mor braf fydde hi petai dim wedi bod o'r blaen. Ym myd barddoniaeth, rwy'n meddwl. A bwrw fod gyda ni lechen lân. Gymaint yn haws fydde hi iti feddwl am bethe i mi 'sgrifennu yn eu cylch. Meddylia tase'r gynghanedd ddim yn bod.'

'Nid anghrediniaeth yw hyn, ond heresi,' ebe Morfudd. Wyddai hi ddim a oedd hi'n credu'r haeriad ei hun ai peidio. Ond credai fod anwadalwch ei barn ar y pwnc yn arwydd o'i ddifrifoldeb.

'Beth petaen ni'n canu heddiw heb w'bod fod Aneirin wedi canu o'n blaene ni? Mor braf fydde hi petai John Morris-Jones a Dafydd ap Gwilym eriôd wedi bod. Fe gâi cyflythreniad ac odle fod yn hwy eu hunen, heb ofynion confensiwn na rhigol na rheole. Sgwn i beth alle fod wedi dod i fod petai'r drefn wedi ca'l ei datblygu'n naturiol o oes i oes yn lle ca'l ei rhewi'n gorn? Ma'r rhai sy'n deisyfu'r caeth yn deisyfu marwolaeth. Torri'r rheole yw trefn y byw.'

Mor hawdd yr oedd angerdd yn ei goresgyn! Brawychwyd Morfudd. Symudai ei bywyd i rythm a oedd wedi'i hen osod gan eraill. Nid Lleucu a bennodd y mesur. Nid hi allai roi taw ar y tempo. A'r cyfan y gallai Morfudd hithau ei wneud oedd syllu ar y dydd yn byrhau. A'r dail yn disgyn.

'Wn i ddim am Gerdd Dafod,' aeth y bardd rhagddi, gan syn-hwyro'i bod hi ar drywydd ac iddo dipyn o wreiddioldeb. 'Fedra i ddim caru fy ngherddi caeth. Ma' gormod o bobol nad oes 'da fi barch yn y byd at eu barn yn meddwl y byd ohonyn nhw. Wyt ti'n meddwl 'mod i fel y rheini? . . . Yr holl athrawon a phregeth-wyr 'na . . . y bobol fach, drefnus, caeth i'w swyddi a'u morgais? Ti fynnodd 'mod i'n cystadlu. Wyt ti wedi 'ngwneud i'n un â'r rheini? Y Cymry caeth i'r drefn sy'n dyheu am un gerdd dda i'w gollwng nhw'n rhydd a rhoi anfarwoldeb iddyn nhw yng nghyfrol y *Cyfansoddiade*? Clwyf nad yw byth yn ca'l ei waedu a

blode sy'n rhwym o wywo yn nwylo crotesi bach sy'n siŵr o
dyfu'n grotesi mawr. Ai dyna beth yw bod yn fardd?'

Awgrymai hyn i gyd yn gryf fod ar Lleucu eisiau dechrau o'r
dechrau. Ond cyfeiliornus fyddai credu hynny. Nid oedd
rhethreg cystal ag argyhoeddiad. Yn enwedig pan anelid y
rhethreg honno at fogail bol. (Byddai ei hanelu at fogail tarian
wedi bod fymryn yn fwy cymeradwy, ond ni fu farw neb erioed
dros gerdd Gymraeg. *Cysga, Cynddylan, trwy'r celwydd hwn. Deffra,
Dafydd, daeth yr awr!*)

Y syniad a gymerodd ffansi Morfudd Price oedd meddwl sut
siâp fyddai ar bethau heb William Morgan.

'Beth petai e wedi gadael y Beibl yn Lladin?'

'Fe allen ni ddechre o'r dechre. Mewn byd newydd doeth . . .'

Annoeth ei breuddwydion ond roeddynt yn help i'r prynhawn
fynd rhagddo.

'. . . Mewn hoedl newydd haerllug,' meddai Morfudd i dan-
linellu gwacter y gwamalu. 'Wyt ti mewn difri calon yn gresynu
chwe chanrif a mwy o brydyddu yn Gymraeg?'

'Rwy'n gresynu fod 'na gymaint ohono. Rwy'n gresynu'i fod
e'n tagu'r hyn sy gen i i'w ddweud. Fydda i byth yn wreiddiol,
fydda i?'


## 2. 19   dyn arfog yn y gegin

'Rown i'n gw'bod eich bod chi'n arfog y tro hwn,' ebe Morfudd.
'Doech chi ddim yn arfog o'r bla'n pan alwoch chi yma. Ond
heddi . . . rŷch chi ar drywydd newydd. Trywydd sy'n ymwneud
lawn cymaint â chi ag yw e â Lleucu. Ydw i ddim yn iawn?
Heddi, mae arnoch chi ofn!'

Safai Aaron yn llonydd o'i blaen ar lawr y gegin a'r gwn yn ei
law—nid wedi'i anelu at y wraig, mae'n bwysig dweud. Yn
hytrach, gorweddai ar gledr ei law fel tegan a feddiannwyd yn
anghyfreithlon.

Mewn eiliad o garedigrwydd anynad roedd ar fin gofyn i'r
wraig oedd hi am ei ddal, y tegan hwn. Ond darllenodd y dirmyg
ar ei hwyneb mewn da bryd ac ymataliodd.

'Fydda i byth yn siŵr ydych chi wrth eich gwaith ai peidio,'
ebe Morfudd yn ddidaro. 'Gwaith ynteu pleser yw amcan yr
ymweliad hwn? Dyna'r cwestiwn arferol, yntê?' Ond gallai
ddirnad wrth siarad nad oedd y naill air na'r llall yn gwbl addas.

'Dyw e ddim yn waith. Dyw e ddim yn bleser.'

'Beth arall sydd?'

'Dyletswydd?' cynigiodd y dyn.

Dynion a'u dyletswyddau, ysgyrnygodd Morfudd rhwng dannedd ei deallusrwydd! Y nhw a'u teganau bach ffiaidd! Eu grym ar gledr llaw. O sowldiwrs diffrwyth eu plentyndod i arfau angheuol eu rhyfela, roedd 'na fidog yn nwylo dynion ar hyd y daith.

## 2. 20   dannedd gwyn mewn nos ddu

Allan am noson o joio yn y Queen of Quebec roedd y butain a'r pimp. Serch hynny synhwyrai Lleucu y byddai'r ferch yn y top tyn yn gwneud tyrn o waith cyn diwedd y noson.

Eisteddai'r bardd (canys dyna y mae'n rhaid inni ei galw'n achlysurol, er mwyn ein hatgoffa'n hunain nad un i weithio'r shifft nos yw hon) . . . eisteddai ar stôl yn y gornel. Roedd y fforest o yfwyr o'i chwmpas yn gwneud gweld yn anodd. Ond hoeliodd ei llygaid hyd y gallai . . . *mae'n dyheu am ffenestr ond myn y dorf fod yn ddrysau i'w chuddio rhag y feinir a droes ei chorff yn fasnach.* Ar un olwg, roedd hi'n bopeth y dychmygech y dylai putain fod. Yn denau. Wedi gor-ymbincio. Gyda'i dillad yn annigonol i wrthsefyll yr oerfel. (Dyna'n rhannol pam y credai Lleucu'n gydwybodol nad oedd y wraig yn gweithio heno. Fel arfer, byddai putain fel balerina yn gwisgo'n gelfydd. Rhaid oedd i'r ddwy allu perfformio'n rhwydd a bod yn addas i'r amgylchiadau.)

Ar y llaw arall, roedd ei gwallt yn fwy deniadol nag oedd yn arferol yn ei phroffesiwn. Er bod ganddi wyneb caled roedd hi heno'n codi twrw'n hwyliog. Ac yfory, byddai'n siopa yn Tesco heb i neb sylwi ddwywaith arni.

Gyda hi, yn sefyll wrth y bar, roedd ei gwarchodwr du yn prynu diodydd i'w gyd-gwsmeriaid cyfagos ac yn ei chofleidio hithau'n achlysurol.

Ond deallai Lleucu mai ei gwir gariad oedd merch a chadwyn las yn berl o datŵ o gylch ei gwddf a chwaraeai ddartiau draw wrth y bwrdd. Gwgai'r ddwy ar ei gilydd bob yn awr ac yn y man. Arwydd pendant o'r angerdd ansicr rhyngddynt.

*Fe ŵyr pawb y sgôr. Mae pawb yn chwarae'n galed. A does neb yn ennill.*

Rhy hawdd! Roedd Lleucu'n gynddeiriog â hi'i hun am allu

dilyn delwedd mor symol i'w phen draw. Llyncodd y diferyn *gin* yng ngwaelod y gwydryn ar ei thalcen.

Oedd yn rhaid i bopeth fod yn gerdd? Onid haws fyddai rhigwm byw selogion y Queen of Quebec? Rhyfyg byw. Rhaffau byw. Diau fod rhaffu bywyd o gortynnau celwydd yn fwy gonest na rhaffu celwyddau yn gadwyn o gerddi. Disgynnodd y Goron drachefn. Yn gadwyn las o arian coeth. I'w thagu.

O fonllefau'r criw a safai o amgylch y bwrdd dartiau daeth yn amlwg fod rhywun wedi ennill. Cafodd cariad y butain beint am ddim.

Cododd Lleucu i wasgu'i ffordd at y bar a'i chael ei hun wedi'i gwthio (gan amgylchiadau yn hytrach na chan ffyrnigrwydd neb) yn nesaf at y dyn du. Edrychodd i'w wyneb yn ddigywilydd. (Byddai ei syllu yn aml yn tynnu sylw pobl.) Synnodd at wynder ei ddannedd. Yr oedd ganddo wyneb glandeg.

O fewn eiliadau i Lleucu gymryd ei lle wrth y bar dechreuodd y wraig, a oedd erbyn hyn yn sefyll o fewn modfeddi iddi, ddweud stori gan janglo'r toreth o fanglau am ei garddwrn er mwyn galw'r dorf ynghyd. Am y tro, ufuddhaodd ei gwarchodwr i'r alwad a throes ei gefn ar Lleucu, a oedd, erbyn iddi gael ei diod, wedi colli'i stôl.

Nos Wener oedd hi a thafarndai Caerdydd yn sgrym soeglyd gan gefnogwyr rygbi yn y ddinas ar gyfer gêm ryngwladol trannoeth.

Ond selogion y dafarn, yn hytrach na selogion y gêm, oedd yn y Queen of Quebec, gan mwyaf. Ac wrth glustfeinio, a hithau nawr yn sefyll yn ei hymyl, deallodd Lleucu mai'r rheswm y câi'r wraig yn y top tyn noson i'r brenin oedd fod ei merch bedair ar ddeg oed wedi sgorio am y tro cyntaf y prynhawn hwnnw.

Sgorio eto! Rygbi. Dartiau. Rhyw. Pam ddiawl oedd gan eiriau fwy nag un ystyr? Digon i ddrysu dyn normal, heb sôn am fardd.

Doedd hi ddim yn normal, wrth gwrs. Yn brifardd creithiog, isel ei hysbryd. Yn wyryf yn y Queen of Quebec.

A thorrodd y wên ar draws ei hwyneb wrth iddi roi'r gwydryn yn glòs at ei hwyneb.

Yna llyncodd yr hylif yn ei cheg yn ddisymwth, pan droes y dyn du i siarad â hi. (Roedd Lleucu wedi cadw'r *gin* yn ei cheg cyhyd ag y gallai er mwyn i'w phoer gael cyfle i dynnu pob diferyn o flas ohono.)

Gofynnodd y pimp iddi a oedd hi'n chwilio am rywun i edrych ar ei hôl. Atebodd fod ganddi rywun, diolch. Dyna'r ateb parod oedd ganddi bob amser wrth law. Prin ei fod yn bodloni'r dyn ond gwenodd i ddynodi 'Fel' na ma' hi!' er nad fel'na yr oedd hi o gwbl, mewn gwirionedd.

Llyncodd Lleucu weddill ei gwydryn a gwthiodd ei ffordd trwy'r fforest nes cyrraedd oerfel y stryd.

Dim amwysedd yma, diolch i Dduw. Dim ond ffeirio ffafrau am fferins. Gan gadw'i thrwyn yn pwyntio at y palmant cerddodd yn gyflym tua chaffi Pat.

Wrth ddod oddi yno beth amser wedyn daeth ar draws y dyn du mewn cot drwchus hyd ei benliniau a chap lledr yr un lliw â'i groen am ei ben. Safai wrth y fynedfa i lôn gefn rhes o dai. Llifai'r afon yn dawel gerllaw a llosgai sigarét yn araf rhwng ei fysedd.

Torrodd air â'n harwres eilwaith gan ofyn a oedd hi'n siŵr fod ganddi rywun i edrych ar ei hôl. Gwaith peryglus i ferch ifanc ar ei phen ei hun oedd gweithio'r stryd.

Clywai Lleucu'r cyffro yn nüwch y lôn. Roedd y dathliad drosodd a'r butain yn ôl wrth ei gwaith.

Rhuthrodd yn ei blaen heb ateb a thoc daeth at drafnidiaeth Heol y Bont-faen. Y tai bwyta Indiaidd yn dal yn brysur. Y sgarffiau coch yn dal i chwifio. A'r byd i gyd yn gân.

Aeth Lleucu'n syth adre, heb fynd, yn ôl ei harfer, i'r parc.

## 2. 21   celwydd cenedl

'Dyw enwi bardd sy'n dad i wyth, neu hyd yn oed naw o blant nac yma nac acw,' atebodd Aaron yn ddiamynedd. 'Mae beirdd yn dal yn hesb, yn ddiffrwyth.'

'A dyna pam wyt ti'n meddwl fod Cymru'n marw?' gofynnodd Rhiannon.

'Nid fi ddaru sôn am Gymru'n marw,' protestiodd y dyn. 'Dduw mawr, oes raid i bopeth ddod yn ôl at y gred ddisyfl fod Cymru'n marw? Ai dyna'r unig absoliwt posib wrth drafod unrhyw beth o safbwynt cenedligrwydd Cymreig?'

'Wel! Sori, cariad. Ond yn rhesymegol os ydy Cymru'n mynd i farw fydd gen ti'r un absoliwt na'r un perspectif Cymreig i edrych ohono.'

Smŷg oedd hi hefyd. Chwerwodd Aaron tuag ati. Gwawl ei hunanhyder yn llewyrchu ei huchelgais i gonglau'r tŵr ifori. Pharhâi hynny ddim yn hir. Roedd yn rheidrwydd arno i'w chyrraedd a'i thynnu i lawr o ben y pedestl. Byddai'n rhaid iddo'i chael yn y modd nad oedd erioed wedi cael dynes. Yn y meddwl. Yn gyfan gwbl. Nes i'r golau ddiffodd. Nes i'r galon lamu. Nes i'r deallusrwydd droi'n glai.

'Pan fyddi di ddim mwyach yn Gymraes . . . Pan fydd 'na ddim lowts i weiddi rhegfeydd yn Gymraeg ar ôl hen wragedd . . . Dyna pryd y bydd Cymru wedi marw. Ond newid mae'ch natur. Methu deall ac addasu i realiti hynny mae'r cenedlaetholwyr.'

'Ond fedr cenedl fyw heb y canllawia sy wedi'i chynnal dros y canrifoedd?'

'Cwestiwn i chi wneud yn siŵr o'i ateb yw hynny.'

'Chi? Chi? Nid ''ni'' mwyach? Wyt ti gyda ni ai peidio? Ro'n i'n dechra meddwl mai dyna un rheswm—y prif reswm, mi fydda i'n ama weithia—pam iti ddod yma i fyw ata i. Er mwyn dod yn ôl i Gymru.'

'Nid dod yn ôl,' torrodd Aaron ar ei thraws. 'Fues i erioed yn teimlo'n rhan o'r lle.'

''Nôl at dy wreiddia 'ta? Dyna pam rwyt ti'n ei chael yn anodd i'w hadnabod.'

'Tybed?' Onid oedd wedi'i fagu i fod yn fwy hyddysg yn athroniaeth *Taffy was a Welshman, Taffy was a thief* na Gwlad y Menig Gwynion?

'Mae hen Sosialaeth egwyddorol dy dad wedi marw o'r tir. Rwyt ti'n sylweddoli hynny, on'd wyt ti?'

Sôn am Brydain yr oedd Rhiannon nawr, p'run a wyddai hi hynny ai peidio. Gobeithiai Aaron ei bod hi'n sylweddoli. Roedd angen chwa o realiti cyn gallu sianelu'r meddylfryd modern yn ddŵr i felin Cymreictod. Hyd yn hyn, teledwyr oedd yr unig rai i ddeffro i'r posibiliadau, o'r hyn a gasglai Aaron. Gresyn hynny. Roedd angen mwy na'r gic yn y gornel i gynnal diwylliant.

'Os rhywun, dy fam sy'n etifeddu ysbryd Cymru,' damcaniaethodd Rhiannon gan obeithio nad oedd yn ei dramgwyddo. 'Y rhai sy'n hoff o'u cysur. Y rhai sy'n fodlon defnyddio pŵer. Y rhai, ella, sy'n fodlon lladd. Canys eiddo'r cyfryw rai . . .'

Rhaid oedd dyfynnu'r Beibl (y cyfieithiad cyntaf) i gadw pob damcaniaeth yn driw i ryw ymlyniad gwag wrth Ymneilltuaeth. Roedd ofn pechu yn erbyn hen hanes y genedl yn un o niwrosisau amlycaf y cenedlaetholwyr y cyfarfu Aaron â hwy oddi ar dechrau ei berthynas â Rhiannon. Dyna a gadwai ambell ffosil yn eu syniadaeth a'u hieithwedd. Gwnâi hyn hwy'n ddoniol iawn ar brydiau. A thynnai oddi ar eu hygrededd gwleidyddol bron yn barhaus.

'Mae dy fam, o'r hyn rwyt ti wedi'i ddweud amdani, yn enghraifft berffaith . . .'

'O beth, Dr Rhiannon? O wylwraig teledu? O un o selogion S4C? Dynes y mae drama ei bywyd i gyd yn y gorffennol? Y jôcs gore i gyd wedi'u dweud ddege o flynyddoedd yn ôl?'

*Nid ateb ar gwis teledu mo'r gwirionedd. Am ddau bwynt, 'A laddoch chi'ch gŵr?' Nid oes neb yn sgorio. Ni ddaw ateb. O leia, nid y gwir. Am nad ef yw'r cwis feistr.*

*Ni ddaw Aaron i wybod y gwir. Dyna'r unig wirionedd sy'n ei wynebu. Erys pob datganiad yn rawnwin anghyraeddadwy ar gangen uchaf y wir winwydden. (Bant ag yntau ar drywydd y ddelwedd pseudo ysgrythurol.)*

*Y gwinllannwr yw'r meddwyn mwyaf yn y winllan. Y winllan hon a roddwyd i'n gofal . . . I ofal Rhiannon a'r criw graddedig . . . Ac ar fy ngwir, dacw'r seminar lle'm ganed . . . Ysbyty, mewn gwirionedd. Fe'm ganed mewn ysbyty. Esgoriad mwy diogel. Cyplu mewn diogelwch. Had mewn cwd. Fel nad yw 'fory byth yn dod.*

*Yn ofer yr argreffir y papur newydd. Suro wna'r botel lefrith a adewir ar y rhiniog yn yr oriau mân. Ni thrig neb sobor na llythrennog yma nawr. Ni thyrr y wawr.*

*Och, nad y moch a etifeddai'r winllan yn hytrach na'r dosbarth canol deallusol. O leiaf fe wyddai'r rheini beth i'w wneud â grawnwin. Eu sathru dan draed. A'u llowcio trwy'r genau. A meddwi'n rhacs ar dreftadaeth. Soch! Soch!*

*Cableddu'n rhoch yw drysu felly. Os yw cabledd yn bosib heb gredu yn y Crist atgyfodedig.*

Wyddai Aaron ddim beth i'w gredu bellach. Fod ei fam wedi llofruddio'i dad? Fod Lleucu wedi drysu ar ben y grisiau a disgyn i'w marwolaeth? Ynteu fel arall yr oedd pethau: ei dad wedi marw trwy ddamwain a Lleucu wedi'i lladd?

Ai cyd-ddigwyddiad oedd y ffaith i ddau ŵr ei fam farw mewn damweiniau car? Doedd bosibl ei bod hi wedi mynd i Plymouth i fedlan efo car Jim Lloyd yn ogystal? Neu dalu rhywun oedd bellach wedi hel ei bac i Sbaen gyda chelc go gyfrinachol yn y banc.

Roedd 'na dwyll yn ei ffordd o fyw, wrth gwrs. Ei hencil cysurus mewn pentref marwaidd. Ei chysylltiad ymddangosiadol ddi-hid gyda'i theulu. Ond roedd y ffeithiau moel yn profi fod mwy na hyn i'r wraig.

O gefndir digon tlawd a chyffredin yng Ngheredigion, priododd ddyn busnes cefnog, Geoffrey Skinner. Yn ei ffordd ei hun

108

gwnaethai hwnnw enw iddo'i hun mewn rhai cylchoedd. Yn *entrepreneur* llwyddiannus. Y dyn bach o ddylanwad gyda'r ddawn i greu cyfoeth a dal yn dynn yn ei gydwybod gymdeithasol. Byddai wrth ei fodd gyda Phrydain heddiw. Gŵr o flaen ei oes, meddyliodd Aaron wrth fynd heibio. Mor anfynych y meddyliai amdano'n iawn, fe'i ceryddodd ei hun. Hyd yn oed wrth gael ei sigo gan gyhuddiadau Jim Lloyd yr oedd wedi meddwl am yr ymadawedig fel *victim*, chwedl Brenda, yn hytrach nag fel tad.

Wedi marw hwnnw . . . o dan ba bynnag amgylchiadau, roedd y gair athrist yn gymwys . . . fe ailbriododd y ferch gyffredin hon â gwleidydd amlwg oedd newydd gyrraedd Tŷ'r Cyffredin. Symudodd o'r tŷ a adawyd iddi gan ei gŵr cyntaf—tŷ na chofiai Aaron ddim yn ei gylch—a phrynodd fflat yn St. John's Wood yn Llundain a Phlas Helygen yng Nghymru.

Ond ble'r oedd hi nawr? Yr ail briodas wedi chwalu o fewn deng mlynedd. Sgandal ariannol. Ysgariad. Gwerthu'r tai a phrynu'r byngalo nid nepell o'r môr. Ac yn ddiweddarach (pwysig iawn), y set deledu lliw.

Roedd ganddi berthnasau eraill ar wahân iddo ef, ei mab. Ond pobl priodasau ac angladdau oedd y rhelyw. Hyd y gwelai Aaron roedd hi ar ei phen ei hun ond heb fod yn unig. Awgrymai hynny'n gryf fod ganddi ddigon o atgofion i gadw cwmni iddi.

Gresynai nad oedd modd iddo'i chymryd i mewn i'w 'helpu gyda'i ymholiadau'. Yn broffesiynol, mae'n bosib y gallai gyrraedd at y gwir. Ond doedd hynny'n apelio at fawr neb, mae'n rhaid. Arglwydd Morrisville. Pennaeth yr Uned. Hyd yn oed Rhiannon. Cyngor pawb oedd gadael llonydd i bethau.

Y gred oedd fod celwydd oedd wedi llwyddo i oroesi cyhyd yn haeddu cael ei adael yn llonydd. Roedd wedi ennill ei blwy fel hanes. A garw fuasai gorfod ei ailysgrifennu. Prydeinig iawn oedd ffordd y Cymry hyn o feddwl.

## 2. 22   cysgu'n dawel dan y dail

Crafu'i henw yn y rhisgl a wnâi Lleucu pan glywodd hi'r griddfan sydyn o dan y dail a'r brigau gerllaw.

O'r twmpath yng nghysgod y dderwen deuai sŵn a symud ac yna daeth llais yn gofyn, yn lliwgar iawn ei ieithwedd, pwy aflwydd oedd yno.

Newydd ddechrau ar ei hail enw yr oedd Lleucu ac nid oedd am orfod gadael y gorchwyl heb ei orffen. Yr anfarwoldeb cerfiedig hwn.

Honnodd mai 'Neb' oedd yno a chuddiodd y gyllell boced yn llechwraidd yn ei llaw, rhag codi braw ar bwy bynnag a wnaethai'i wâl mor ddiddos rhwng y coed.

Er gwendid llwyd y lleuad gallai Lleucu weld y pentwr o bapurau newydd a lapiodd y darpar-gysgwr o'i chylch ei hun a'r garthen gardbord a orweddai trosti. Yn unlliw bron â'r dail marw.

Gwraig oedd yno. Cras ei llais ac egr ei thafod. Yn mynnu fod ganddi hawl i gwsg, yno yn y parc lle byddai gwiwerod liw dydd yn rhuthro'n ddigywilydd yn ôl a blaen yng ngŵydd y bobl.

'Sori,' oedd unig sylw Lleucu ond ailadroddodd ef lawer gwaith wrth gamu'n ôl wysg ei chefn am ennyd. Rhag troi'i chefn ar y wraig wydn. Yn rhannol o ofn ac yn rhannol o barch y rhythodd arni. Honno'n dal i regi dan ei gwynt. Er nad oedd Lleucu am darfu ar ei phreifatrwydd funud yn hwy nag oedd raid.

Dwy wraig yn ceisio cysur y nos rhwng llwybrau, llwyni a choed noethlymun tir y castell ym mis Hydref. Y naill yn gwneud ei gwâl fel anifail gwyllt trwy dyrchu rhwng daear oer a thomen ddail. A'r llall yn dod drachefn i wthio'i chais am anfarwoldeb dan drwyn y nos. Torasai hanner ei henw ar y côr ac arhosodd yn y cysegr i gymuno.

Hwn oedd Hydref olaf y ddwy ohonynt. Ond pwy oedd i wybod hynny wrth hyrddio geiriau croes ar draws y gangell?

Ar ôl ei gadael, a hithau draw ar y llwybr a gydredai â'r afon, nid oedd inclin i lygaid Lleucu o lety'r wraig. Nid oedd dim byd rhyfeddol i'w weld. Dim ond clwstwr o goed. Rhimyn du hen afon yn llifo i lawr at rialtwch dinas yn ei hymyl. A chwyrnu'r brawd llwyd yn eco uwch ei phen.

# 2. 23   caru a chrybwyll atgyfodiad

'Do, rwy wedi saethu rhywun,' atebodd. Mynnai'i chwestiynau ei dynnu'n ôl oddi wrth ei feddyliau. 'Unwaith.'

Profiad newydd oedd meddwl cymaint. Ond roedd gweld y meirw eto yn gyfystyr â gorfod ymdopi â sylfeini ffydd.

'Ddaru o farw?' *Cwestiwn y dydd cyntaf.* Oedd o'n dal yn gelain? *Cwestiwn yr ail ddydd.* Oedd y marw'n fyw? *Cwestiwn y trydydd dydd.* I'r Cristion. I frawd yn llinach Lleucu. I Aaron ar ei newydd wedd.

'Naddo.'

'A beth am fwrw pobol? Wst ti? Efo dy ddyrna a ballu.'

Tynnodd hi ato, gan atal yr atgofion rhag tarfu arno. Ond prinhau yr oedd ei amynedd.

'Ddim mor aml ag mae'r teledu am iti gredu. Dim ond pan oedd raid. Ond paid sôn am hynny. Mae'r bywyd yna i gyd y tu cefn imi.'

Weithiau deuai bywyd oedd wedi darfod yn ôl i aflonyddu'r sawl fu'n ei fyw. A gwelai eraill fod anadl einioes eto yn y cnawd a'r esgyrn a ystyrid yn ddarfodedig. Gan greu, nid ffydd, ond y prawf o ffydd.

Rhoddai Aaron yntau'i law ar yr archoll. A'i fys yn nhwll yr hoel. Beunydd, bellach. Cyflawnai'r defodau hyn o ffydd. Beunydd. Ar waetha'r annibendod.

Nid oedd gorwedd mewn gwely godinebus gyda Rhiannon yn tynnu dim oddi ar ei argyhoeddiad fod ynddo egin awen Lleucu, yn tyfu eilwaith o'i fewn. Yn wir, yr oedd yn anhepgorol iddo. Nid oedd bardd da wedi bod yng Nghymru ers canrif a hanner nad oedd ganddo grebwyll aeddfed o bwysigrwydd pechod.

*Nid y ffaith fod yr hunanladdwr yn dewis mynd, ac yn dewis pryd a sut i fynd, yw'r broblem iddo. Y sioc yw sylweddoli fod hunanladdwr hefyd yn dewis pryd i ddod yn ôl.*

*Lladd ei hun a wnaeth Lleucu. Ond ni thraffertha ddweud hynny wrth Rhiannon. Mae honno wedi dod i'r casgliad hwnnw ymhell cyn hyn.*

Y Drydedd Ddamcaniaeth:

HUNANLADDIAD

## 3. 1   groglith y tymhorau

Daethai Hydref arall ar eu gwarthaf. Yr ail ers coroni Lleucu. Y cyntaf er ei chladdu.

Roedd y dail a ddisgynnai eleni yn newydd. *Hwy hen.* Ond yr un oedd y ddefod. Yn yr un modd, esgorai defaid ar ŵyn newydd o flwyddyn i flwyddyn. Ond yr un oedd gwyrth y gwanwyn.

Dwy ddelwedd gyfnewidiol i brofi fod marwolaeth ac atgyfodiad yn rhan o drefn a ddeallai dyn ymhell cyn dyfod Crist a'i groes. Hawdd oedd troi ffenomenon o fyd natur, a oedd yn wybyddus hyd yn oed i'r dyn cyntefig, yn wyrth pan ddigwyddodd i fod dynol. *Hylô, rwy'n ôl!*

## 3. 2   trwy'r wal

'Lle buost ti?'

'I lawr wrth y cei,' atebodd Aaron. 'Ac yna mi fuish i'n cerdded ar hyd y clogwyn.'

'Cym ofal. Mae'n beryglus ar hyd y llwybra 'na. Does neb wedi gwneud gwaith cynnal a chadw arnyn nhw ers blynyddoedd.'

'Paid â phoeni. Rydw i'n hogyn mawr rŵan. Mi alla i edrych ar f'ôl fy hun.' Ers iddo ddechrau treulio cymaint o'i amser gyda Rhiannon troes ei acen a'i eirfa yn ogleddol. Fel cuddliw o seiniau a brysurai ei ymdoddiad. 'A ph'run bynnag mi eisteddish i i lawr mewn lle cyfleus i ddarllen hwn.'

Tynnodd y rhifyn diweddaraf o *Pengwern* o boced ei siaced drwchus a thaflodd ef ar y setî.

Roedd ar Rhiannon ofn gofyn iddo am ei adwaith. Onid oedd hi wedi nodi angau fel unig amcan y bardd? Yn athrist a thrasig ac yn uffernol o ddiflas. Wrth ysgrifennu, nid oedd wedi dychmygu am foment y câi frawd y gwrthrych dan sylw yn gywely. Yn gariad, hyd yn oed. Ond gan mor finiog ei llafnau dadansoddiadol, gwyddai Rhiannon nad cariad go iawn mo hwn. Yr oedd cariad yn bod. Ond nid oedd byth yn cerdded ymhell o'i drigfan naturiol yng nghalonnau'r rhai a gredai ynddo. Fel ffydd heb neb i efengylu.

Nid dod â chariad i'r byd oedd cymwynas Aaron â Rhiannon.

*Y Rhamantwyr piau cariad. I'r Clasurwyr, rhaid i arwriaeth ac urddas a defodau dyletswydd wneud y tro. Nid oes gwreiddiau i gerrig. Dim ond i goed.*

'Difyr iawn,' oedd ei sylw, wrth iddo dynnu'i gôt a'i hongian yn ofalus yn y cyntedd.

Gair amwys oedd 'difyr'. Gallai fod yn adloniant neu yn ysgogiad. Neu'n ffordd gwrtais o fynegi'r di-ddim. Beth oedd e tybed i'r garreg ar lawr ei lolfa?

'Oeddet ti'n gallu gweld cip ar dy chwaer yn y portread ohoni?'

Gwaith y bardd oedd torri drws yn y wal er mwyn i'r darllenydd ei ddilyn i feysydd brasach. Gwaith y beirniad llenyddol oedd torri ffenestr er mwyn i'r gweinion gael golwg ar wynfyd y bardd a'i ddilynwyr.

'Mi fuaswn i'n deud dy fod ti'n iawn wrth feddwl mai ei lladd ei hun wnaeth hi,' meddai'n ddiemosiwn. 'Ar wahân i'r ffaith nad yw dy luchio dy hun i lawr y grisia y ffordd fwyaf amlwg, na'r ffordd sicraf, o dy ladd dy hun.'

Roedd Aaron yn gweld trwyddi, tybiodd Rhiannon. Ni châi aros yn ei byd yn hir.

## 3. 3     goglais y chwarennau

'Ddoi di i'r gwely 'da fi?'

Ffugiodd Rhiannon ei syndod. Wrth gwrs nid oedd y cwestiwn yn peri syndod go iawn. Oni ruthrodd o dŷ Russell Raglan Rees trwy law y cyfnos er mwyn dod adref i ymbaratoi? Er derbyn ei lythyr bu'n cogio cywreinrwydd. Ond oni wyddai mai'r cnawd oedd unig gymhelliad dyn fel Dafydd Skinner? Concro. Goresgyn. Tynnu cyfaddefiad o groen yr euog.

'Ai dyna pam y doist ti ata i? Er mwyn torri ymrwymiad oes â dy wraig? Ro'n i'n meddwl nad oeddet ti byth yn rhannu dy gorff efo neb? Dyna ddeudist ti!'

'Fydda i ddim chwaith, fel rheol,' atebodd yn gloff. 'Ond ers dod yn ôl i Gymru mae'n rhaid imi . . . Wel! Mae'n rhaid imi un ai ladd Morfudd Price neu dy gael di. O'r ddau ddewis, rwy'n meddwl mai ti yw'r saffaf. Er na wn i eto p'run fydde'n rhoi'r mwya o bleser imi.'

Nwyd! Dyna'r gair na ddôi dros ei wefusau. Bu'n dianc rhagddo cyhyd. Ers blys ymserchus ei ddyddiau ysgol. Nwyd oedd y frwydr galed am addfwynder. Y frwydr lle byddai'r grymoedd yn eu gwrthddweud eu hunain yn barhaus. O angerdd ysgariad ei fam hyd y galar cyhuddgar am ei chwaer.

Nid oedd arno ofn methiant. Nid oedd arno ofn llwyddiant. Nid oedd arno hyd yn oed ofn lladd. Ond nwyd? Y cariad a deimlai tuag at bobl a phethau na allai ddefnyddio geiriau i gyfathrebu â hwy? Y galar a ddioddefai dros golledigion nad oedd yn abl i'w hatal na'u hachub. Y rhain oedd nwyd, yn ôl ei eirfa. Yn ôl ei reddfau. Yn ôl y drefn.

'Pam fi?'

'Am dy fod ti'n ddeniadol. Dyna un rheswm, wrth gwrs. Ac rown i'n edmygu'r ffordd y gallet ti dy amddiffyn dy hunan y tro cynta hwnnw gwrddon ni yn Llunden.'

'Hen sgwrs annifyr, os cofia i'n iawn.'

'Digon miniog, oedd! Ond un fel'na ydw i. Rwy'n hoffi pethe fel'na. Mae coethan yn gallu bod yn wefr.'

'Da clywed imi roi cyfri go deilwng ohonof fy hun,' atebodd Rhiannon mewn coegni. 'Dim ond sgwrs annifyr oedd hi i mi. Ac ro'n i'n meddwl mai Lleucu, dy chwaer, oedd yr unig reswm dros i chdi ddod i 'ngweld i. Rydw i wedi bod heddiw diwetha 'ma yn dilyn y trywydd. Fe ddyla fy erthygl i arni weld gola dydd cyn diwedd y flwyddyn.'

Cyn ei ddyfod, bu Rhiannon yn gorwedd mewn baddon poeth. Bu'n paratoi pryd o fwyd er mwyn ei borthi. Onid oedd hi'n ymfalchïo ymlaen llaw yn y ffaith y byddai'n rhaid iddi gymryd trugaredd arno? Oedd, mae'n bosib. Ond serch hynny, roedd uniongyrchedd ei chwant ef am ei chnawd yn syndod. Fel traethawd annisgwyl o dda gan fyfyriwr symol. Neu sylw siarp mewn seminar gan un a fu'n cysgu trwy weddill y cwrs.

Nid felly'n union, ychwaith. Er yn dawel a miniog, ac o bosib yn fileinig ei siarad, yr oedd yn seren, yn bendifaddau. Llosgwr tawel yn disgleirio. Hardd ei wedd, a deniadol ei statws. A pharod iawn i ddysgu. Parotach fyth i feddiannu.

Cyn y coffi a'r siocledi mint bu'r siarad rhyngddynt yn tin-droi o amgylch Lleucu. Hi oedd esgus eu swpera. Yr allwedd i'r alwad a glywai Aaron yn tynnu wrth ei wreiddiau. Y llwybr a arweiniai at dwll y clo rhwng cluniau'r doctor.

Bu'n hawdd ei dwyllo hyd yn hyn, bostiodd Rhiannon wrthi hi'i hun. Am ei choginio. Am ei chymhellion. Am ei hysgolheictod.

Ond wrth roi'i chwpan gwag ar y bwrdd o'i blaen ac ymollwng i glydwch ei chlustog a gofal ei gofleidio rhoes ei hun ar drugaredd y prawf yn y cnawd. Heb glicied a heb glo, agorodd ddrws.

Roedd arni ofn dyfaru yn y bore petai hi'n peidio. Aethai gormod o amser heibio heb i'w chwarennau gael eu goglais a synhwyrai fod rhywioldeb yn perthyn i'r mochyn smŷg.

Dim ond ei henaid oedd dan y lach. Gwyddai y dôi'i chnawd trwy'r prawf yn ddi-fai.

Oni fu ei phatê'n ardderchog? Ei *lasagne*'n rhagorol? Ei *soufflé*'n arallfydol? Ei hatgofion coleg am Lleucu Llwyd yn dra diddorol? A'i gwerthfawrogiad o'i cherddi yn deilwng o un a garai farddoniaeth? I goroni'r cyfan, bu ei charu'n orchestol.

Rhaid mai dyna oedd i gyfrif am drymder ei gwsg, fe'i twyllodd Rhiannon ei hun yn y bore. Gwell oedd ganddi flino dyn yn lân na chael ei blino ganddo.

## 3. 4   neges ar sgrîn

'Mae Lleucu eto'n fyw. Hwyl, Dafydd.'

Serennai'r ysgrifen goch trwy'r sglein llwyd ar wyneb sgrîn y prosesydd geiriau.

Oedd e o ddifrif? Ai tynnu coes oedd hyn?

Tynnodd Rhiannon ei gŵn gwisgo amdani gan glymu'r gwregys. Am dri mis bellach bu'r berthynas hon yn mynd rhagddi, ond nid oedd wedi disgwyl hyn. Y rhifyn diweddaraf o *Pengwern* oedd ar fai. Ni ddylai fod wedi gadael iddo'i ddarllen ddoe, ond pa obaith oedd ganddi i'w rwystro?

Ac roedd wedi dysgu cyfrinachau ei chyfrifiadur yn rhy dda. Y frawddeg gyntaf mewn llythrennau rhufeinig. A'r 'Hwyl, Dafydd' mewn italig.

Gwasgodd yr allweddellau cywir i storio'r neges ar gof y cyfrifiadur, cyn diffodd y peiriant a chymryd rhyw gymaint o gysur o ddüwch y sgrîn wag. Yna ymlwybrodd i'r gegin, ei meddwl yn annifyr gan ddychweledigion dienw.

Codasai'i chariad yn blygeiniol a dychwelyd i Lundain. Gan adael yr un neges hon a oedd bellach ar sgrîn ei chof hithau. Fod y meirw'n fyw. A hithau am ei chadw fel petai o dragwyddol bwys.

A digon gwir y dybiaeth. Yr oedd geiriau'n athronyddu. Yn *Pengwern*. Ar brosesydd. Meddent ar eu bywydau eu hunain. Ysgyfaint a chalon. A'r ewyllys i ehedeg. Ymaith o'r cnawd. Fel esgyll cwbl annibynnol. Yn llawn ehangder adain a phlu gogleisiol.

Dychlamu! Dychlamu! Gwae inni'r geiriau na chaent eu llosgi gyda'r esgyrn! Byddai llai o lenyddiaeth o beth wmbreth pe gwyddai darpar awduron na fyddai'u gwaith ar gael ar ôl eu dyddiau nhw. A byddai'n haws i ysgrifenwyr y genhedlaeth nesaf fod yn wreiddiol. Dyna beth fyddai torri crib aml i hen geiliog cyhoeddedig—llosgi'i esgyrn a phob copi o bob cyfrol a gyhoeddodd erioed mewn un amlosgfa fawr ar ôl ei farw. Dyna beth fyddai gwadu anfarwoldeb i ymhonwyr. Gan adael dim o'u creadigrwydd i nythu yng nghanghennau'r dyfodol.

A throes Rhiannon o glyfrwch ei meddyliau uwchben y coffi yn ôl at y sgrîn. Galwodd y neges yn ôl arni. A holodd ei hun am yr hyn a deimlai.

Wy diffrwyth a diyfory a ddodwyd ganddynt hyd yn hyn. Ganddi hi ac Aaron. Doedd yno ddim cariad i'w ori. Na hyd yn oed serch, efallai. Bardd a fu o'r blaen oedd yn llwch o fewn y plisgyn. Ac eisteddent arno yn y gobaith y dôi eto, yn unol â dymuniad Dafydd.

Boed y bardd go iawn yn annwyl neu'n gu, yr oedd anesmwythyd yn pigo Rhiannon. Ofn canlyniadau'r wy clwc. A'r drewdod a godai i'w ffroenau pan gâi ei dorri ac yntau wedi hen droi.

Daeth yr hen ysictod drosti. Nid oedd cariad yn ei byd. Dim ond cerddi. A'r cof am gerddi. A naws eryr ei nos. Yr un fu'n plymio'n ddwys i abo ei rhywioldeb.

Pan siaradodd ag ef ar y ffôn yn ddiweddarach y noson honno ceisiodd swnio'n ddifyr ddidaro ynglŷn â'r geiriau ar y sgrîn a gofynnodd iddo pam fod dau o'r geiriau mewn italig.

'Showan off,' atebodd yn onest. 'Gan mai mewn llyfr rydw i'n byw mae'n rhaid i rai o'r petha rwy'n eu deud fod mewn italig. Petawn i'n byw mewn ffilm, mi fasa popeth rwy'n ei ddeud mewn llediaith.'

## 3.5  pwdin gwaed

Piau'r bedd?

Piau'r sedd?

Doedd yfflon o ots gan Lleucu ac eisteddodd gyferbyn â'r Cymro Cymraeg a gyfarfu o'r blaen ar ei theithiau. Cadair wag oedd cadair wag a chadair wag oedd yr unig gymhelliad i dynnu atoch gaech chi yng nghaffi Pat.

Eisteddai'r ddoli glwyfedig o ddyn wysg ei ystlys wrth y bwrdd, ei law chwith yn glwt o rychau afiach yr olwg. Y bysedd bach tewion yn canu tiwn ar wefus y cwpan gwag a'r gwefusau dynol yn chwibanu'n fud.

Ymddygiad od, wrth reswm, ond yno yn y seilam siabi, ni thynnai'r dyn sylw ato'i hun. Ac nid oedd lle i reswm. Byddai olrhain y rhesymau yn dasg rhy fawr ac yn orchwyl rhy athrist.

Yn lle hynny, derbyniai Lleucu'r afreswm anniben a'r noson arbennig hon troes y llwy ddi-siâp er mwyn gwasgaru'r sêr o saim a nofiai ar wyneb ei choffi. Dôi'r nos i'w chrombil trwy ras y cwpan hwn.

Ei byd bach cyfrinachol hi ydoedd. Byd na ddôi Morfudd byth ar ei gyfyl. Byd y bwci a'r bobi lle nad oedd balchder yn bod.

'Wyt ti'n hoffi John Clare?' holodd Lleucu. Sibrydodd ei Chymraeg ato yn ddigyfarchiad. Dyna oedd yr arfer yma, dechrau'r sgwrs heb drimins cwrteisi.

Draw wrth fwrdd arall roedd dau yn cweryla'n gyfeillgar dros lwyth eu platiau gyda'r naill yn cymryd y bwyd o blât y llall. Unwaith eto, fel brawd mawr i'r coffi, nofiai'r saim ar hyd y cig moch. Neidiai o'r selsig poeth. A dawnsiai'n swigod disglair ar ben y pwdin gwaed.

Pan ddechreuodd yr uchaf ei gloch daflu bara menyn at y llall camodd y dyn y tu ôl i'r cownter i ganol y cweryl, gan dawelu'r ddau.

Ni allai Lleucu benderfynu ai hwn oedd Pat ai peidio. Gallai gadw trefn ac nid oedd byth yn cysgu. Dyna'r unig ddwy ffaith a wyddai Lleucu i sicrwydd.

Cafodd aml garcharor a oedd newydd gael ei draed yn rhydd ei flas cyntaf ar ryddid o badell ffrio caffi Pat. Bu Lleucu yno'n weddol gynnar. Bu yno'n weddol hwyr. Ac ni wyddai eto pa bryd y caeid y drysau.

Byth efallai!

'Beth?' holodd y dyn heb droi'i ben ati.

Hawdd oedd ei ddrysu, tybiodd hithau. Nid oedd yn hoff o siarad Cymraeg â hi, gan fod hynny'n fodd i dynnu sylw'r cwsmeriaid eraill ato a gwell oedd ganddo ymdoddi'n rhan o'r drabfyd.

Nid oedd yn ifanc. Nid oedd yn hen. Megis pren a blannwyd yn y tir anghywir, roedd ei flynyddoedd yn gylchoedd cam ar draws ei wyneb.

Tynnodd Lleucu becyn ffags o'i phoced a phasiodd un draw ato.

'Mae'n gas 'da fi smoco,' dywedasai wrthi unwaith.

'Pam ŷch chi'n 'i neud e, 'te?'

'Habit,' atebodd gyda'r fath stoiciaeth fel y bu bron iddi chwerthin yn ei wyneb.

Darparodd ef y tân angenrheidiol i gynnau'r ddwy sigarét. Wrth blygu dros y bwrdd sylwodd Lleucu ei fod yn sgarffiau a siwmperi i gyd. Ac nid oedd eto (yn wahanol i amryw tebyg yr arferai siarad â hwy) wedi colli'r gallu i wenu. Er mai pŵl a gelyniaethus oedd y llygaid gallai diferyn o gynhesrwydd dasgu o'r pydew sych.

Syllodd Lleucu arno cyhyd ag y meiddiai. Nid oedd wiw iddi ei dramgwyddo. Wyddai hi byth i sicrwydd pa mor sobr ydoedd pan ddôi hi ar ei draws fel hyn.

'Am bwy yffach ŷch chi'n sôn, 'y merch i?'

'Bardd oedd John Clare. Bardd mewn 'sbyty meddwl.'

Cododd y cwpan at ei wefus o'r diwedd. Daethai'r sêr yn ôl i ddüwch y ffurfafen ers meitin. Mynnent godi i'r wyneb a llowcio Lleucu. Da a chryf oedd y coffi a sylwodd ar y minlliw oren ar wefus y cwpan wrth ei osod yn ôl ar y soser.

''Ti 'di bod yn Whitchurch eriôd?'

Cnodd Lleucu'i gwefus a sarnodd y minlliw ar ei dannedd. Tybed sawl un o ferched y ddawns flodau oedd wedi dechrau ar ei misglwyf erbyn hyn? Oedd morwyn y fro yn dal yn wyryf? A dagodd mam y fro wrth sugno'r corn hirlas?

Onid canu yn ei seilam ei hun oedd swyddogaeth pob bardd? A'i fraint oedd smyglo negeseuon o'i gell glustogog i'r byd diboen?

Chwarddodd Lleucu'n afreolus a chododd y ddau ar y bwrdd nesaf—y ddau a fu'n chwarae gyda'u bwyd—eu trwynau arni'n ddilornus. *Bydd pawb yn ei wendid yn gwgu ar wendidau gweigion eraill. Darllenir negeseuon y gwallgof er mwyn inni ddeall ein gwallgofrwydd ein hunain. Dywed im, a gollaist tithau . . . ?*

'That's enough of that,' torrodd llais croch dyn y caffi ar draws y chwerthin.

Tawodd y bardd, rhag iddi gael ei gwahardd. Byddai hynny'n drychineb. Gwaeth o lawer na cholli ffrindiau. Neu gael ei thorri o'r Orsedd . . . Na, nid o'r Orsedd. Chlywodd hi erioed am neb yn cael ei dorri o'r Orsedd. O'r seiat. O'r seiat y caet ti dy dorri. Atgofion sydyn o *Rhys Lewis*.

'O! Myn brain!' Neu 'myn cebyst!' neu 'neno'r Tad!'? Pethau felly oedd rhegfeydd pobl llyfrau Cymraeg. Nid *'O, God!'* neu *'Bloody hell!'* fel ag a glywech chi go iawn.

Ond roedd hi wedi darllen Daniel Owen a John Clare a

gwyddai hyd a lled y natur ddynol. Holl rychwant y rhagrith a berthynai i berthnasau.

Oni châi chwerthin fe grychai'n belen hunanddinistriol. A rhowlio'n bendramwnwgl i sarnu'r sgitls. A chwythodd fwg ei ffag i wyneb y dyn. Ac yntau'n biws gan graith ei chancr.

''Ti'n 'itha pert, 'ti'n gw'bod,' sibrydodd trwy ei beswch. 'Sdim rheswm pam na allet ti ennill arian teidi.'

Dôi *giro*'r ddau trannoeth.

Cododd Lleucu'n sydyn a gadawodd y dyn yn mwmial rhywbeth am Sant Clêr.


## 3. 6    dagrau dros ferch feichiog

Yr un caffi ond nid yr un gwpanaid goffi. Ac nid yr un noson.

Eisteddai Lleucu draw wrth y cownter, lle'r oedd hi gynhesaf.

Wrth y bwrdd ger y drws eisteddai merch feichiog. Ni chyfarfu ei llygaid â rhai Lleucu. Nid oeddynt erioed wedi llamu i gannwyll llygaid neb arall, tybiodd Lleucu. Ynteu ai cael ei dallu a wnaeth y ferch? Ei dallu i gaethwasiaeth gan goelcerth ym myw llygaid ei Phrynwr?

Wyneb newydd oedd ganddi. Newydd i'r fangre hon, hynny yw. A hwnnw'n denau a llwyd. Y llygaid yn dyst i'r ebargofiant a sgrialwyd ar ben y bwrdd. Y coffi a sarnwyd. A'r cyllyll a fu'n sgathru'r fformeica.

Fe ysmygai sigarét. Fe redai ei thrwyn. Amneidiai ei phen yn ddireswm. Bob yn hyn a hyn fe duriai'n ddefodol trwy bocedi'i chôt siabi gan esgus chwilio am rywbeth. Hances boced? Rhif ffôn? Rhyw lythyr tyngedfennol?

Oedd hi wedi colli'i ffordd i'r lloches efallai? Digon hawdd dweud ei bod wedi colli'i ffordd . . . Na! . . . Rhy amlwg o lawer oedd pwysleisio hynny. Rhy hawdd. Ac anwireddus hefyd.

Onid oedd hi yno am ei bod hi am fod yno, fel pawb arall? Ei gwallt yn gortynnau di-raen am nad oedd hi'n dymuno prynu siampŵ da? Ei bol yn fawr am ei bod yn deisyf bod yn fam?

Wylodd Lleucu'n dawel oddi mewn. Dagrau o ddirmyg yn hytrach nag o drueni. Wylasai felly'n aml wrth geisio ymdopi â'i theimladau o fod yn ddarostyngedig.

I atal llif ei myfyrdodau daeth dyn i mewn a thorri gair â'r ferch. Galwodd am goffi ac eisteddodd gyferbyn â hi, gyda'i gefn at Lleucu.

Daethai â'r oerfel gydag ef o'r stryd. Fel ei erwinder. Ill dau yn llaes a seimllyd fel gwallt ar ei war. Ai hwn oedd angel yr Arglwydd? Ai hwn oedd tad y baban? Oedd yna Joseff yn rhywle yn barod i gerdded i Jerwsalem? Ym mhob calon drom yr oedd yna un preseb gwag. A'r drasiedi oedd mai asynnod ein teimladrwydd a ddôi yno i gnoi, yn hytrach na gwaredwr mewn cadachau.

Pan aeth y dyn y tu ôl i'r cownter draw â'r baned boeth i'r dyn, gofynnodd y ddarpar Fair am goffi arall. Yna cynheuodd hi a'r dyn sigarennau ffres.

Beichiodd Lleucu'i dagrau anweledig wrth syllu ar y ddau wrth y drws yn sgwrsio. Fel sacrament disylwedd mewn cymun o fwg.

# 3.7 brychau brown

'Rwy'n crefu am delyneg, Morfudd,' ebe Lleucu'n ddigalon. 'Yn crefu am un.' A thaflodd sypyn o gynhyrchion yr eisteddfod ysgol o'i chôl i'r bwrdd bach o'i blaen yn yr heulfa.

Gosododd Morfudd hambwrdd cymen ar eu pennau.

'Prin y cei di'r un,' oedd ei hadwaith doeth. 'Nid gan blant ysgol.'

'Maen nhw'n ddeunaw, rai ohonyn nhw,' meddai Lleucu. 'Digon hen i rywbeth, yn ôl y sôn. Ond nid i delynega, yn ôl pob golwg. Mi rown i rywbeth y funud hon am delyneg dlos.'

'Cymer de.'

'Wyt ti'n meddwl mai dyna sydd ei angen arna i?'

'Chei di ddim briallu nac ŵyn. Ddim gan y plant 'na, ta beth. Ac edrych, mae'n dechre bwrw.'

Lluchiodd Lleucu'i beiro i ganlyn y ceisiadau awenyddol, ond trawodd ochr yr hambwrdd a llithro i'r llawr.

Cododd a sbiodd yn ofalus ar y wraig arall yn rhoi trefn ar y cwpanau cyn dechrau tywallt. Brithid ei chroen gan smotiau brown y blynyddoedd. Smotiau heb siom ar eu cyfyl oedd smotiau crwyn yr hen. Mor wahanol i asbri honedig ieuenctid. Eu crwyn yn glwstwr o blorod. Eu cerddi'n boen a blinder byw. Pam difodiant niwclear? Oedd y dôl yn anorfod? O ble y daeth AIDS?

Cwestiynau a bigwyd yn grach ar grwyn y to sy'n codi oedd y rhain. Yn ôl tystiolaeth eu cerddi, beth bynnag.

A pha le yr oedd rhamant? Pryd y blodeuai'r delfrydau? Ac a

ddôi awr pan glywid cwynfan yr hiraeth oesol dros wefrau nas profwyd eto?

Ond odlwyd pob ofn gyda sillaf olaf anobaith. A phroseswyd y geiriau hud o botensial pob gweledigaeth a'r ceinder o galon pob cân.

Ar ôl datblygu'r prosesydd bwyd roedd hi'n anorfod y caem brosesydd geiriau. I ddileu'r elfen ddynol. A thynnu ein dwylo oddi wrth y gwaith o gymysgu. Ni chaem mwyach ôl bysedd yn y gwneud. Na phwysau bôn braich yn y gwasgu. Dim ond cacennau perffaith a cherddi heb sawr blodau na beiros ar eu cyfyl.

Ochneidiodd Lleucu wrth dderbyn ei chwpan de o law Morfudd. Roedd mwy o sicrwydd mewn heneiddio, wedi'r cyfan. Profiad solet a syber oedd hwnnw. A dibynadwy ei ddatblygiad a'i wefr. Nid fel cywion beirdd yr ysgol uwchradd fu'n llethu ei phrynhawn. Rhy ddifrifol oeddynt. Rhy sobr o sobr. Pa obaith oedd iddynt sadio a hwythau eisoes yn eu gweld eu hunain fel rhan o drefn ariannol? Yn rhan o'r broses?

Oni ddylai pob cenhedlaeth weld o'r newydd? Er mor gyfeiliornus y gweld hwnnw? Gwell oedd cael gweledigaeth wallus na bod yn lladmeryddion â dau dwll yn lle dau lygad oddeutu'r trwyn.

'Ydyn nhw wedi dy ddigalonni di'n enbyd?'

'Enbyd.'

'Fydd 'na goroni? Dyna mae'r prifathro bach 'na'n ei ddisgwyl.'

'Ife?'

'Ie, siŵr iawn. Chei di ddim gwahoddiad i feirniadu yn eu 'Steddfod Gŵyl Ddewi nesa nhw os wyt ti am eu hamddifadu nhw o sioe eleni.'

Cymerodd y prifardd sip o'i the. Ni ddylai prifeirdd byth gael beirniadu cystadlaethau barddoniaeth, meddyliodd. Pa hawl oedd gan rai tebyg iddynt hwy i amddifadu eraill o'u sioe. Ynfydion, cawsant hwy eu hawr . . . Asynnod arobryn . . . Pa hawl oedd gan y rhain i wrthod cais rhesymol llywodraethwyr, athrawon a rhieni am dipyn o rwysg ar Fawrth y cyntaf?

Doedd hi'n llywodraethu dim. Doedd hi'n dysgu dim. A doedd hi ddim yn rhiant, yn ddigon siŵr.

Chwarddodd yn ynfyd. Nid chwerthiniad mawreddog, na hir na dramatig. Dim ond ystum smala gan un a hoffai *gin*, te poeth a chrotesi bach yn prancio ar hyd llwyfan y Brifwyl yn gwisgo torchau o flodau ar eu corun.

Wrth godi'i chwpan i'w cheg gwelodd y dafnau glaw yn dechrau disgyn ar y gwydr. Gwyddai mai drosti hi y disgynnent. I brofi fod telyneg yn dal yn bosibl. Er nad gan yr ifanc yr oedd hi i'w chael. Gan law yr oedd hi i'w gweld yn awr. Glaw trwm yn tasgu ar y to. Dafnau mân yn treiglo ar i waered. Trwy'r delweddau ystrydebol hyn y gwelai Lleucu na ddôi haf arall i'r heulfa yn ei hoes hi.

A gwyddai nad oedd neb yn deilwng.

## 3. 8   terfysgwr

Nid cyflwr meddwl oedd bod yn fardd, barnasai Aaron. Ac eto, nid oedd, hyd yma, wedi cyfansoddi'r un frawddeg o'r hyn y gallai neb ei alw'n farddoniaeth, boed fawr neu fach.

Serch hynny, tyfodd ynddo'r ymdeimlad o fod yn fardd. A hwnnw'n fardd unigryw. Onid ef oedd yr unig fardd Cymraeg a chanddo'r hawl i ladd? Ei wn yn ei ddeheulaw a'i awen yn yr aswy. Y cyfuniad perffaith er mwyn gallu torri trwy'r wythïen greadigol wytnaf. Lle methai'r gair fe lwyddai'r gwn. A lle methai'r gwn fe lwyddai'r gair. Hwn oedd y bardd perffaith y byddai pawb yn barod i wrando arno.

Bang! Bang!

Clec! Clec!

Roedd natur y sŵn yn arwydd o ansawdd yr awdurdod.

Bang a chlec!

A chlec a bang!

Drwy gymysgu'r delweddau yr oedd yn gwarantu gwrandawiad. Drwy gymysgu'r synau yr oedd yn siŵr o hawlio parch. A lle na fyddai clust i glywed byddai celain i'w gladdu. Y byddariaid *oll yn eu gynau gwynion* . . .

Oni chawsom ddigon o sôn am dywysogion a thywysogesau ein llên? Mwy na digon am gewri a chorachod? A llond bol ar bob ymhonni tebyg o fyd y tylwyth teg?

Nid 'un dydd' oedd drws ffrynt y ffantasi fodern, ond 'un nos'. Nid hud oedd at law gwir arwr, ond arfau. Ac Aaron fyddai Terfysgwr ein Llên. Ef oedd am fod yr un y byddai gwrando arno. Neu gwae ni! Gwythiennau'n chwilfriw neu gynulleidfaoedd yn astud wrando? Dyna'r dewis. P'run oedd hi i fod, o Gymru lengar, leiafrifol?

Nid cyflwr meddwl oedd bod yn fardd. Grym oedd gwraidd y gair. Neu o leiaf, dyna y daethai Aaron i'w gredu ar ôl haf yng nghwmni Rhiannon. Ac ar ôl deuddeg canrif a mwy o barchu'r grym, onid oedd hi'n hen bryd i rywun ei ddefnyddio?

## 3. 9   tafarndai ger y môr

Cafodd ei gadw i aros. Y swyddfa or-gyfarwydd yn rhythu arno. A hynny am y tro olaf, mae'n ddigon posib. Nid oedd ond un ateb i rythu a hynny oedd rhythu yn ôl. A gwelodd, fel petai o'r newydd, y cynefin cyfarwydd. Y ffeiliau gorlawn a'r dodrefn nad oeddynt erioed wedi gweld dyddiau gwell. Siabi, brwnt a phrysur fu pob diwrnod yno erioed. Nodwyd ambell reg a thalfyriad enw yn y pren. Naddwyd llofnodau gan seiri drygioni. Olion inc o binnau ysgrifennu'r staff hwythau yn staenio'r pren mewn ambell fan, fel iawn am y ffaith fod chwys yn ddileadwy.

Cynrychiolid ei chwys yntau yn y deyrnged. Yn rhan o'r ddelwedd ddi-lun.

Crafiadau'r celfi fel cerfiadau caffi hwyr y nos ei chwaer. Olion pobl ar ddianc rhag y gwyll yn gymen gain. O ddesgiau dosbarth ysgol i feinciau cyhoeddus parc . . . i goed y maes . . . i'r caffi bytholagored . . . i hyn. Yr ystafell hon lle deuai gyrfa Aaron i ben. O fan i fan, o oes i oes, fe gynganeddai'r graffiti cerfiedig. Odlau'r 'sgrifen ar y mur o wareiddiad i wareiddiad. A rhigymau sampleri pob cenhedlaeth yn bert o fewn eu hamryfal fframiau.

Yr oedd cyfatebiaeth i bob gweithred ac adlais i bob sain. Trwy hanes oll roedd y ddynoliaeth yn clecian i gyflythreniad ei doniau dyrchafedig. Ac yn odli'r od, y naill yn erbyn y llall, yn oriau eu ffolineb. Rhyfedd hefyd, fel roedd brân i frân bob amser. Ar draws amser. Os nad yn ei hoes ei hun yna dros bont amseryddol cynghanedd Croes o Gyswllt y bydysawd.

Pontid gwên ddoe gan wên yfory. Gwg dradwy gan wg y dwthwn hwn. Modrwyau dyweddïo o'r iawn ryw.

I Rhiannon roedd y diolch. Am godi'r bont. (Am wneud y rhwyfwr yn ddi-waith a chodi cerrig yn yr afon yn ei le?) Am adfer ei fodlonrwydd yng nghwmni merch. Am ddysgu iddo holl oblygiadau'r deddfau uno. Am uno'r hyn fu ar wahân. Y gwreiddiau a'r cyff. Y traddodiad a'r trwbadŵr. Yr heliwr a sawr ei ysglyfaeth.

Bellach, gwnaethpwyd y dyn yn un gyda'i ddynoliaeth. Pris bach i'w dalu oedd gadael plant yn amddifaid mewn diwylliant estron. A gwraig yn ysgaredig ar ei thomen ei hun. Croesai'r bont. Rhaid oedd cymryd camre eofn. At y dysg a'r diwylliant. At y cnawd a'r cenedligrwydd. Y dadeni a oedd iddo yn Rhiannon.

*'Sorry to keep you waiting, Aaron.'*

O'r diwedd. Daeth Pennaeth yr Uned trwy'r drws y tu cefn iddo.

*Dod dy law, on'd wyt yn coelio,*
*Dan fy mron a gwylia 'mrifo.*

*'Well! You've done it then?'* holodd a hynawsedd ei lais yn awgrymu siom a rhyddhad.

*'Yes, sir.'*

*'We'll be sorry to see you go. I hope you know that?'*

*Ti gei glywed os gwrandewi*
*Sŵn y galon fach yn torri.*

*'Yes, I do,'* atebodd Aaron. *'But it seems to be the only way.'*

*'You're a bloody fool,'* troes llais y Pennaeth yn gras. *'You know it's not the only way. Other men have affairs. Or they take it out on suspects. Throwing in the towel won't solve anything. It'll be the same old bloody battles.'*

Roedd rhybudd yn arferol cyn gwneud datganiad yn yr ystafell hon. Gefynnau geiriol i lesteirio'r mynegiant. Wrth i'r Pennaeth ddod draw ac eistedd gyferbyn ag ef yr ochr arall i'r ddesg—desg a hoeliwyd i'r llawr er mwyn lleihau'r trais—teimlai Aaron ryw ysictod yn gafael ynddo.

*'All because of this Welsh bit of skirt, I take it?'*

*'I'd rather not discuss it.'*

*'Doesn't seem worth it to me. A good man like you. One of the best. I've seen extra-marital affairs come and go in this place, I can tell you. How long have you known her now?'*

*'There are several reasons for my going, sir. I'd rather not expand.'*

Rhyw englyn bach i wrthsefyll y lladron. Cywydd handi yn wrthglawdd yn erbyn y cnafon. Gweision sâl oedd geiriau. Meddai'r rhai a'u llefarai lawer mwy o wir ysbryd y taeog. Yn gaeth. Dan warchae. A'r geiriau oll wedi'i sgathru hi ar ras fel gweision anniolchgar am achub eu crwyn eu hunain.

Rhedai geiriau'n rhydd gan ei gwadnu hi o grafangau safn a swyddfa a chell. Yn wyneb pob argyfwng a chyfyng-gyngor nid oedd geiriau ar gael at alw meidrolion. Dim ond beirdd oedd ag unrhyw grap ar y gamp o gaethiwo geiriau. A hyd yn oed yn eu dwylo hwy roedd y gweision yn rhydd.

Ond i sobri'r gorfoledd hwnnw roedd y sylweddoliad fod geiriau'n perthyn i deuluoedd a allai farw o'r tir. Darfyddai iaith. Wrth gwrs! Gallai geiriau hwythau farw. Fel y dyneddach fu mor barod i'w caethiwo.

Oni ddiflannodd miloedd ar filoedd o eiriau eisoes? Teuluoedd cyfain ohonynt. Llwythi o sillafau gwahanol yn esgyrn sychion ar femrynau hen. Yn ffrwyth llafur i archaeolegwyr ieithyddol fel Rhiannon. Rhaid mai profiad rhyfedd oedd crafu'r graig am ffosil o grair a fu unwaith yn *hoyw yng ngenau dynion*.

Dôi'r synau i ben yn eu gwahanol gyfuniadau. Cyfuniad gwahanol. Ystyr gwahanol. Mewn ieithoedd gwahanol. Ar gyfnodau gwahanol yn hanes datblygiad y byd. A dôi diwedd ar bob un o'r rhain. Y cyfuniadau. Yr ystyron. Yr ieithoedd. A'r cyfnodau.

Yr hyn nad oedd yn marw oedd mynegiant. Yr awydd hwnnw i grafu amlinelliad yn y swnd. I beintio'r ogof. A pherseinio'r storm â rhythm hwiangerdd er mwyn cysuro'r baban yn ei fraw.

'*It's a new beginning for me,*' eglurodd i'r dyn arall, wrth i hwnnw ddal ei lythyr ymddiswyddiad yn ddwys rhwng ei ddwylo. '*My resignation is only the beginning. My training here has made it easy for me to survive alone in an alien country.*'

'*Anticipate a rough terrain, do you?*'

'*Rough terrain, sir?*'

*Mynd i'r ardd i dorri pwysi*
*Pasio'r lafant, pasio'r lili.*

'*A Boy's Own adventure, Aaron?*'

'*I know how to live with my own shit, if that's what you mean.*'

Yn y llwnc y ceid hadau geiriau. Ar y tafod y blodeuent. Ond profiad oedd y gwrtaith a roddai iddynt eu lliw. Hon yw delwedd y bardd fel garddwr. Ond nid yw'r ddelwedd yn deilwng. Canys ni fu blodau o dras erioed yn yr ystafell hon. Dim ond chwyn ar ambell leferydd.

'*They usually leave us to run pubs and hotels on the south coast. What will you do?*' gofynnodd y Pennaeth.

'*Find some rhyme and reason for my existence,*' atebodd Aaron yn onest.

'*You might find the rhyme, Taff, but I doubt if you'll ever find the reason.*'

*Pasio'r pincs a'r rhosys cochion*
*Torri pwysi o ddanadl poethion.*

128

# 3. 10   llwch ar y drych

*'You've certainly been very industrious,'* ebe Brenda Lloyd gyda mesur o edmygedd. A mesur helaethach o gerydd.

Eisteddai yn ei chartref yn Plymouth yn cael ei swcro gan wraig a ddylai fod o'r un anian. Dwy beniog. Dwy benstiff. Dwy a fu'n pori'n helaeth yn llenyddiaethau eu mamieithoedd.

Ond tybed faint mewn gwirionedd oedd yn gyffredin rhwng y ddwy? Hyhi a Rhiannon Idris.

Dim, barnodd Brenda, o ddeall perwyl presennol yr ymwelydd.

Cyn caniad disymwth cloch drws y ffrynt bu'r weddw'n eistedd o flaen ei thân trydan yn y rŵm ffrynt. Y llenni wedi'u tynnu a Beethoven ar y peiriant recordiau. Doedd hi ddim yn hoff o ddarllen tra oedd hi'n gwrando ar gerddoriaeth, na gwrando ar gerddoriaeth tra oedd hi'n darllen. Credai mai sarhad ar unrhyw gelfyddyd oedd ei throi'n gefndir i ryw weithgarwch arall. Fe ellid cyfuno dwy gelfyddyd, wrth gwrs, megis yn yr opera neu'r *ballet*. A dyna pam y byddai bob amser yn smwddio i synau un o'i hoff recordiau. Gallai rhythm y ddwy gelfyddyd fod yn gytûn, neu o leiaf yn gyferbyniol.

Nid oedd rhythm i ddarllen ac ystyriai hynny'n sgìl yn hytrach na chelfyddyd, p'run bynnag. Ac i goroni'r cyfan gweithiai ei llygaid orau mewn tawelwch.

Nid tawelwch fu ei diléit y prynhawn hwn, fodd bynnag, a da hynny. Ar alwad y gloch, bu'n rhaid iddi godi'r nodwydd yn ofalus oddi ar y record ac agor y llenni eilwaith. Er mwyn gadael i oleuni a distawrwydd deyrnasu ennyd. Cyn trosglwyddo'r llwyfan i'r Gymraes.

Gwelsai Brenda honno fel fersiwn ifanc ohoni hi'i hun pan gamodd gyntaf ar yr aelwyd. O dras gwahanol, mae'n wir. Ac yn dangos ôl mwy o olud nag a feddai hi ddeugain mlynedd ynghynt. Ond yn yr un broffesiwn. Gyda'r un hyder.

*'Your little proposition repels me, rather,'* adweithiodd y westeiwraig yn ei llais clir. *'Do you seriously think I'd want to make money out of my late husband?'*

*'I'm sorry if I emphasized the financial side of the deal,'* esgusododd Rhiannon ei hun cyn suddo'n ddyfnach i'r gors. *'I thought maybe you were hard up.'*

*'My dear woman, I don't even know if the revelations in Jim's book are true. Since I can't read the damn thing, I've only ever heard them secondhand. By all accounts most of it is deadly dull. It's just this one chapter*

*which seems to give it any spice or merit. And Lord Morrisville is adamant that the contents of that are, to quote the good peer, "a load of old tripe". Personally, I really don't think that the fact that there'll soon be no one left alive to sue for slander should entice us into agreements with publishers, do you?'*

Mater o foesoldeb, mantolodd Rhiannon. Ni ddôi'r geiriau. Ddim hyd yn oed eiriau'r gwadu gwag.

*'It's obvious that you do, Dr Idris, or you wouldn't be here with your fantastic proposition.'*

*'The publishers are genuinely interested,'* ceisiodd Rhiannon achub y sefyllfa, *'and I fear that I haven't explained myself very well . . .'*

*'There's no danger of that, is there, my dear?'* Cynheuodd Brenda Lloyd sigarét, heb gynnig un i'w gwestai. *'We both know that you have eloquence at your command. Probably in two languages, like a two-tone horn in a car that's eager to whiz along in the fast lane. But please don't think that I can be over-run by your little scheme.'*

*'Heaven forbid! Mrs Lloyd, I really think I have been misunderstood . . .'*

*'By your husband? By me? Or just by life in general?'*

Gwenodd y Gymraes. Bu'r siwrnai o Lundain yn flinedig. Roedd yn dyheu am gael gorffwys yn ei gwely. Heb Dafydd. Heb freuddwydion. Heb ddim ond gobennydd o dan ei phen.

*'By you,'* atebodd. Roedd hi'n dechrau ateb cwestiynau rheth-regol. Yr arwydd cyntaf ei bod hi'n colli'r ddadl.

*'Pardon my prolonged metaphor. I've always been rather fond of them ever since I first discovered the Metaphysicals. But I feel bound to tell you that ambition can be a murderous accelerator in any vehicle. Yours seems to be burning up the fuel at a fantastic rate, my dear. The bodywork may still be perfect but you won't go far if your tank is empty. I suggest you slow down and take a long hard look at where you're going. After all—and I can tell you this kindly, as one woman to another—you don't want to end up an old banger, do you?'*

*'I only made tentative enquiries . . .'*

*'Forgive me for contradicting you all the time, but I do feel that your little publishing coup amounts to a teeny-weeny bit more.'* Camodd draw at y ffenestr. Toc byddai'n rhaid tynnu'r llenni unwaith eto. Byddai'r nos yn sych a llwydrew ar hyd y wlad. Aeth y cwmwl mwg ar goll yn llwydni'r gwyll. *'You translated most of that manuscript left in your charge, which, incidentally, Mr Skinner had no right to photocopy in the first place. That in itself was a great betrayal of trust. Then, out of pure self-motivation as far as I can see, you secure a deal with your little Welsh publishers. They ignore the threats posed by your*

*lunatic latterday Lady Gregory in Cardiff and proceed with the unexpurgated version of your own little masterpiece, containing a chapter on Jim's daughter. Their great scoop in return is that you give them Jim's sensational memoirs to publish . . . after Rise-gel's death, naturally. If they publish before she's dead, of course, she's likely to bleed them dry in the libel court. And I would say good luck to her. Now, you will correct me, won't you, if I failed to grasp some aspect of your complicated little conspiracy?'*

'Conspiracy is a bit strong, Mrs Lloyd. I'm here to discuss the situation with you . . .'

*'Only after you've been to London, Dr Idris. Let me get this straight. On behalf of yourself and this little cottage industry publisher.'*

'Gwasg y Seren Fore is one of Wales' leading publishers.'

*'I really don't care. They clearly weren't "leading" enough to net you the sort of financial gain you were hoping for. Hence your trip to London. To strike another deal for the English language rights. You'll concede that the larger the audience the bigger the prize. And here you are, fresh from meeting these famous publishers. Nothing signed, of course. But newspaper serialisation rights, paperback rights, even TV and film rights, maybe—who knows?—all ready to proceed with. Just waiting for me to say yes. And you have the audacity to sit there and claim you have only made "tentative enquiries"!'*

'Listen to me, please,' mynnodd Rhiannon o'r diwedd. Cododd a daliodd gip arni hi'i hun yn y drych llydan, henffasiwn, uwchben y lle tân. *'I see why you're upset. Perhaps springing all this on you like this has been unfair. But believe me, things are still very much in the ideas stage. The publishers, for instance, wanted a copy for their legal department. I told them that I had no right to release the manuscript . . . that you hold the copyright as the author's next of kin. And while Rhisgell Lloyd lives it is, as you said, virtually impossible to publish, for fear of libel. It really is just something to think about.'*

'Well! You've certainly provided plenty of that, Dr Idris,' ebe'r weddw, gan nesu at y wraig arall er mwyn diffodd ei sigarét mewn soser lwch gyfagos.

*'And it isn't a dull book. Some of his reminiscences of life in rural Cardiganshire in the twenties were very interesting.'*

*'Cut the crap! We both know that no major publisher would be interested in yet more nostalgia—especially badly written nostalgia—be it of the harvest time and Sunday school trip variety or the more earthy "Cider with Myfanwy" school of Celtic whimsy. The real incentive to clinch the deal was my husband's confession to murder. Now, if I knew exactly what Jim wrote my reaction might have been different. Who knows?'*

131

*'I didn't realize you weren't acquainted with the manuscript,'* ebe Rhiannon yn gelwyddog.

*'A tentative first step for anyone with an ounce of courtesy might have been finding that out, Dr Idris. Academics today are so cut-throat. It must be the fact that the tree has been so drastically pruned in recent years. There are fewer high branches for which to aim. Am I right?'*

Pesychodd Rhiannon a gofynnodd a gâi hi eistedd eto. Roedd yn gas ganddi agosatrwydd corfforol y wraig arall. A'r düwch oedd yn cau am yr ystafell.

*'If you had any decency you'd destroy both your copy and your translation. You and your friend, Mr Skinner,'* aeth Brenda Lloyd yn ei blaen. *'Dashing, handsome, charming Mr Skinner! I'm really rather disappointed in him. He seemed almost humble that first day he came here. I played a game with him, you know, next door in Jim's old study? We walked around the desk like prisoners in an exercise yard. Just to amuse ourselves. It was the day of his funeral. Jim's, that is, not your nice Mr Skinner.'*

*'Dafydd knows nothing of this, I do assure you.'*

*'Oh, dear! A conspiracy of one. Those are always by far the safest, aren't they?'*

Doedd dim yn ddiogel pan nad oedd cariad ar eich cyfyl, meddyliodd Rhiannon. Lle peryglus oedd y byd. Y ceir yn gwibio'n dwyllodrus o gyflym o'ch cwmpas ar y draffordd. Y gweddwon yn siarp fel dynion hunanfeddiannol. A'r dynion yn gryf a hardd a hawdd eu harwain, fel teirw a dywysir o gwmpas cylch sioe.

Fe ddihangai'n ôl i Gymru. Ei gwynt yn ei dwrn a'i hadenydd wedi'u tocio.

Ymddangosai'r syniad yn un da ychydig ddyddiau ynghynt. Ffordd wych o dynnu blewyn o drwyn Morfudd Price. A gwneud enw iddi hi'i hun. Byddai Dafydd yn siŵr o gymeradwyo'r cynllun. Efallai y dylai fod wedi crybwyll ei syniad wrtho ef yn gyntaf.

Ni châi lonydd ganddo, dyna'r drafferth. Yn gorff a meddwl. Roedd ei chwant ef yn ddihysbydd. Ac addysg yn fodd iddo gael rhyddhad.

Ond roedd ei meddwl yn crwydro yn y dudew dywyllwch a adawodd Brenda Lloyd, pan aethai honno, o'r diwedd, i'r gegin i wneud paned o de iddi.

Nid oedd yn siŵr a ddylai godi i gynnau'r golau o'i rhan hi'i hun ai peidio. Gwelai'r switsh. A gallai weithio llwybr rhwng y dodrefn trwm. Ond nid oedd fiw iddi dramgwyddo ymhellach.

Haerllugrwydd, mae'n debyg, fyddai iddi roi'i bys ar y botwm heb ofyn yn gyntaf.

Cododd p'run bynnag a chynheuodd y golau. Dyna welliant! Gallai weld nad du oedd y llyfrau ar eu silffoedd. Dim ond trwm a gorthrymus oeddynt. Ac nid oedd hithau'n ymddangos mor flinedig. Haenen denau o lwch oedd yn gorchuddio'r drych.

## 3. 11 blaidd

Tra ymlwybrai'r blaidd yn llechwraidd trwy barc Bute, troediasai Lleucu ddilewyrch trwy'r glastir nad oedd namyn graddfeydd gwahanol o lwydni yn un arall o'i nosau di-Dduw.

Ond gwyddai bellach fod yr iaith Gymraeg yn ddiffygiol yn hyn o beth: nid oedd y gair 'anffyddiwr' yn gyfystyr ag *'atheist'*. Gallai'r sawl heb ffydd ym modolaeth Duw fod â ffydd angerddol yn anadl einioes amryw byd o gysyniadau eraill—cysyniadau o'i wneuthuriad ei hun a rhai mwy clasurol y cydnabyddid eu bod. Wedi'r cyfan, yr oedd hyd yn oed amheuaeth yn real. Ond ffydd ynddo a wnâi bob meidrolyn yn siŵr o'i bangiadau ei hun.

Heb fesur o ffydd nid oedd dim yn bosib. A gwyddai'r bardd na fyddai'r dyn cyntefig wedi meiddio torri coed, heb sôn am hela'r carw er mwyn cael bwyta'r cnawd, neu gynnau tân er mwyn cadw'r blaidd o ddrws yr ogof, heb ffydd yn ei hawl ef ei hun i oroesi. A hawl ei hil.

Felly, twyllwr oedd yr anffyddiwr. A mymryn yn fwy cymhleth oedd cyflwr yr *atheist*. Yn unig gyda'i icon. Blaidd yn udo mewn addoliad yn yr offeren ddu.

Swynwyd Lleucu gan y delweddau, yn gerrig nadd ar furiau parc. Y blaidd a'i braidd. I amddiffyn rhag ysbrydion drwg y nos. Ger y castell. Yng nghanol dinas. Yng Nghaerdydd.

Tan y nawfed ach. Hyd nes cyrraedd yr atalnod llawn olaf yn ebargofiant. Roedd brawddeg yn bod a ddyrchafai'r blaidd i orsedd gras. Er mai byddar oedd y gargoel. Ac udo tlodion nos yn ofer yn ei ŵydd.

Roedd Lleucu'n dyheu am gael dod o hyd i'r geiriau. Y gyffes ffydd. Nid i eiriol dros ei henaid hi ei hun. Rhy hawdd o'r hanner fyddai hynny. Oni lifai afon Taf yn ei hymyl? Taf hanesyddol, ddiwydiannol, delynegol? Gwelid ôl cwrs pob afon yn glir yn ei gwely.

Cael sisial ganu dros afonydd eraill oedd y gamp. Pa hyd eu dyfroedd? Pa liw'r bywyd gwyllt ar hyd eu glannau?

Y bardd a ddôi i gasglu'r cadnoid, y gwdihŵs a'r bleiddiaid oll yn sŵ ei gân. Hwnnw . . . honno fyddai pennaf cantor y greadigaeth oll.

Ond heno, dim ond hi oedd yno'n geidwad i'r creaduriaid. Un afon yn llifo. Un allwedd yn chwilio am y caets cywir er mwyn ei gloi. Un blaidd yn cadw oed ymysg y coed.

A gwyddai Lleucu mai sôn am ffydd yr oedd hi, yn hytrach na chrefydd. Peth torfol oedd crefydd. Gallai fod yn llwgr. Yn wleidyddol. Yn gymdeithasol. Ond ffydd? Perthyn i'r unigolyn yr oedd hwnnw. Mor llipa. Mor lliwgar. Mor idiosyncratig ag ef ei hun. Roedd yn rym o'i fewn, i gynnig swcr, cynhaliaeth ac ysgogiad. (Weithiau hefyd yr oedd ffydd yn ffrwyn.) A pherthynai i bob gwrthrych ffydd, boed dduw neu flaidd, y ddawn i ennyn ofn a chariad dyn.

Yn nüwch nos, i groten fach, roedd ofn yn fwy blaenllaw na chariad. A haws credu mai blaidd oedd yn prowlan yn y parc.

## 3. 12    cariad a'r canol oed

*'My life is now full of all the sorts of love an elderly woman is supposed to experience,'* ebe Brenda Lloyd yn syber wrth Alwyn Perkins, pan alwodd hwnnw arni un diwrnod a'i fryd ar gyffes.

Bu'n lletchwith ymddiheuro am gynnwys amheus y llawysgrif o waith Jim Lloyd a ddychwelwyd eisoes i'r weddw gan Dafydd Skinner. Er syndod iddo, sicrhaodd hithau ef nad oedd hi'n credu gair o'r stori ryfeddol.

*'Just a load of dribble, I'm quite convinced of it,'* ebe Arglwydd Morrisville.

*'Jim's dreams were always greater than his intellectual capacities,'* ategodd hithau ac eisteddodd y ddau o flaen ei thân trydan yn yfed te. Tywalltai'r weddw fymryn o wirod i'r ddau gwpan yn achlysurol, er mwyn cadw'r oerfel draw, chwedl hithau.

*'Were you two happy then? You don't mind me asking, do you?'*

*'Happy? I don't know. We were ordinary in our daily lives. That's what I value most. I'd nag him about little things. He'd do his best to keep out of the way of the vacuum cleaner. And now I'm quite resolved to widowhood. My work is quite revered. Invitations to lecture and to review books for prestigious journals are arriving all the time . . . I still potter about a bit in libraries, researching the odd paper and article, keeping up with contemporary thought. It means I get up to Oxford and London fairly often. And, of course, I visit my family. A day or two at my daughter's or my son's.'*

'You have children? Of course, I met them at the funeral,' ebe Alwyn Perkins gan ffwndro'n anghofus.

'From my first marriage. I was beyond the child-bearing experience by the time I married Jim. They're both so very different from their father, which is a blessing. I despair of my grandsons, naturally. Grandparents always do.

'You'll see from my description that I'm very normal. Very human, I hope. With just enough frailties to make me interesting. I have a teeny-weeny little problem with this, you know,' meddai, gan daro pen y botel yn dawel. 'But you can hardly tell. I keep it in check. In fact, it's quite a stimulating challenge. Setting myself limits and seeing if I can keep to them. And the thought of playing that sort of little game with myself gets me out of bed in the morning. If one was perfect, there'd be nothing to get up for, would there?'

Nid oedd y naill na'r llall yn berffaith o bell ffordd. Ond i'r Saesnes ddeallusol yr oedd gwendid yn gêm.

Mor wahanol y Cymro, druan! I'r Cymro cyhoeddus o gefndir Ymneilltuol yr oedd gwendid yn grach yr oedd arno ofn calon i'r byd ei gweld. Codai euogrwydd yn graith ar bob atgof o bleser. A thrwyddi draw yr oedd croen ei gydwybod yn hyll gan feichiau pechod.

Da ganddo'r ddiod yn y te. Gwnâi hynny ei orchwyl yn haws y prynhawn hwn. Oherwydd rhoes ei fryd ar ddweud wrth Brenda Lloyd am ei garwriaeth â Rhisgell. Nid oedd wedi meiddio dweud wrth Jim yn ystod ei oes. O gywilydd. A rhag ofn y gweir.

Ond byddai'n faich oddi ar ei feddwl i ddweud wrth rywun. (Yr hiraeth anymwybodol am y gyffesgell!) A gallai hon—y wraig fach gymen, nid anneniadol a eisteddai gyferbyn—ddeall-uso pob gwarth a galar.

'There was something, you know,' dechreuodd. 'Something that makes me more certain than you think about the imaginary quality of the murder story in this.' Roedd y llawysgrif yn gorwedd ar y bwrdd bach rhwng y ddau.

'Oh yes, Alwyn? Do expand.'

'I not only know Jim wasn't capable of such a thing, I know Rhisgell wasn't either.'

'Really!'

'Many years ago . . .' Rhagor o stori tylwyth teg, tybiodd Brenda, yn fydol-ddoeth ac yn gaib fel hwch. 'Many years ago I had an affair with her . . .'

'Oh? Is that all you had to tell me?' Tynnodd Brenda'r gwynt o'i

135

hwyliau, ei ffroenau'n ymledu a'i llygaid yn dawnsio. *'Jim knew all about that.'*

*'He knew?'*

*'Yes. Almost as soon as it had begun. He could tell that you were too embarrassed to mention it afterwards. I told him it was the main reason why you snubbed him so shamefully for the last twenty years of his life. I don't suppose I was right. It seems more likely that a politician, even a screwed-up Welsh politician with pretentions of puritanism such as yourself, was more inclined to be motivated by a need to save his own skin by disassociating himself from former friends who'd fallen from grace. But it seemed kinder to try to convince Jim that your motives were personal rather than a cold political strategy.'*

*'I'm very much ashamed,'* ebe'r arglwydd. Roedd hynny'n wir.

*'Ultimately, he wasn't concerned. I don't think so, anyway. He knew he was a social embarrassment to you when he called on you in London in those early years of his exile from public life.'*

*'But sod my feelings, what about his?'* brwydrodd y gwleidydd yn ôl. *'Didn't he feel betrayed? Wasn't he angry with me? Good God, they were still married at the time! He was supposed to be my best friend.'*

*'From what I gathered, he couldn't have cared less. Her beauty was already fading. Her charms had gone. Even her money couldn't buy him out of the storm he knew was about to break over his directorship of that company. The marriage was all but over. Afterwards, you could still have been useful to him. To ease his rehabilitation. You were a great disappointment to him. But for your betrayal of friendship and political comradeship. Not for your adultery.'*

*'I don't believe that he wasn't hurt.'*

*'Well . . .'* cytunodd Brenda. *'He may have been, a little. After all I am his second wife and I'm bound to be slightly biased. But Jim had been ruthless. They both had.'*

*'You mean Rhisgell?'* Nid oedd te ar ôl yng nghwpan Alwyn Perkins ac roedd ei geg yn sych gan sioc.

*'Yes. You didn't get to know her very well during your little liaison, did you?'*

*'You don't mean that that's how Jim knew about us?'*

Chwarddodd Brenda wrthi hi'i hun wrth ddychmygu gwallt ei ben yn codi. Fel cymeriad cartŵn. Yn gynghorydd bach cecrus rywle yng nghefn gwlad ei famwlad. Wedi ei fwrw oddi ar ei echel. I arddangos ei lygredd a gwynt ei hunanbwysigrwydd i'r byd a'r betws.

*'There were little hints, apparently,'* atebodd y weddw ymhen hir a hwyr. *'She knew one scandal would be more than enough for him to cope*

136

*with. He couldn't risk ruffling other feathers nearer home. Their marriage was falling apart. They separated soon after. Surely you know how ammunition is mercilessly moved into position by both sides when a marriage is falling apart. But of course you don't. You've never been married . . . I forgot.'*

*'I don't know whether I believe you, Mrs Lloyd.'*

*'No. That I can understand. But I've given you something to think about, haven't I? And that's always a robust contribution to one's mental well-being. Not that Othello would agree with me, of course. But no matter,'* ychwanegodd.

Gallai dau mor galongaled a chynllwyngar â Jim a Rhisgell fod wedi llofruddio wedi'r cyfan, meddyliodd Alwyn Perkins. Ond ai dyna oedd Brenda Lloyd am iddo feddwl, fe'i holai ei hun? A chan taw ei dad oedd gwrthrych y lladd, roedd yr Aaron Skinner anghynnes yna yn bur annhebyg o ddilyn y trywydd ymhellach. Felly, troes cyffes anghredadwy yn ddirgelwch. A dirgelwch yn enigma. Canys ni welai'r arglwydd fod modd yn y byd iddo byth ddod at y gwir.

*'I'll make a fresh pot of tea while you ponder the problem,'* cyhoeddodd Brenda, wrth iddi simsanu i'w thraed.

# 3. 13   doli farw

'Ma' Samantha wedi marw,' cyhoeddodd Lleucu'n drist wrth gamu i'r lolfa yn y fflat yn St. John's Wood. Yn drwsgl dan ei chesail cariai'r gelain blastig.

'Dyw dolis ddim yn marw, stiwpid,' atebodd ei brawd, oedd yn gorwedd ar ei fol o flaen y set deledu ar y pryd. Coleddai hwnnw ddiddordeb mawr mewn criced yr adeg honno—diddordeb nad oedd i'w boeni erbyn iddo gyrraedd ei lawn oed.

'Ond ma' Samantha wedi marw,' mynnodd y ferch fach. 'Ma' Nani'n dweud mai dim ond sâl yw hi ac y daw hi'n well dim ond imi ei rhoi hi'n ôl yn ei chrud.'

*'Well! Do as Nanny says then, Lucy.'*

'Rwy am i ti ddod i'r angladd hefyd,' parhaodd y plentyn gan gamu'n fwriadol o flaen y sgrîn.

*'O.K. After this is over. Now please move out of the way. Lucy, plîs!* Fi'n treial dilyn y *match.'*

'Symo Nani'n iawn, sa i'n credu,' ebe Lleucu wedyn, gan roi heibio'i diawlineb a chamu o'r neilltu er mwyn i Aaron allu gweld y sgrîn. 'All Samantha byth â bod yn sâl os oes rhywun wedi'i llofruddio hi, all hi? Pan fydd rhywun wedi'ch lladd chi, ŷch chi'n farw shwps. A does dim os nac oni bai ynglŷn â'r peth. Dim ond ar ôl i rywun eich clwyfo chi ŷch chi'n sâl. Ar ôl llofruddiaeth, ŷch chi'n farw.'

*'Has someone paid hit-men to kill Samantha?'* gofynnodd Aaron, heb dynnu'i lygaid oddi ar y gêm. Hir a diflas oedd ei wyliau haf yn y cyfnod hwn. Heb gymdeithas ei gyfoedion yn yr ysgol roedd ei hunanhyder yn anffawd anffodus. Ymddangosai'n ofer ar yr aelwyd yn Llundain ac yn rhwystr rhag iddo allu cyd-chwarae gyda phlant y pentref pan âi i Gymru. Hiraethai am ei ddormitori a Saesneg coeth y bechgyn eraill.

'Beth yw *hit-men*?' gofynnodd Lleucu.

'Dynion drwg sy'n lladd pobol am arian,' atebodd.

'Na,' ochneidiodd Lleucu. 'Nid neb arall 'naeth ei lladd hi. Fi 'naeth. Ond falle os rho i sws i Samantha y daw hi'n well.'

'O! Cer 'nôl at Nani, *there's a good girl*. Bydd Mami adre toc a galli di whare gyda hi.'

'Sa i ishe whare 'da Mami. Na Nani. Fi ishe i ti a fi atgyfodi Sam gyda sws mawr.'

'O, Lleucu! Paid â chadw cymaint o sŵn.'

Wrth siarad, chwyrlïai'r ferch y ddol fel esgyll awyren uwch ei phen.

'Symo sws yn cadw sŵn, siŵr iawn,' protestiodd Lleucu gan chwerthin.

'Ydy, mae sws yn gallu cadw sŵn. Dyna ddangos faint wyt ti'n gw'bod. 'Ti'n gw'bod dim. Ha! Ha!' heriodd Aaron.

'Dangos i fi, 'te,' cymhellodd Lleucu, ei gwefusau'n giwpid perffaith.

*'Go and play with some other doll, Lucy. You're in the way.'*

Troes gwefusau'r ferch o gwpled eiddgar yn geg ogof a thrwyddi saethodd tafod hirgoch fel fflam o ffroen draig:

'Twll tin pry,

Ych-a-fi,

Symo ti'n ca'l dod 'da fi,' llafarganodd Lleucu.

*'Nanny,'* gwaeddodd y bachgen, *'Lucy's in the way. Can't you keep her amused? After all, that's what you're paid for.'*

Wrth iddo sianelu'i lygaid unwaith yn rhagor ar y sgrîn ddu a gwyn, troes y ferch ar ei sawdl. Gyda'r ddol farw yn dal yn ei breichiau cerddodd yn araf o'r ystafell. Camai'n ofalus fel petai yng ngosgordd ei hanglladd ei hun. Ond y funud y cyrhaeddodd y coridor, rhuthrodd yn ôl i'r feithrinfa at Nani Gilchrist.

'*Aaron says kisses can keep a noise,*' ebe hi'n ddiniwed, er mwyn tynnu sgwrs. Ni allai Samantha siarad. Yr oedd yn un o ddiffygion bod yn farw.

'*Surely you mean kisses can be noisy,*' cywirodd Nani. Nid oedd hon yn rhannu brwdfrydedd mam y plant dros adael iddynt siarad Cymraeg â'i gilydd. Eu drysu fyddai unig ganlyniad y dwyieithogrwydd, yn nhyb y Nani. Ac roedd brawddeg smala'r ferch yn cadarnhau ei barn. '*Now then, what about helping me to tidy up these dolls?*' ychwanegodd.

'*No. I want to bury Samantha first,*' atebodd y plentyn. '*What do I need for digging? I want to do it properly and put a stick in the ground so that I can take flowers there each Sunday.*'

'*You'll soon be short of flowers, darling,*' ebe Nani Gilchrist gyda choegni a oedd y tu hwnt i ddealltwriaeth y plentyn. '*The gardener at Plas Helygain has been dismissed.*'

'*Oh, yes! That's right,*' cofiodd Lleucu.

'*And I'll be gone too by the end of the week. You're going back to Wales to live permanently. There'll be just you and Mummy and Daddy in that nice big house.*'

A gwynt teg ar ôl yr hen dwll o le, meddyliodd Nani wrthi'i hun.

'*And Aaron,*' prysurodd y ferch i'w chywiro. '*When it's not term-time.*'

'*Yes, of course. And Aaron too. And why not take Sam back with you, so that you can bury her in your garden . . . If you're sure she's dead, that is.*' Yn sydyn, wrth siarad, amheuai'r nani ei bod hi ar dir seicolegol simsan iawn.

Ond nid oedd waeth am hynny. Yr oedd Lleucu eisoes o'r farn nad oedd fawr o swyn mewn cario corff o gwmpas ymysg ei phethau. Onid oedd cyrff yn drewi? Roedd rhai cyrff byw yn drewi, heb sôn am rai marw.

I'r sbwriel â hi! Heb bader. Heb fedd. Heb sws ffarwél i gymell atgyfodiad. A thaflwyd Samantha at weddill y domen ddoliau y byddai'n rhaid i Nani Gilchrist eu didoli ar ei phen ei hun rhwng nawr a'i hymadawiad brynhawn dydd Gwener.

139

# 3. 14   draenog

*Maen nhw'n torri'r coed lle bûm i gynt yn cymuno. Yn caru, slawer dydd.*
*Yn cerdded linc-di-lonc yng ngolau'r lloer. Boed yn Siliwen. Neu Gwm*
*Cynon. Neu dir y castell. Dyna lle y gwelais i'r nos yn cysgu'n bwten bigog*
*ger yr afon. Lle y torrodd y cariadon lythrennau breision yn y pren. Ac wele'r*
*union lwyn a pherth lle y cenhedlwyd y cerddi anghyfreithlon.*

*Maen nhw'n torri'r coed lle bûm i gynt . . . Clywaf y fwyell yn darnio*
*trwy gyff y cymunedau. Sglodion a siop siafins lle bu gwreiddiau'n ddwfn.*
*Llif y coediwr yn dinistrio fforest cenedligrwydd.*

*Sgrialodd yr eryrod i'w hafan fry. Gwelaf y brain yn codi'n gwmwl du,*
*eu nythod yn ddifrod o fwswgl sy'n disgyn fel conffeti ar y llawr. (Y sawl a*
*dorro nyth y frân, a gaiff weled uffern dân.) Yng nghannwyll fy llygad y*
*mae cadno yn dianc mewn fflach o goch. Clwyfwyd y llwynog (fel lleidr yn*
*heglu rhag ei ffawd) gan fwled o wn yr heliwr.*

*Tali-ho! Mae'r fflamau ysglyfaethus fel cotiau cochion. Yn difa*
*distawrwydd. Yn rhemp dros dir y parc. Gwae hwy, na sawrant gadno cyn*
*darganfod mai'r blaidd a ddaliasant. Mor braf fydd clywed udo trwy eu*
*hutgyrn.*

*Ond dere . . . dere di! Wrth chwerthin bu bron imi â chamu ar greadur*
*bach arall. Ei ofn wedi ei droi'n belen. Pêl griced yn y gêm brawf ofnadwy.*
*(Nid nepell oddi yma y mae'r llain lle bydd tîm Morgannwg yn chwarae.*
*'Chi'n gweld, nid yw realiti byth ymhell o'm meddwl! Rwy'n ddigon*
*rhesymol a chytbwys i sylweddoli fod yna ffeithiau moel sy'n ffrâm i*
*ddryswch y darluniau yn fy mhen.)*

*Pwy roddai ddraenog Gwenallt i blentyn yn rhodd?*

*Ac ar fy ngwir, dacw'r tŷ . . . Dacw'r twll . . . Dere, Tomos. Dyma'r*
*prawf . . . y prawf ofnadwy . . . y bu'r amheuwyr yn ei geisio fel Greal.*
*Dod dy law yn fy llaw, fy mhlentyn, a dangosaf iti'r twll . . . Dere, bach!*
*Paid â straffaglu. Sdim ishe bod ag ofn. Dyma'r twll lle y ganwyd y creadur*
*pigog.*

*Dod dy law on'd wyt yn coelio . . . A chlyw'r pigiadau chweiniog yn*
*rhidyllu'th groen. Gwêl y gwaed sy'n profi fod natur draenog ynot tithau. A*
*finnau. Ein dau yn aelodau o rywogaeth y pelenni bach. A pherygl i bob un*
*ohonom gael ein gwasgu dan olwyn lorri fawr ar briffordd y mae'n rhaid*
*inni ei chroesi. Rhwng clais un clawdd a'r llall. Rhwng crud a bedd.*
*Rhyngot ti a fi, byddai tân yn well trosiad na phriffordd. Ond mae'r*
*radio'n gallu taflu gwreichion i ddrysu aelwyd. Geiriau cân bop. Un funud*
*fach i feddwl. Y newyddion diweddaraf.*

*Tali-ho! Rhof fy mys ar y botwm. Rwy'n diffodd y purdan. Rhaid fy*
*mod wedi gwneud rhywbeth drwg ofnadwy i gael fy nanfon i'r lle hwn yn*

*fardd. Pam y dylwn i ddioddef rhagor? Rwy'n disgwyl rhywbeth gwell i ddod yr ochr draw.*

*Paid â chrynu, ddraenog bach! Dere gyda fi o dan y dail. Awn bawb yn ddraenogod bach! Pawb i grymu. Pawb yn grwn. Pawb yn hapus ac yn llon. Rwyf am eich gweld i gyd yn belenni nerfus, llawn niwrosis.*

*Pan ddaw Mai bydd eich trwmgwsg drosodd a daw awr y metamorffosis. Cewch droi'n dywysogion heirdd o'r diwedd. Yn engyl glandeg wrth yr orsedd. Gan ddiosg lifrai picellog y draenog brwnt. (Rwy'n creu stori dylwyth teg o iachawdwriaeth purdan.) A bydd ugain canrif o wareiddiad Cristnogol Ewrop yn ddim namyn myrdd o grwyn crebachog yn chwythu fel llwch ar hyd llawr y glyn. (Mae'r ailddyfodiad yn stori arswyd wrth fy nhraed.)*

*Os daw dydd y bydd pob coeden wedi ei dymchwel, ni fydd draenog mwyach yn lwmp o ofn ar ganol llwybr. Ni welaf lwynog na blaidd yn rhuthro rhwng y llwyni. Ac ni hed adar uwch fy mhen. Bydd nos yn nos heb ddyn i'w halogi na'i gwerthfawrogi. A chaiff y tân losgi'r cerddi oll fel coron wenfflam, yn gylch ar hyd y gorwel.*

*Bydd gobaith am drugaredd, dim ond i minnau gael bod yn y canol yn noeth ar y gwastatir.*

Gyda hyn, aeth Lleucu adref. Ond nid oedd bywyd yn bosib iddi ar ôl y noson hon.


# 3. 15    ystyr tagu

'Ydy bitsh yn bitsh am byth?' holodd Aaron.

'Hyd y bedd, Dafydd. Hyd y bedd,' oedd ateb oeraidd Rhiannon.

Yng nghyntedd ei fflat yr oeddynt. Bore o Fedi. Drysau i bob cyfeiriad. I'r lolfa. I'r ystafell ymolchi. I'r ystafell wely. Heb anghofio'r drws allanol, wrth gwrs. Drysau ar bob tu. A draw, trwy ddrws agored y lolfa, gellid gweld y balconi a'r olygfa dros y môr.

'Ac wedyn? Wedi'r bedd? Beth wedyn?'

Nid oedd yn ddyn a gymhellai atebion i'w gwestiynau rhethregol. Nac yn ddyn i daflu llwch i'w lygaid. Plygodd Rhiannon i godi'r dilledyn brwnt a ollyngodd wrth ei gludo i'r gegin i'w roi yn y peiriant golchi.

'Wedi'r bedd efallai na fydd modd i'r un bitsh fy nhwyllo,' cynigiodd yntau ei ateb ei hun.

'Ro'n i'n meddwl y baset ti'n falch,' cymerodd hithau'i siawns. Bu'n defnyddio geiriau fel teimlyddion i weld sut oedd y gwynt yn chwythu. Gwyddai ei fod yn gynddeiriog. Ac wedi'i frifo, efallai. Ond nid oedd wedi penderfynu eto pa strategaeth oedd orau i dynnu'r gwynt o'i hwyliau. Cadwai'n brysur. A chadwodd ei brawddegau'n fyr.

'O! Dyna o'dd 'da ti mewn golwg, ife?' Yn ei lid, dychwelodd ei dafodiaith. Tafodiaith ei fam a'i chwaer, mewn gwirionedd. Cans ni fradychai yr un dafodiaith gynhenid ei hun. 'A sha pryd o't ti'n bwriadu torri'r newyddion da 'na imi? Rhyw dd'wrnod neu ddou cyn dyddiad y cyhoeddi?'

'Syrpreis bach oedd o i fod . . .'

'Ffycin syrpreis go iawn ddwedwn i! Ti'n iawn!'

'Dafydd, plîs, dydw i ddim 'di arfer efo gorfod gwrando ar y fath iaith.' Ymsythodd yn falch gan lapio siwmper wlân fel cadach am ei dwrn. Ceisiodd gerdded i gyfeiriad y gegin, wedi'i hysgwyd am foment gan ddwyster ei ddig. Ond gafaelodd Aaron ynddi gerfydd ei braich a'i gwthio'n ôl yn erbyn y wal.

'Gwranda, Rhiannon, mae'n hawdd imi wneud bywyd yn anodd i bobol. Dyna 'ngwaith i.'

'Dwi'n dallt dy fod ti wedi gwylltio . . .'

'Na. Dwyt ti'n dallt dim,' torrodd yntau ar ei thraws. 'Dyna'r drafferth. 'Ti 'di cael dy ffordd dy hunan am sbel go hir. Ac mae 'nghalon i'n gwaedu drosot ti a dy siort. Yn sbaddu'ch greddfe gyda geirie ffansi. Weda i hyn wrthot ti am ddim, roedd mwy o onestrwydd yn y geme rown i'n arfer eu whare yn 'y ngwaith nac yn dy dwyllo deallusol di . . .'

'Gad lonydd imi, Dafydd. Rwyt ti'n brifo.'

Rhyddhaodd ei braich ond cyn iddi gael cyfle i symud, gafaelodd ynddi gerfydd ei gwddf. Roedd yn hen law ar gogio caredigrwydd cyn dwysáu'r ffyrnigrwydd. Yn ei dyb ef, gêm onest oedd ymgyrchu at y gwir, waeth pa ddulliau a ddefnyddid.

''Ti 'di byw fan hyn yn rhy hir yn dy neisrwydd bach troëdig. Hen bryd iti ddysgu pethe mor egr yw emosiyne go iawn. Nid jyst y geirie ffansi 'na mae beirdd a llenorion yn eu defnyddio i gyfeirio atyn nhw. Fi'n sôn am chwys. Fi'n sôn am glais. Fi'n sôn am sws. Wyt ti'n deall? Nid y geirie am y pethe. Ond y pethe eu hunain.'

Roedd modd chwistrellu yn erbyn effeithiau chwys. A chuddio clais. A chadw sws yn dawel. Pa le'r wraig a orweddai fel tir? Yn gaeau ŷd a phyllau glo? Yn afon o lawenydd ac yn graig o falchder? Nid oedd yn bod. Y cymar a adawai i ddyn bysgota a mynydda mewn mudandod.

'Plîs, Dafydd. Dwi'n tagu!'

Mynnai hon eto ymladd yn ôl. Yn dannod a chynllwynio. Yn gelwydd i gyd.

''Ti ddim yn gw'bod beth yw ystyr tagu,' gwatwarodd yntau yn ei hwyneb. 'Fi'n gw'bod pryd ydw i'n tagu person a phryd dwi ddim. 'Ti'n gweld? 'Ti 'di bod yn defnyddio'r geirie 'ma yn rhy hir heb ddeall eu hystyron nhw. A ti'n dwp affwysol os wyt ti'n meddwl dy fod ti'n glyfrach na fi.'

'Dafydd, plîs! Dydw i erioed wedi meddwl ffasiwn beth.'

'Dere'n ôl at deimlade. Dere i lawr o'r cwmwle 'na lle wyt ti'n esgus byw a dadansoddi. Mae'n oer y diawl lan fan'na. Ond cred ti fi mae pethe'n gallu poethi.'

'Dwi'n gallu gweld dy fod ti'n ddig a dwi'n dallt pam . . .'

'Wyt ti? Wel! Mae hynny'n gysur.' Oedd cysur yn bosibl pan oedd cariad yn gras? 'Nawr, cer i mewn fan'na i adrodd y stori i gyd.'

Rhyddhaodd ei afael arni'n araf. Llyncodd hithau'i phoer a chamodd oddi wrtho'n gyflym.

'Plîs, ymdawela a gad i mi egluro,' ymbiliodd Rhiannon wrth i oleuni'r bore frifo'i llygaid. Trawai haul yr hydref yn ffyrnig yn erbyn y ffenest lydan a arweiniai at y balconi. Ysai hithau am gael ailafael yn awenau'r sefyllfa. 'Ro'n i'n meddwl y baset ti'n falch.'

'Balch?'

'Ie.'

'Oedd Brenda Lloyd yn falch?'

'Nac oedd.'

'Na. Dydw i ddim yn synnu.' Daeth pwyll i ffrwyno'i gynddaredd ond synhwyrai Rhiannon nad oedd hi eto wedi cael y gorau arno. Yr oedd hwn yn anad yr un o'i chariadon blaenorol yn feistr ar fod yn feistr. Troes ei siwmper o faneg focsio yn swci meddal i'w ddal yn fwythlon yn erbyn ei bron.

'Rydw i wedi gwneud cawl o hyn,' ebe hi'n wylaidd. 'Y ffordd es i ynghylch y peth sy wedi creu'r smonach. Brenda Lloyd sy wedi bod yn siarad â ti. Mae hynny'n egluro llawer.'

'Ydy e? Beth yn union? Y ffaith nad yw hi am i enw'i gŵr fod ar hyd y papure newydd fel llofrudd? Rhyfedd, yntefe? Mi faset ti'n dishgwl y bydde hi wrth ei bodd. Ond falle y bydd e'n fwy byth o ryfeddod iti glywed nad ydw inne chwaith am weld enw fy mam yn y cyfryw bapure.'

'Paid â cheisio bod yn goeglyd. Dwyt ti ddim yn dda am ei wneud o . . .'

'O! Ddim yn ddigon clyfar iti? Ai dyna be sydd?'

Ochneidiodd Rhiannon o ddiffyg amynedd. Roedd ganddi gymaint o waith ar ei phlât. Y golch i'w roi trwy'r peiriant. Dar-lithoedd y prynhawn. Traethodau i'w marcio.

'Na,' atebodd yn swta.

'Dim ond ymarferiad mewn clyfrwch a cheinder yw bywyd rhai fel ti, yntefe?'

'Ches i ddim cyfle i siarad â thi'n iawn cyn hyn. Rwyt ti'n treulio hanner dy amser yn Llundan . . .'

''Ti wedi 'nefnyddio i, y bitsh!'

'Rwyt titha wedi fy nefnyddio i. Siawns nad ydyn ni'n haeddu'n gilydd.' Ateb clyfar arall. Cnodd Rhiannon ei thafod, ond yn rhy hwyr.

'Eistedd ar y gadair 'na, bitsh!'

Eisteddodd Rhiannon.

'Cod, bitsh!'

Cododd.

'Eistedd . . . Cod.'

'Be sgen ti isho gen i?'

Teimlai Rhiannon fod holl gynseiliau'i gwareiddiad tan fygythiad. Aeth y macwy yn ôl i fod yn fochyn. Cysgodd y bardd drachefn a deffro'n dreisiwr. Pawb at y peth y bo.

'Mae'n flin 'da fi darfu arnat ti, Rhiannon.' Gallai'r fath dyn-erwch yn ei lais danseilio ofn. 'Dim ond am iti fy helpu gyda fy ymholiade yr ydw i.'

Dyma Gymro proffesiynol arall. Dirmygai Rhiannon ef. Yn dod yn ôl at ei wreiddiau. Er mwyn eu dadansoddi.

'Fydd dim angen seboni. Rho gyfle imi, ac mi fydd fy huotledd i yn ddigon o hylif rhyngom.'

'Clyw'r bitsh uffern! Rwy'n gw'bod dy fod ti'n glyfar ond rwy wedi torri ysbryd pobol glyfrach na thi. Wyt ti'n deall? Nawr, ble mae'r cyfieithiad 'na wnest ti tu ôl i 'nghefn i?'

'Mae o ar y prosesydd . . .'

'Reit. Dangos imi.' Aeth draw at ddrws y stydi. 'Dere i ddangos e imi ar y sgrîn, er mwyn inni gael ei ddileu.'

'Mae'r ddisg gyda'r ffotocopi wnest ti yn fy swyddfa yn y Coleg.'

'Reit! Bant â ni i'r Coleg 'te.' Cododd allweddi'i char oddi ar y silff-ben-tân a thaflodd hwy ati. Disgynnodd y dilledyn eilwaith i'r llawr. 'Gyrra di. A chofia os wyt ti'n meddwl rhedeg i ffwrdd y dof i ar dy ôl di. Dwyt ti byth yn mynd i ddianc oddi wrtha i, wyt ti'n deall? Ac os bydd yn rhaid imi dy gadw di mewn trefn, cofia na ddaw neb i dy achub di. Mae hyd yn oed yr heddlu

144

yn gyndyn i ymyrryd rhwng gŵr a gwraig, neu rhwng dau gariad. Anghydfod fach ddomestig fydd hi.'

Gyrrodd Rhiannon i'r Coleg gyda braich y dyn a eisteddai yn ei hymyl yn gorwedd yn gariadus yr olwg wrth ei gwar. Parciodd y car a dilynodd Aaron hi dan do'r adeilad. Torrodd air ag ysgrifenyddes yr Adran heb fradychu dim ar ei hofn.

Arhosodd Aaron amdani yng nghil drws ei hystafell, tra turiai yn un o'r droriau.

'Rhiannon yn dangos ichi lle y byddwn ni i gyd yn llafurio, ydi hi?'

Troes y ddarlithwraig a dyna lle y safai'r Athro yn tynnu sgwrs ag Aaron.

'Mae gan Dafydd syniada pendant iawn ynglŷn â'n gwaith ni i gyd,' ebe hithau. 'Fyddech chi ddim yn cymeradwyo, mae'n flin gen i, Athro.'

'Dyw hynny ddim yn golygu nad oes gen i ddiddordeb mewn gweld eich twr ifori chi,' ychwanegodd Aaron yn hynaws.

'Wel! Y blynyddoedd diwetha 'ma mae'r gwynt wedi bod yn chwythu'n go fain o'n cwmpas ni. Yn tydy, Rhiannon?'

''Dach chi'n llygad eich lle,' atebodd hithau gan wthio pentwr o bapurau a meddalwedd i amlen fawr frown.

'Ar y ffordd i'r ffreutur yr ydach chi?'

'Tewch! Ydy hi'n amser cinio'n barod?' meddai Rhiannon.

'Mae gorchwyl neu ddwy gyda ni i'w cyflawni cyn cinio, mae'n flin gen i,' atebodd Aaron y cwestiwn, wedi ei gamgymryd am wahoddiad. 'Rywbryd eto, efallai.'

'O! Tydy'r Athro ddim ar ei ffordd i'r ffreutur chwaith, yn nac 'dach?'

'Digon gwir, Rhiannon, digon gwir. Mi fydd rhywbeth gan Rita yn barod ar y bwrdd imi.'

Ffarweliodd â hwy, gan ddiflannu i lawr y coridor.

'Hapus rŵan?' heriwyd Aaron gan y ferch. 'Dyma ti, yli.' Estynnodd yr amlen A4 ato a daeth yntau i'w nôl. 'Cymer y blydi peth. Coflaid o gachu ydy o, p'run bynnag.'

'Pam wnest ti hyn i fi?' gofynnodd Aaron iddi'n ddiweddarach. Roeddynt yn diweddu'r dydd ym mreichiau'i gilydd, yn noeth ac yn ddiymadferth. 'Roeddet ti'n fodlon fy nefnyddio i. Ti o bawb.'

Truenus oedd pob dyn wyneb yn wyneb â'r dirgelion a grëwyd er ei fwyn gan ferch. Cymerai Rhiannon biti drosto.

'Doeddet ti ddim yma yr wythnos honno. Rwyt ti'n dal i dreulio cymaint o dy amser gyda Liz a'r plant.'

'Dwi ddim wedi gorffen gweithio cyfnod fy nghytundeb eto. Rwyt ti'n gw'bod hynny.'

Ofer oedd iddi wneud iddo deimlo'n euog. Yr oedd wedi'i hyfforddi'n dda i wrthsefyll y demtasiwn honno. Beth wnâi hi efo dyn mor beryglus â hwn?

'Nid ceisio dy ddefnyddio di wnes i. Ro'n i'n fodlon cadw'r llawysgrif 'na'n ddiogel drostat ti. Ond ro'n i gymaint o isho cyhoeddi'r llyfr cyfan fel y 'sgwennais i o.'

'Mae'r erthygl ar Lleucu wedi gweld gole dydd. Fe ddyle hynny fod yn ddigon iti.'

'A ro'n i am ddial ar Morfudd Price. Er dy fwyn di, yn gymaint â dim.'

Gwasgodd ef ati. Rhaid fod dweud hynny wedi plesio. Dim ond dyn oedd e wedi'r cyfan. Fe ddysgai hi'r ffordd i'w drin a'i drafod. Byddai'n fwy o sialens na'r rhelyw, dyna i gyd.

'Fedra i byth ymddiried yn neb, weli di? Mae e'n rhywbeth sy'n groes-graen imi.'

Dyna pam iddo ddifetha'r dystiolaeth, mae'n debyg. Dyna pam y troes ei law yn goler am ei gwddf, ei fraich yn dennyn. Efe a'i troes hi'n anifail anwes. Yn greadures na châi gnoi.

Nid oedd y naill na'r llall ohonynt eto yn gybyddus â chariad. Caent ddod cyn belled â'r cusanau. Ond rhaid oedd aros yn y purdan am dalm yn rhagor. Cyn cael gweld rhin yn sawr y chwys. A phrofi gwerth y glesni yn y clais.

Y prynhawn hwnnw, gwasgwyd y cyfeirnod cywir ar y cyfrifiadur i ddileu'r cyfieithiad. Tynnwyd y ddisg feddal o'r peiriant a thorrwyd hi'n chwarteri â siswrn. Gorweddai iaith fain ei thwyll yn bedwar ar waelod y fasged sbwriel, yn sarn fel merthyr mewn oes o annioddefgarwch.

Gyda chymorth matshen a bin sbwriel metel, dinistriwyd y llungopi a dynnodd Aaron o'r hunangofiant. Llosgwyd y dogfennau oedd yn brawf o'u hanghydfod cyntaf. Ar falconi nad oedd erbyn hynny yn llygad yr haul. Chwythwyd cymylau duon yr amlosgfa i lendid y lolfa. Yn frain ar ffo. Wedi'u bugeilio'n dwt i'w cawell. Gan gario'r gwir, y gau a sawl gofynnod yn eu côl.

## 3. 16 gwahoddiad i ladd

Rhoddodd Lleucu'r arian cywir ar y cownter a chariodd ei phaned coffi draw at y ddau drempyn. Gwenodd yn wan ar y ddau, rhag tarfu ar draddodiad y lle. Oedd, roedd hi'n hwyr a heno roedd caffi Pat yn hanner gwag.

Crebachodd gwep y dynion gan edliw iddi ddod ac eistedd yn eu hymyl, yn enwedig gan fod hyd yn oed eu llygaid cyfyngedig hwy yn gallu gweld fod yno ddigon o fyrddau gwag.

'Rhewi'n gorn eto heno,' torrodd Lleucu'r garw. 'Ar y ffordd i'r lloches ŷch chi?'

'Sgen ti sigarét i sbario?' gofynnodd Tramp Rhif Dau gan fanteisio ar y cysylltiad a chan anwybyddu'r cwestiwn. Yn raddol, yn ystod y misoedd diwethaf, diffoddasai ei wallt cringoch yng ngerwinder y gaeaf.

'Gad imi weld 'te . . .' A thuriodd Lleucu ym mhoced ei chôt.

'Dwyt ti ddim yn un ohonon ni,' barnodd Trempyn Rhif Un o dan ei wynt. 'Côt neis, musus!'

'Dwi'n hoffi fan'ma. Cwmni da,' atebodd Lleucu gan estyn sigarét i Rhif Dau. Fel Sosialydd cydwybodol estynnodd y llall ei law am un hefyd, rhag iddo golli'r cyfle ar ddim.

Turiodd hithau ymhellach a thaflodd sigarét ato.

'Wyt ti'n gw'bod am le da?' gofynnodd Rhif Dau gan geisio wincio arni.

'Na. Dyw hi ddim yn un ohonon ni. Jyst edrych arni,' ebe Rhif Un.

'Pam nad ewch chi i'r lloches? Gawsoch chi'ch cloi allan? Ydyn nhw'n llawn am y noson?' holodd Lleucu. Tywalltodd lwyaid o siwgr i'w choffi ond nid oedd am ei droi yn rhy egnïol rhag prysuro ei oeri.

'Rŷn ni wedi'n cloi mâs o'r lloches . . . wedi'n gwahardd, bron â bod,' atebodd Rhif Un, 'am ei fod e'n chwyrnu cymaint.'

Bytheiriodd Rhif Dau am i'w ffrind siarad amdano mor ddilornus. A gofynnodd i Lleucu am dân i'w roi wrth flaen ei sigarét.

Saesneg oedd iaith y sgwrs hon, wrth reswm, er i'r hyn a ddywedodd pawb hyd yma gael ei gofnodi yn yr iaith a siaredid ar y pryd. Daeth yn bryd cyfieithu am fod gafael afrealaeth yn tynhau a grym purdeb yn cynyddu. Cyn bo hir ni fydd geiriau di-flewyn-ar-dafod yn bosibl. Ac eithrio yn y golygfeydd prin pan fo pobl yn siarad â gonestrwydd sydd y tu hwnt i'w galluoedd meidrol.

Rhaid i'r rhai sy'n credu mewn difodiant bywyd a'r rhai sy'n credu yn ei atgyfodiad dderbyn mai mewn gwallgofdy yn unig y mae afreswm y drefn i'w glywed yn ei famiaith. Cyfieithir popeth yn y byd mawr tu fâs er mwyn gwneud yr afreswm mor ddealladwy â phosibl i'r rhai sy'n ei fyw. Ceir ambell gymal nad oes modd ei gyfieithu ac ambell air nad yw'n bod yn ieithoedd dyn. Ond at ei gilydd, am ei fod yn weddol ddealladwy, mae hurtrwydd bywyd yn dderbyniol i drwch y ddynoliaeth.

Erys y gwallgof yn wallgof am iddynt golli'r gallu i drosi trallod bywyd i iaith llai gyddfol a blagardus na'r gwir di-gêl.

Gan ei bod hi'n fardd, tybia Lleucu ei bod hi'n lwcus iawn. Try'r treialon oll yn gerddi, yn gancr iach ac yn atgofion am gariadon na fu erioed yn bod. Gŵyr na fydd hi byth heb dylwyth am fod ganddi'r gallu, os byth y bydd raid, i drosi pob gelyniaeth yn geraint.

Dyna pam y teimla'r rheidrwydd rheolaidd hwn i herio'r nos trwy dramwyo'n barhaus trwy'r cynteddoedd hyn lle y troedia'r cloff a'r methedig. Nid oes dim yn rhy hyll iddi allu ymdopi ag ef. Trosir pob hagrwch yn weledigaeth o rywbeth hardd, ysbrydol neu ddyrchafedig. Y mae'n dyheu ar i'r nos gael y gorau arni trwy ddangos iddi rywbeth a fydd yn drech na phwerau trosol ei chelfyddyd. Rhywbeth mor arswydus fel na fydd cerdd yn bosibl ar ei gorn.

Yn y cyfamser, gyda'i thraed yn oer a'i phen yn gaib gan ffydd yn ei gwerth ei hun, gall ddisgyn yn sypyn i'w gwely yn oriau mân y bore, yn ddiogel yn y gred ei bod hi'n fardd a'i bod hi'n saff rhag y seilam yn ei phen (er bod y bedlam hwnnw fel buddai fawr yn troi a throi o'i mewn).

Mor hawdd iddi'r noson honno oedd rhoi'i chyfeiriad i Dramp Rhif Un a Thramp Rhif Dau.

Ysgrifennodd ef mewn llythrennau breision ar gefn amlen. (Bellach yr oedd beiro, blwch matsys, dwy sigarét a llythyr wedi'u tyrchu o boced ei chôt.)

'Rown i'n gw'bod mai un o'r cydymffurfwyr oeddet ti,' ebe Rhif Un wrth ddarllen y cyfeiriad. 'Pobol tai.'

Gwisgai bâr o fenig gwlân gyda blaenau'r bysedd wedi'u torri ymaith a thynnodd gefn ei law ar draws ei drwyn, oedd yn rhedeg yng ngwres y caffi a'r ager a godai o'r cwpan te. A dyma un o'r dynion gafodd wahoddiad gan Lleucu i alw draw am dro.

'Dewch, myn dyn, i godi braw arna i ryw dro,' ymbiliodd. 'Ddewch chi? Yn y nos? I 'mhlesio i?'

'Y!' sgyrnygodd Rhif Dau rhwng ei ddannedd. 'Nid cynnig lle i aros wyt ti?'

'Fe gewch chi ddiod wedyn,' addawodd Lleucu. 'A 'drychwch, dyma arian.'

Plymiodd ei llaw i'r boced arall i chwilio am ei phwrs.

'Yn y nos rhaid iddo fod, cofiwch. Yn hwyr iawn y nos. Ac yn ddiarwybod imi. Fe allwch chi esgus bod yn ysbrydion. Neu ladron. Neu unrhywbeth fynnoch chi. Tra'i bod hi liw nos a neb yn eich disgwyl chi . . . Dyna ni.'

O'r diwedd, tynnodd Lleucu'i phwrs i'r golwg. Yr oedd wedi disgyn i'r gwaelodion trwy dwll yn y leining.

Pefriai llygaid y ddau. Ni chawsant erioed gyfle i wneud arian mor hawdd. Neu o leiaf, dyna a dybient wrth i Lleucu estyn ugain punt iddynt ar ffurf dau bapur decpunt—yr unig arian papur yn y pwrs.

'Codi braw, ddwedest ti?' gofynnodd Rhif Un, gan fachu'r darn papur cyn disgwyl am ateb.

'Ie,' sicrhaodd Lleucu ef. 'Codi braw arna i yn y nos. Fel petai'r igian arna i. Ydych chi'n addo dod? Ac fe gawn ni barti wedyn. Ac fe gewch chi gysgu allan yn y portsh.'

'Pam 'te?' gofynnodd Rhif Dau. Gafaelodd yntau hefyd yn y papur gwerthfawr ond plygodd ef yn ofalus heb ei roi o'r neilltu, fel arwydd o'i amheuaeth.

'Rwy'n byw 'da ffrind. Ac rwy am roi syrpreis bach iddi.'

Pan adawodd Lleucu'r cwpan gwag ar y bwrdd o flaen y ddau yr oedd Morfudd ymhell o'i meddwl. Wedi'i gadael fel presant yn y cwtsh-dan-stâr. Yn barod i neidio allan ati unrhyw funud. Yn ferw o ddrama. Yn eiriau mawr o regfeydd a rhubanau.

Ond am y tro, gorweddai'n fud-farw yn y twll du o fewn ei phenglog. Yn barod i dderbyn sioc. Ac i fod yn sioc ei hun.

Geiriadur wedi'i lapio'n ddel mewn papur lliwgar oedd hi. Yn sbloet gwâr. Yn sŵn i guddio anobaith. Ac yn sylfaenol ddi-sylwedd.

Ffarweliodd Lleucu â'r ddau wron heb yngan gair. Onid oedd cysgod gwan o wên yn ddigon? Yn ddigon i gynnal yn fyw y gobaith y cadwai'r ddau ddihiryn eu gair? Ac y deuent i gadw reiat yng nghlydwch smŷg ei swbwrbia?

Ond geiriau! Y geiriau yr oedd Morfudd Price yn gymaint meistres arnynt! Disylwedd oedd y rheini, o reidrwydd. Nid fel y potiau pupur a halen ar ganol y byrddau yng nghaffi Pat. Dyna'r gafaelgar. I fardd a thramp a'r ciniawr ar ei gythlwng. Dyna'r sylweddol real. Pa ganwr allai fynd i'r pantri i nôl ei eiriau a'u

149

hulio ar y bwrdd? Yn groes i'r gred gyffredin, nid oedd modd i'r un dyn gymryd geiriau a'u rhoi yng ngheg yr un enaid byw arall.

Brathent. Llyfent. Glafoerient o safn y gwenieithwr. Ond llais y bod dynol oeddynt.

Hyhi a'i harfau diafael! A hithau'n noson oer arall yng Nghaerdydd, gwelai Lleucu mor seithug oedd ei chrefft a disylwedd ei chân. O reidrwydd, o reidrwydd, meddyliodd yn dorcalonnus.

*O, na bai fy mhen yn ddyfroedd!* Llef bardd oedd yn wlyb gan gariad a hithau heb allu cael ei dwylo arno byth. Wel! Nid yn y byd hwn, beth bynnag. Nid y byd hwn o ynn a phontydd. Byd lle nad oedd y benglog yn gallu dal y cefnfor. Lle llifai galar a geiriau mwys mor afresymol rwystredig â'i gilydd.

Mewn glaw mân ar dir y parciau cyhoeddus synhwyrai Lleucu fod y galar, wrth gwrs, dros gariad a fu farw trosom. Trosti? Doedd affliw o ots dros bwy. Y peth pwysig i'w gofio oedd fod ei farwolaeth yn ei hamddifadu hi o wrthrych serch. (Nid yw'n rhy bwysig ychwaith gwybod ai 'Ei' fawr Gristnogol sydd yma mewn gwirionedd, neu 'ei' fach seciwlar. Nid yw Lleucu'i hun yn rhy sicr ar y pwynt. Ac yn y bôn yr egwyddor o ferthyrdod sydd bwysicaf.) Trwy droi'i fywyd o'r neilltu er ei mwyn yr oedd yn creu gweddwdod. Ef yn farw. Hithau'n fyw. Ond yn byw i beth? Syrpreis bach creulon oedd gweithred arwrol gan fod dinod. Anrheg ddisglair i danlinellu'i gyffredinedd arferol.

O, na bai ei phen yn deilchion! O, na bai ei phen yn hesb!

Moethusrwydd ofer oedd ei delwedd o weddwdod, wrth gwrs. A hithau heb gariad. Ein Lleucu fach wyryfol. Er plymio i waelodion y mydr yn yr ymennydd a rhoi draen yn sownd wrth y dychymyg roedd y gormodiaith (gormodiaith, cofier) a lifai ymaith mor ddiafael â chnawd ei chariad dychmygol.

Nid ei bod hi'n teimlo unrhyw reidrwydd am ryw. Byddai hynny'n ddigon hawdd ei drefnu, petai raid. Na, nid cael gafael ar ddyn oedd y broblem. Rhywbeth tlysach, mwy annelwig oedd ar goll. Roedd hi'n hawdd i ddynion. Efallai ei bod hi hyd yn oed yn hawdd i ddynion o feirdd. Wedi'r cyfan, ni allai coron olygu'r un peth i ddyn o fardd ag a wnâi i Lleucu. Ei choron hi oedd y cylch euraid am y benglog. Y fodrwy arwyddocaol. Ar ôl y fodrwy hon, yn unol ag ordinhad yr awen, yr oedd popeth yn bosibl. Y cylch gwerthfawr oedd ymylon arobryn y twba dŵr. Fe dorrai'r dyfroedd a châi'r geiriau eu troi'n gnawd drachefn yng ngŵydd y byd. Ac esgorid ar gerddi trwy'r cylch aur a oedd yn flew ac yn ddolur o gylch ei phen.

Ond nid oedd arni angen trosiadau o fyd mamolaeth ychwaith. Damio'r ystrydebau! Pa angen bod yn fam a hithau'n fardd?

Nid nepell o'i chlyw, lapiai afon Taf yn erbyn y morglawdd a main oedd siffrwd y gwynt trwy'r llwyni draw. Rhyddiaith oedd iddi yn yr hin. Dim namyn rhyddiaith anobeithiol. A chyfieithai hi cyn gyflymed ag y medrai. Er mwyn disodli'r darluniau du cyn iddynt gael cyfle i gofrestru yn ei chof.

O na bai'i phen yn ddyfroedd, meddyliodd. Ond châi hi byth mo'i dymuniad. Châi hi byth gau cymaint ag un dwrn am wegil yr un gair. Dim ond rhimyn cain ei choron fyddai byth o fewn ei gafael. Ac er i'r saer a'i lluniodd gael elfennau ei gelfyddyd rhwng ei ddwylo, gwaharddai natur yr un fuddugoliaeth iddi hi. A byddai offer ei chrefft y tu hwnt i'w chyrraedd o hyn hyd dragwyddoldeb.

Yn athrist dan faich y sylweddoliad hwn yr wylodd yn dawel wrthi'i hun wrth gerdded adref.

## 3. 17    clown yn cilio

'Dadi, pam nad ŷch chi'n dod gyda ni 'fory i Blas Helygain?'

Dyna'r cwestiwn yr oedd y plentyn ar dân eisiau'i ofyn. Ond nid oedd lleferydd geiriau yn bod a roddai lais i'r fath ymholiad.

'Wythnos nesa y dewch chi'n gweld ni yng Nghymru, ife Dadi?'

Bu'n ddyn prysur erioed ond nid oedd sôn amdano'n symud ei bethau hyd yn oed i'r tŷ newydd crand yn y wlad. Yn wir, clywodd y ferch fach ef yn siarad â Nani Gilchrist am roi'i gesys ef ar wahân yn y cyntedd am nad oedd y rheini i gael eu cludo i Paddington drannoeth.

'Mae'n eitha posib y do' i i roi tro amdanoch chi,' atebodd Jim Lloyd, 'ond fydda i ddim ambiti'r lle lawer yn y dyfodol.'

Camodd Lleucu ymlaen ato yng ngweddillion ei stydi. Ni chawsai fynd i'r encil hon yn aml. Ond siawns nad oedd fawr o wahaniaeth bellach gyda'r llyfrau i gyd yn rhwym a'r dodrefn yn wag.

'Tria ddeall, 'na ferch dda,' ebe'i thad wrthi. 'Dyw pobol ddim bob amser yn gallu dod 'mla'n 'da'i gilydd. Ma' pethe wedi bod yn anodd iawn i Mami a fi. Dyna pam ŷn ni'n symud i'r wlad.'

'Ond symoch chi'n M.P. ddim mwy, odych chi?'

'Na. Eitha reit, Lucy. Ma' hynny hefyd. Clyw, gad imi ddweud stori fach wrthot ti.' Plygodd yr hen wleidydd aflwyddiannus ar ei gwrcwd a chododd y ferch yn ei freichiau, er ei bod hi mewn gwirionedd yn mynd braidd yn fawr i hynny. 'Un tro ro'dd 'na hen glown. Am flynydde buodd pobol yn tyrru i'w weld e, er mwyn cael wherthin a wherthin. O'dd y bobl wrth eu bodd ac o'dd y clown ynte wrth ei fodd.

'Ond beth feddyliet ti ddigwyddodd? Fe dda'th dydd pan nad o'dd y dyrfa'n wherthin mwyach. O'dd dim ots beth wnele'r hen ddyn, do'dd neb yn gwenu hyd yn oed.'

'O, 'na drist!' ochneidiodd Lleucu a chlymodd ei breichiau am wddf ei thad gan ddal gafael arno'n dynn.

Yn sydyn rhoes Nani ei phig i mewn.

'Rown i jest yn meddwl tybed i ble'r aeth Lucy, Mr Lloyd,' ebe hi.

'Ma' Dadi'n dweud wrtho i am y clown trist,' eglurodd y plentyn.

'Fe gewch chi fynd os dymunwch chi,' meddai'r tad. Fel Sosialydd (hyd yn oed Sosialydd mewn gwarth) yr oedd y ffaith fod Nani yn edrych ar ôl ei blentyn yn achosi cryn embaras iddo. 'Fe ddyle Mrs Lloyd fod 'nôl unrhyw funud.'

'Mae hi wedi troi wyth, mae'n wir, ond beth am roi Lucy yn ei gwely?'

'Na hidiwch, fe ofala i.'

Diolchodd y wraig ifanc iddo ac aeth i'w hystafell ei hun.

Gyda Lleucu'n dechrau mynd yn rhy drwm iddo, fe awgrymodd ei bod hi'n sefyll ar ei thraed ei hun ac yn paratoi i glwydo.

'Ond beth am y clown?' ymbiliodd wrth gyrraedd y llawr. 'Wellodd e?'

'Nid sâl o'dd e, Lucy fach. Wedi colli'r gallu i wneud tricie a chodi wherthin ro'dd e.'

'Dda'th y gallu'n ôl, 'te?'

'Naddo,' atebodd y tad yn drist. 'Dda'th y gallu byth yn ôl. A dyna pam y diflannodd e o'r syrcas. Pan fydd clown yn colli'i alluoedd dyna'r unig ddewis 'sdag e ar ôl. Mynd o olwg pawb.'

Cydiodd Lleucu'n dynn yn y dyn o gylch ei ganol. Defnydd ysgafn ei siwt siabi yn cosi'i hwyneb. Doedd hi ddim am i'r hen glown yffarn fynd o'r golwg. Fe gâi ei rhoi'n ddiogel yn ei gwely. Fe gâi adrodd stori iddi. Fe gâi aros yn hwyr yn ei stydi yn gweithio ar areithiau nad oedd neb am eu clywed. Fe gâi eistedd yn y lolfa yn cymryd ambell gip slei ar y cloc ac yn anwybyddu'r ffaith fod ei mam yn hwyr. Fe gâi ddadlau am wleidyddiaeth hyd berfeddion gydag Wncwl Alwyn. Fe gâi gysgu'n hwyr a chwyrnu.

Câi ddal i wneud y pethau hyn oll, dim ond iddo addo aros yn y sioe. Dim ond iddo barhau yn rhan o hud y cylch. Dim ond iddo gadw'r colur ar ei wyneb.

## 3. 18   enwi'r meirw

Yr hen lwynog diawl! Doedd e'n newid dim.

Na. Nid dyna'r gwir i gyd, chwaith. Fe fu heneiddio. Ond ffrwynodd Lleucu'i theimladau rhag iddynt dasgu'n ffrwd o ddryswch ar hyd ei hwyneb. Yr oedd yr oerfel eisoes wedi goglais ei ffroenau gan gochi'i thrwyn a pheri iddo redeg.

Cael a chael fu iddi gael ei hances boced ato mewn pryd. Stwffiodd y lliain budr o'r golwg a stopiodd y car yr un pryd. A dyna lle'r oedd hi ar fore o Ionawr yn St. Irvon, pentref bychan ar arffed cors Bodmin. Yr oedd cyfarwyddiadau'i thad wedi bod yn fanwl ac, fel mae'n digwydd, yn ddigon hawdd i'w dilyn.

Camodd o'r car a'i weld yn syth yn sefyll gerllaw. Nid fod yno'r un copa walltog yn gystadleuaeth iddi. Wrth yrru ar hyd y lonydd culion a pharcio yn ôl y gorchymyn wrth dalcen yr eglwys, nid oedd Lleucu wedi dod ar draws yr un enaid byw.

Yr oedd ei weld eto wedi'i droi'n groten fach drachefn. Hwn oedd ei thad, yr hwn oedd yn y senedd. Yr hwn fu yn ei chof gyhyd. Yn ei chof ac yn ei chof yn unig. Heb unrhyw fywyd go iawn.

A dyma hi. Yn torri arfer oes a chyfaddef ei fod yn fyw. Yn cydnabod fod crychau'r blynyddoedd ar ei dalcen a'u braster o gylch ei ganol.

'Fi'n credu y bydden i wedi dy nabod di,' siaradodd y tad gyntaf.

'Shwt mae?' ymatebodd Lleucu. Estynnodd ei llaw ato a chymerodd yntau hi.

'Fe dyfodd 'y nghroten fach i'n groten bert.'

'Rŷch chi'n cadw'n bur dda eich hunan yn ôl eich golwg,' oedd sylw swil y ferch.

Na, doedd e ddim wedi bod yn farw iddi. Doedd e ddim yn bod. Dyna'r gwahaniaeth. Ni feddyliai amdano ond unwaith yn y pedwar amser. Ac nid oedd poen na phleser yn y brith gof. Nid fel cof am y meirw. Na'r cof am rywun y bydd dyn yn hiraethu am ei ddychweliad.

Fe'i rhewyd yn rhywle. A rhowd label Tad arno'n ddeche i'w gadw rhag trybini yn nrysfa'r cof.

'Diolch iti am gytuno i ddod,' petrusodd Jim Lloyd. 'Rown i'n ame a fyddet ti'n cofio dy hen dad.'

'Wrth gwrs 'mod i'n cofio,' atebodd Lleucu. 'Ma' 'da fi gof plentyn ohonoch chi.'

Cof byw. Cof rhynllyd. Sawr ambell stori ar y ffordd i'w gwely'r nos. Y sbeit mewn ambell bennawd salw mewn papur newydd. (Hi a'i mam ar eu pennau'u hunain ym Mhlas Helygain. Ac yna'r byngalo. Yr ymdrech i wneud ffrindiau yn yr ysgol. Y golled ar ôl Dafydd yn ystod y tymhorau.) Bodolai ymhell, bell yn ôl. Mewn tir nad oedd hi mwyach yn ei dramwyo.

A dyma hi'n sefyll yn ei ymyl ger hen eglwys Geltaidd.

'Wir, ma' golwg dda arnat ti,' ebe'r dyn, fel petai rhywun wedi dal pen rheswm ag ef ar y pwynt.

'Rwy wedi ca'l llwyr iachâd. Fe fues i'n lwcus,' meddai hithau'n hyderus. 'Ac fe wnes i daclu lan yn sbesial er mwyn cwrdd â chi heddi.'

Gwir a ddywedodd. Gwnaethai ymdrech arbennig y bore hwnnw ac edrychai'n rhyfeddol o ffres, ar waethaf gormodedd y noson cynt a'r cwsg a darfwyd gan gath. Cyn cychwyn ar y daith hon bu'n eistedd o flaen y drych yn ei hystafell yn y gwesty tawel yn rhoi'r colur ar ei hwyneb mor gelfydd â phosib.

'O'dd e'n bwysig i fi dy fod ti'n dod . . . ar ôl dy lwyddiant y llynedd yn y 'Steddfod a phopeth. A fi'n lico'r enw 'na hefyd. Lleucu. Mae'n dlws iawn.'

'Does dim ots 'da chi, 'te? I fi newid e o Lucy?'

'Na. Pa hawl 'sda fi i ymyrryd? A phwy glywodd am fardd Cwmra'g o'r enw Lucy Lloyd?'

Chwarddodd y ddau yn annifyr. Y munudau cyntaf fyddai'r anoddaf. Rhybuddiasai Lleucu'i hun o hynny cyn dod. Ond yn ogystal â bod yn lletchwith yr oedd hi hefyd yn oer. A dyna'n rhannol pam y rhoddodd groeso gwresog i awgrym ei thad y dylent fynd i mewn i'r eglwys i gymryd golwg ar y lle.

'Mi fydda i'n dod ffordd hyn yn amal, ti'n gw'bod,' ebe fe. 'Ar fy mhen fy hun. Dod am *run* yn y car. Ma' 'na gymaint o hen bentrefi bach diddorol yng Nghernyw.'

'Hen straeon am smyglwyr ac yn y blaen?'

'Wel, ie. Hynny hefyd. Ond yn nes at yr arfordir na fan hyn.'

Mwy o oerfel. Tawelwch. A thywyllwch hefyd.

Gwthiodd ei dwylo yn ddwfn i bocedi'i chôt. Rhaid mai gorchwyl anghysurus oedd addoli ar y gors, meddyliodd. Nid

154

oedd dim i ddenu'i llygaid o fewn yr adeilad. Ac onid oedd dirgelwch yn amhosibl heb elfen o rwysg? A ffydd yn amhosibl heb ddirgelwch. Rhaid mai addoldy pobl syml oedd y fangre hon. Mor ddiaddurn a dieneiniad. Gorweddai gwawl glaear hyd yn oed dros yr unig ffenestr liw, oedd rhwng y nenfwd a'r allor. A phrin oedd y goleuni a ddôi trwyddi.

'Ma'' 'na eglwys wedi bod ar y safle hon ers y nawfed ganrif, medden nhw,' ebe'r tad. 'Rwy'n gryn *expert* nawr ar rai o eglwysi gwledig Cernyw.'

'Dyna'ch hobi chi, ife?' gofynnodd Lleucu, nid yn angharedig.

Yr oedd hi wedi closio at y gwresogydd bychan draw wrth odre'r pwlpud. Ond yn ofer, wrth gwrs, gan nad oedd wedi'i gynnau.

'Ma'n siŵr mai yn un o eglwysi Eglwys Loegr y caf i 'nghladdu maes o law,' meddai yntau. 'Er i Mam 'y magu i i fod yn gymaint o grwt y capel. Ond ma'n siŵr mai ca'l y ficer lleol i wneud y job wnaiff Brenda.'

'Ma' hawl 'da chi i ga'l eich claddu lle fynnoch chi,' pwysleisiodd Lleucu. 'Gadewch gyfarwyddiade yn eich ewyllys.'

'Na. Dyw e ddim gwerth y drafferth. Symo fi byth yn mynd i gapel, felly dim ond rhagrith fydde gwneud ffŷs ar ôl marw. Bydd beth bynnag fydd yn achosi'r lleia o ffwdan i Brenda yn ddigon derbyniol i fi. A fydd e'n gwneud fawr o wahaniaeth, fydd e?'

Yn hongian ar y wal uwchben y gwresogydd roedd rhes o enwau wedi'u llythrennu'n gain a'u fframio fel llun. Y rhain oedd gwŷr ifanc y plwy a laddwyd yn yr Ail Ryfel Byd. Darllenodd Lleucu'r rhestr, nid o falchder nac edmygedd na hyd yn oed o dristwch, ond o letchwithdod. Ac o siom nad oedd gwres wrth yr allor.

'Y pridd yw'r pridd, yntefe?' ebe'i thad.

Darllenodd Lleucu'r rhestr enwau i'w diwedd cyn ateb.

'Ie,' ildiodd yn ddilewyrch. Deuai crygni i'w llais a mymryn o gryndod i'w chorff. 'Pam oeddech chi am 'y ngweld i? Dim ond cywreinrwydd wnaeth imi ddod, 'chi'n gw'bod? Nid cariad, na dim byd felly. Jest cywreinrwydd.'

'A dyna un rheswm pam own i am dy weld tithe.'

'Ond ma' 'na reswm arall?'

'Paid â bod mor ddiamynedd. Ma' gyda ni drwy'r prynhawn.'

155

O, diar! Prynhawn cyfan o hyn. O hel hen eglwysi. O rynnu er mwyn adnewyddu adnabyddiaeth. Tynnodd ei llygaid oddi ar y ffrâm a'i gynnwys. Ei llygaid yn brifo tan y straen. Ei hysbryd yn ddwys dan bwysau'r meirw. Eu cwmwl tystion hwy yn drech na'r oerfel. Yn llethu arwyddocâd y ffaith eu bod nhw yno heddiw.

'Fe dreches i gansar, 'chi'n gw'bod,' ebe hi'n ddidaro. Waeth iddi restru'i champau ddim. Ei buddugoliaethau. Ei gorchestion lu. 'Wel, y doctoried drechodd e, mewn gwirionedd.'

'Na. Ma' gan drechu afiechydon lawer i'w wneud ag ysbryd y claf.'

Byddai crybwyll ei salwch weithiau yn faen tramgwydd i eraill. Ond roedd y gwleidydd yn ei thad yn dal i gadw wyneb. Felly, roedd hithau'n hapus i daro'r wyneb hwnnw. Enynnai hynny ei edmygedd ef. Neu o leiaf dyna oedd ei damcaniaeth hi. Fe ymddangosai'n ferch resymol a chall yn ei olwg. Hi oedd y llwyddiant deallus a sensitif. Y bardd coronog. Y claf a gafodd y gorau ar y fath aflwydd diarhebol. Fe fuodd hi'n 'gwella'n lyfli', chwedl ei mam.

'Ma'n drist gweld yr ifanc yn marw, on'd yw hi?' meddai Jim Lloyd.

Ai ystrydeb a fyddai'n eu hachub? holodd Lleucu'i hun wrth droi'i chefn ar y dysteb fframedig ar y wal.

'Ydy. Ond o leiaf mi fydda i wedi byw.'

'O, na! Nid ti. Meddwl am y dynion ifanc yr oeddwn i.'

Gwenodd Lleucu ac awgrymodd eu bod nhw'n mynd am baned o goffi er mwyn cynhesu. Y nhw ill dau oedd yr unig rai yn y dafarn gyferbyn â'r eglwys. A dyna lle bu'r ddau'n hel atgofion am yr hen ddyddiau. Gweddai ffrog henffasiwn y ferch i'r bar. Tafarn y pentrefwyr oedd hon, yn hytrach na thafarn y twristiaid. Serch hynny, roedd y tafarnwr yn ddigon croesawus. A'i goffi powdwr yn chwilboeth.

Gwyddai'r bardd fod y siarad rhyngddynt yn gymysgfa o'r abswrd a'r normal. Tad a merch. Merch a'i thad. Y bardd fu'n glaf dan gancr ac iselder ysbryd. Y gwleidydd a goncwerwyd gan lygredd.

Wrth gwrs, daethai'r clown yn ôl i'r cylch. Ond nid paent oedd ei ddagrau bellach, ond profiad. Nid drygioni oedd ei gastiau, ond gwyrth. Yr oedd yn chwennych edifeirwch yn lle edliw. Sgwrs yn lle distawrwydd.

Wrth iddynt adael cysgod llwyd yr hen eglwys ryw hanner awr ynghynt, yr oedd y dyn wedi gofyn am gael ei chofleidio.

156

Rhedodd arswyd y syniad yn awel iasoer ar hyd ei hasgwrn mawr. Dim ond ei thad oedd e, wedi'r cyfan. Hawdd iawn oedd cario perthyn yn rhy bell. Fel petai rhyw arwyddocâd i'r gwaed. A'i fod bron mor glir â geiriau.

Gallai geiriau fod yn gerddi ac yn gytundebau. Gallai bodau dynol eu rhaffu ynghyd i glymu dau. Trwy lwon. A llythyron.

Ond nid oedd gwaed yn ddim ond grym mewn gwythiennau. Hanfod cwbl gorfforol. Nid oedd i'w gymharu â'i chyfeillgarwch â Morfudd. A'i hiraeth am Dafydd.

Llosgai hen dân nwy swnllyd yng ngrât y dafarn ddirodres. A dihangai llygaid Lleucu ato bob cyfle posib. Am fod gwres yn y fflamau gleision.

'Ddylwn i ddim bod wedi rhuthro pethe, gynne fach,' ebe'i thad o'r diwedd.

'Sori?' Cymerodd Lleucu arni nad oedd hi'n deall ei feddwl.

'Pan ofynnes i gelen i dy ddal di . . . Ddylwn i ddim bod wedi gofyn hynny mor ddisymwth. Nid i ferch ifanc fel ti.'

'Ma'n flin 'da fi imi wrthod. Beth yw'r ots 'da fi pwy sy'n dala fi'n dynn?'

'Dwyt ti ddim yn meddwl hynny,' esgusododd Jim Lloyd hi'n hynaws. Nid oedd disgwyl iddo'i hadnabod.

'Wedi'r cyfan, rŷn ni'n perthyn,' ffalsiodd y bardd.

'Dyna iti galon y gwir,' cymerodd Jim Lloyd gysur. 'Falle fod pethe'n ymddangos yn greulon i ti fel plentyn. Y ffaith 'mod i jest wedi stopo galw . . .'

'Does dim rhaid ichi egluro. Fe esboniodd Mam flynydde'n ôl. Wir ichi! Does dim angen ymddiheuro.'

Diflas fyddai esboniadau. Difyrrach o lawer fyddai diod fach. Llymaid i gynhesu'r galon. Yn enwedig gan ei bod hi bron yn ganol dydd. Tybed i ble âi'r hen fwnci â hi am ginio. Fe gâi'r gwaed lifo. Fe gâi'r arian ei wario.

Oedd hi'n ddirmygus ohono? Oedd, ar ryw gyfrif. Roedd hynny'n hawdd. Y brigyn trist yn chwilio gwreiddiau. Yn ei hawlio hi fel deilen. Mor hawdd ei wawdio!

Ar y llaw arall, cadwai ei hunan-barch. Hoffai Lleucu ef, hyd yn oed trwy'i dirmyg. Pelydrai rhyw urddas tawel ohono a gresynai na chafodd ei dderbyn i'r Orsedd. Byddai wedi edrych yn nobl iawn wrth orymdeithio.

'Nid ymddiheuriad oedd 'da fi mewn golwg, 'y merch i,' meddai'r dyn i ennyn cywreinrwydd ymhellach. 'Ishe sôn am yr hyn sy'n ffaith a'r hyn sy'n ffansi rown i. Y gau a'r gwir, os mynni di. Rown i'n wleidydd a rwyt ti'n fardd. Do's dim rhyfedd bod y ddau yn ddryswch yn ein tylwyth ni.'

Gwreichionai'i dicter drachefn. Dyma fe'n rhoi pwys ar y perthyn unwaith eto. Digon iddi hi oedd cael ei choron a Morfudd a chyfle parhaus i herio'r fall. Moethusrwydd meddal i'r meidrol oedd y malu cachu parhaus am dylwyth a gwreiddiau a gwaed. Beth oedd a wnelo hi fel bardd â'r pethau hyn? Dim. Dim namyn pren i fframio'i hathrylith. Allanolion i hongian arnynt ffeithiau moel ei hoedl. Ganed y prifardd Lleucu Llwyd . . . Addysgwyd . . . Enillodd ei choron gyntaf . . .

'Ma' Dafydd yn gweithio ar bob math o bethe cyfrinachol wyddoch chi . . . Byw yn Llunden.'

'Dy frawd, wrth gwrs,' ebe'r dyn, fel petai wedi gorfod meddwl am ennyd. 'Un annibynnol fuodd e eriôd.'

Ni ddôi byth i'w gweld. Roedd hynny'n wir. Er cymaint ei hiraeth am ei weld drachefn. Ambell alwad ffôn. Hynny'n unig. Cerddi twyllodrus yn y gwyll.

Byddai'n rhaid iddi ddanfon gair ato. I gorddi'i gywreinrwydd yntau. Rhyw air o diroedd anghysbell. Ensyniad bach i wneud enigma o'r eiliadau hyn.

'Nid am bethe bob dydd yr ydw i am siarad â ti,' meddai'r dyn drachefn. Dechreuai siarad trwy ddrych, mewn dameg.

'Ma' 'na bethe pwysicach na realiti. Fel bardd rown i'n disgwyl y byddet ti'n fwy parod i ddeall. Dyna pam y 'sgrifennes i atat ti. Dyna pam y torres i addewid oes. Ishe sôn wrthot ti ydw i am y gansen . . .'

Am gansen, chwedl ei mam . . . Nid realaeth oedd y wialen a fflangellai'r cnawd, ond blaen llym ein ffantasïau. Canolbwyntiodd Lleucu ar ei lais am y tro cyntaf ers iddynt gwrdd ryw awr ynghynt. Llenwai'r bar gwag â'i gadernid gwerinol.

'Ac rwy ishe sôn wrthot ti am fwrdwr,' ychwanegodd yn dawel.


## 3. 19   sgwarnogod haf

Ei fwriad fu mynd i'r afael â gwir amgylchiadau marwolaeth ei chwaer. Realiti ei haf fu dilyn trywydd llawer sgwarnog. Sut bu ei dad ei hun farw? Ai Rhiannon Idris fyddai ei ail wraig? A oedd Russell Raglan Rees wedi caru'i fam yn fwy na llenyddiaeth Gymraeg?

Cwestiynau astrus bob un, meddyliodd ein harwr wrth i'w amser ar yr achos ddirwyn i ben.

Wrth i'r blew gwyn ar ei ben amlhau deuai fwyfwy i'r casgliad na fu unrhyw gynllwyn i ladd ei dad. Roedd hwnnw'n ddyn cefnog, mae'n wir, ac yr oedd yn od i'r mecanig a roddodd dyst-iolaeth ynglŷn â chyflwr y car ddiflannu i Sbaen mor sydyn. Ond ffordd ansicr iawn o ladd neb oedd mocha efo'i gar. Doedd dim sicrwydd o gwbl y câi'r gyrrwr ei ladd (na hyd yn oed ei frifo) mewn unrhyw ddamwain a ddôi i ran y cerbyd.

Wrth gwrs, yn tynnu'n groes i hynny yr oedd y darlun a feddai o'i fam a Jim Lloyd yn gariadon anghyfreithlon mewn *film noir*. Cysgodion, trachwant a godineb yn eu llyncu. Dyna'r sgwarnog ddifyrraf ohonynt i gyd, mae'n debyg. Dau o foesau gwan mewn byd o ddu a gwyn a'u dwylo blewog yn cofleidio trachwant gyda'r un blys a thrythyllwch.

Nid nawr, wrth gwrs. Roedd ei byd erbyn hyn yn eithaf lliw-gar a mwy neu lai yn ddiemosiwn.

'Dyna falch ydw i'ch bod chi ac Aaron wedi cymodi yn dilyn helynt yr hunangofiant 'na,' ebe hi wrth Rhiannon y diwrnod y galwodd honno ac Aaron arni.

'Camddealltwriaeth oedd o, dyna i gyd.' Ceisiai Rhiannon wfftio'r helynt.

Gwyddai Rhisgell fod angen dynes ddeallus ar ei mab a brathodd ei thafod rhag honni'i bod hi'n gwybod yn amgenach.

'Wel, fe ddwedes i wrthot ti, Aaron, yn'do fe, mai lol botes maip oedd yr holl stori. Fi wedi gweld digon yn barod yn ystod 'y mywyd. Sa i'n gw'bod shwt alle fe 'sgrifennu shwt bethe.'

Nid oedd neb i wybod, dyna'r drafferth. Dim ond yr awdur a'i gydwybod oedd â'r ateb. Ac aeth y ddau i'w hateb.

Ond cyn mynd, bu'r prynhawn hwnnw a dreuliodd gyda'r bardd. Y cerdyn post. Rhag-weld angau. Rhoi'r byd yn ei le.

Os oedd enaid byw yn gwybod cyfrinachau'r prynhawn hwnnw, Morfudd Price oedd honno. Rhaid oedd talu ymweliad olaf â hi, meddyliodd.

# 3. 20   elfennau o wirionedd

'O'dd yn gas 'da fi wirionedd pethe eriôd,' ebe Jim Lloyd.

'O'dd e?' adleisiodd ei ferch. Onid oedd wedi haeru'n gyn-harach y prynhawn hwnnw mai casáu realiti a wnâi? Yr oedd y gwahaniaeth yn un hanfodol i'w sgwrs.

'Er pan own i'n blentyn,' atebodd y dyn, fel petai'r cwestiwn wedi bod yn un real. Darbwyllodd Lleucu'i hun mai hi oedd yn iawn ac mai drysu rhwng gwirionedd a realiti a wnâi'i thad. 'Er pan own i'n blentyn, pan o'dd bywyd yn llwm a llwyd ac yn gas i gyd. Fel y tries i egluro iti gynne, rown i wastad ishe rhywbeth gwell i ddigwydd. Rhywbeth 'blaw Mam yn ca'l ei chlatsho gan 'y nhad yn ei feddwdod. A rhygnu byw ar y tir 'na na alle roi bywoliaeth gysurus i falwoden, heb sôn am ddyn. Dyna pam es i i mewn i bolitics. Er mwyn gwneud y byd yn well.'

Gwingodd Lleucu o glywed yr ystrydeb. Awr neu ddwy ynghynt cawsent lond bol o ginio mewn tŷ bwyta reit grand yn un o'r trefi bach glan môr. Bellach, ar ei awgrym ef, cerddai'r ddau yn ymyl y môr. Ymddangosai hwnnw'n oer a digroeso. A draw, nid nepell oddi wrthynt, gorweddai'r tir yn gors gan annwyd gaeaf arall.

Tosturiodd Lleucu wrth y tir. Ac wrth y tad. Erydai'r ddau yn araf, araf yn ôl cwrs eu ffawd. Gyda môr o brofedigaethau yn lapio'u traed.

'Dwi ddim yn meddwl fod hynny'n bosib, ydy e? I newid y byd? Nid gan un dyn, ta beth. Ma' llawer o ffactore'n cyfuno, naill ai drwy gyd-ddigwyddiad neu drwy ddamwain, i beri newid o unrhyw fath.'

'Symo beirdd byth yn meddwl eu bod nhw'n newid y byd. Dim ond adlewyrchu'u hing nhw'u hunen yng nghanol y gwae a'r gorfoledd.'

'Rŷch chi'n huawdl iawn pan ŷch chi ishe bod.'

'Gwleidydd, 'ti'n gweld. Hyd yn o'd yn Gwmra'g.'

'Ond gwleidydd naïf,' meddai Lleucu, gan siarad heb feddwl. 'Er bod eich cymhellion chi'n ganmoladwy iawn, wrth gwrs,' ychwanegodd, gan geisio lleihau'r difrod.

'Naïf yw pob breuddwydiwr,' ebe Jim Lloyd, oedd wedi hen arfer ag ymdrechion i leihau niwed. Ei fam yn cadw i'r tŷ am ddyddiau rhag wynebu cymdogion. Datganiadau yn y Tŷ. Ymddiswyddiad ac enciliad. Ymddihatru rhag ei deulu. 'Ma' pawb sy'n rhoi pwys ar bethe ffug yn naïf.'

'All hynny byth â bod yn wir,' mynnodd y ferch. Ei ferch. Nid perthynas deuluol oedd ganddynt. Heb gartref cyffredin, nac aelwyd lle y byddai'r ddau'n gytûn, nid oeddynt ond lleisiau yn yr awyr iach. Yn lliwgar fel grug dan draed. Neu'n hy fel ebolion gwyllt. 'Dyw'r dychymyg byth yn naïf. Mae e'n rhy gymhleth i'w ddirnad. Dyna pam y mae pobol yn hoffi 'ngherddi i, achos eu bod nhw'n meddwl eu bod nhw'n eu deall nhw.'

160

'Wel, dyna ti, 'ti'n gweld! Dyna brofi 'mhwynt i. Nid y dychymyg ei hunan sy'n naïf. Bod â ffydd yn ffrwyth y dychymyg yw'r cam gwag. Dyna fuodd achos 'y nghame gwag i eriôd. Dyna pam y cwmpes i, am 'y mod i wedi dychmygu na chelen i byth 'y nal. Ac wedi dechre credu hynny fel ffaith. Nid dweud stori yw'r celwydd, marca di beth wy'n ddweud. Y celwydd yw'r credu.'

Ochneidiodd Lleucu, wedi'i rhyfeddu gan ddwyster ei ymresymiad. Bu'n ei ddilorni fel henwr bach trist nad oedd a wnelo fawr â hi. A dyma hi'n sgwrsio'n braf â'i hembryo hi ei hun. Profiad a wnâi iddi orfod crisialu ei chredoau'i hun, oedd yn ei dro yn brofiad digalon. Oherwydd llwm oedd Ionawr. A chul y llwybr rhwng y traeth a'r gors.

'Methu gweld y gwahaniaeth rhwng ceinder stori a llanast bywyd oedd un o ffug foese mwya cyfeiliornus y Piwritanied. Iddyn nhw doedd ffrwyth dychymyg yn ddim ond celwydd noeth. Rŷch chi a fi'n gw'bod fod gan gelwydd noeth ei rym ei hun, ond nid grym y dychymyg yw e. Nid pan mae e ar ffurf stori, ta p'un. A phrin eich bod chi a fi ymysg y rhai sy'n methu gwahaniaethu.'

'Dyna o'n i'n treial 'i weud wrthot ti,' torrodd y dyn ar ei thraws. 'Fe ges i 'magu yn grwt y capel, cofia. Rown i'n gw'bod beth o'dd stori dda ac yn gw'bod y gwahaniaeth rhwng y gwir a'r gau.'

'Felly beth aeth o le, 'te?'

'Fe ddylen i fod wedi troi at 'sgrifennu fel ti. Fe allen i fod wedi bod yn llenor llwyddiannus yn hytrach nag yn wleidydd anllwyddiannus.'

Aflwyddiannus oedd y gair, ebe Lleucu wrthi hi'i hun yn hunanfodlon. Gwenodd oherwydd y ffordd drwsgl y bu'i thad yn palfalu am y gair. Yna dwrdiodd ei hun am adael i Morfudd ddylanwadu arni. Efallai fod 'anllwyddiannus' yn dderbyniol, wedi'r cwbl. Cloffodd. Ni allai fod yn siŵr. Byddai dracht o ddiod wedi bod yn dda.

'A beth am newid y byd, wedyn?'

'Fe fydden i wedi gallu newid 'yn hunan.'

'Wel! Fe fydde hynny'n ddechreuad, sbo,' ildiodd Lleucu.

'Na. Mwy na dechreuad. Mi fydde wedi bod yn bopeth.'

A daeth y siarad â hwy'n ôl at yr hunangofiant ffug yr oedd y dyn wedi dechrau sôn amdano ynghynt.

'Nid treial 'sgrifennu am 'y mywyd fel rown i'n moyn iddo fod

161

ydw i . . . Gyda llaw, fi bron â'i orffen, 'ti'n gw'bod. Mis neu ddou 'to a bydd yn rhaid i fi ffindo rhyw ddihangfa arall.'

'Beth oedd eich bwriad chi, 'te?' holodd Lleucu, er na fu ganddi lawer o ddiddordeb yn y pwnc dros ginio.

'Wel, ma' hynny'n rhan ohono fe, sbo. Ishe i bethe fod fel y bydden i wedi lico iddyn nhw fod. Ond rown i am fod yn arwr . . . mewn ffordd ddoniol.'

'Uchelgeisiol iawn.'

'Fel ma' arwyr ar y teledu'n arwyr. Neu mewn ffilmie.'

'Neu mewn stribed gartŵn?'

Roedd ei thad yn pledio ffuglen fel iawn am ei fywyd diffrwyth. Onid ei ffantasïau bach barus a'i harweiniodd ar gyfeiliorn? Pa hawl oedd ganddo i sarnu'i chelfyddyd hi—canys math o ryddiaith oedd barddoniaeth a llun yn fath o lefaru a chân yn fath o glebran—er mwyn cyfiawnhau ei ddwylo blewog?

'Fi wedi claddu'n hunan yndo fe.'

'Do fe?' holodd Lleucu. Gadawyd twll yn y sgwrs gan ei ddatganiad a synhwyrai hithau fod disgwyl iddi ei lenwi.

'Do. Chaiff neb byth 'i weld e.'

'Ai dyna pam ichi 'i 'sgrifennu yn Gymraeg?'

'Ie . . . Wel, yn rhannol. All Brenda byth 'i ddarllen e, wrth gwrs. A iaith y storïe cynta glywes i yw'r Gwmra'g, er y gallen i wneud gwell jobyn o'r 'sgrifennu yn Saesneg. Ond mae'n braf ca'l iaith wyt ti ddim ond yn 'i siarad hi â ti dy hunan. Hyd yn o'd os wyt ti'n gorfod cyfieithu dy brofiade i'r iaith honno er mwyn 'u deall.'

Gwenodd Lleucu mewn braw o ddeall ei ddweud. Peth peryglus oedd uniaethu. Ac nid oedd yn bleser i gyd.

Onid oedd Sosialaeth ei thad wedi chwarae rhan yn hanes cymdeithasol ac economaidd y Gorllewin? A chwarae'i ran yn anrhydeddus? Heb yn gyntaf roi trefn ar gyfalafiaeth ragrithiol Oes Fictoria ni fuasai hunanoldeb radical Thatcheriaeth wedi bod yn bosib. Athroniaeth wedi gwneud diwrnod da o waith oedd Sosialaeth. Codwyd safon byw (os nad ansawdd bywyd) gwerin gwlad. Yr oedd yn anorfod y deuai dydd pan fyddai'r werin ffraeth am gadw'r hyn a gawsant, gan gyfrannu cyn lleied ag a fedrent i'r gweiniaid fu'n rhy dwp i fachu olew i'w lampau pan gawsant gyfle.

Mor drist oedd proffwyd yn parablu a'i broffwydoliaeth eisoes wedi'i gwireddu.

'Rwy'n falch 'mod i wedi cwrdd â chi,' ebe Lleucu. 'Ond wn i ddim a ddylen ni gadw mewn cysylltiad.'

'Ydy'r realiti mor atgas â hynny?'

'Na. Do'n i ddim yn meddwl bod yn gas.'

Digon gwir y dywedodd. Nid angharedigrwydd oedd ei bwriad. Ond gallai synhwyro'r pydredd. Ynteu'i phydredd ei hun oedd yn ei ffroenau? Suddai'i chalon wrth i'r siarad amlhau ei holl amheuon. Fel colur yn toddi. Yng ngwres y dagrau.

'Wyt ti'n deall 'te? Pam rown i am dy weld di heddi?'

Oedd, roedd hi'n deall. Ei thad yn gosod ffrâm o ffuglen am ddarlun diflas ei fywyd. Ei mam yn ymgolli'n ddel ym mywydau pitw pobl y teledu. Epil dwy ddihangfa ydoedd. A hithau'n herio gerwinder bywyd. Yn ei drosi'n ddatguddiad o ddirgelion trag-wyddol, yn hytrach na'i wisgo mewn ffârs o guddliw. Nid clown mohoni hi. Bardd. Y diddanydd llys uchaf ei barch. Bardd yr oedd bri ar goethder ei chelfyddyd. Dyna Lleucu Llwyd.

Ond beth os taw gwagedd bostfawr oedd ei ffydd? Onid oedd cariad hefyd at gelfyddyd y clown?

Pwy wisgai ei eiriau fel clown i ddifyrru'r dorf? Dim ond ffŵl. Ffŵl a bardd a chlown. Trindod ffraeth yn goglais elfennau'r tragwyddoldeb er mwyn codi gwên yn llygaid y lliaws.

'Ma'n debyg na ddylwn i fod wedi enllibio dy fam gyda'r stori 'na am ladd Geoff Skinner.' Sgleiniodd llygaid y dyn wrth yngan ei ymddiheuriad cellweirus.

'Ddaw hi byth i w'bod amdano, ddaw hi?' esgusododd Lleucu ef. 'Wn i ddim pam aethoch chi i'r holl drafferth os nad oes neb arall byth i fod i ddarllen y llyfr.'

'Diddori'n hunan. A pham lai? Ofer yw pob creu. Ond o leia mae e wedi bod yn hwyl.'

Dyna beth oedd hanner piwritan yn siarad, barnodd y bardd. Hanner piwritan a hanner oferwr. A hwnnw ar ddiwedd ei burdan.

'Symo chi na fi'n credu hynny,' meddai Lleucu. 'Yn credu mai jest oferedd yw pob creu. Dyna sy'n ein cadw ni yn ein hiawn bwyll. Oherwydd wnaethoch chi ddim newid y byd. A wna inne byth ei achub e.'

'Ydy e'n mynd â'i ben iddo, dwêd?' gofynnodd Jim Lloyd yn ysgafn. Fe sylwodd ar ei dwyster ond tybiodd mai olion ei salwch meddwl oedd hynny. 'Mi fyddi di'n lico ca'l cynulleidfa ma'n amlwg.'

'Fydda i?'

'Fyddi di'n chware i'r galeri, 'merch i?'

'Does 'na neb yn y galeri,' atebodd hithau.

'Pam rwyt ti'n 'sgrifennu dy gerddi, 'te?'

163

'Wn i ddim. Nid er mwyn cwrso anfarwoldeb na dim byd fel 'na,' atebodd yn anwireddus. Er mawr ryddhad iddi, nid oeddynt ymhell o gar ei thad. Byddai'r gwres yn braf a chyflymodd ei chamre.

'Fy nghyfrinach i yw'r hunangofiant. Cofia hynny. Dim siw na miw wrth neb.' Cytunodd Lleucu. 'Ddim hyd yn o'd wrth dy ffrind, cofia. Beth wedest ti o'dd 'i henw hi?'

'Morfudd Price.'

'Ie, honno.'

'Peidiwch â becso. Dyw honno'n gw'bod fawr amdana i.'

'Da 'merch i.'

'Hen gadno ŷch chi hefyd! Rwy'n falch fod 'y nhad i'n dipyn o dderyn.'

'Fi wedi ca'l ugain mlynedd i ddifaru. 'Ti'n gw'bod hynny, on'd wyt ti?'

Nid oedd angen gofyn difaru beth. Adnabyddiaeth. Perthyn. Bod yno. Yr holl bethau a godai fraw ar Lleucu. Yn ei dyhead am ddihangfa, tosturiodd wrtho. Mor enbyd oedd dinoethni ym mherfeddion gaeaf. Wrth iddynt gyrraedd y car, gafaelodd yn ei fraich a gadawodd iddo'i chofleidio.

*Faint o'r gloch yw hi, Bernie? Faint o'r gloch?*

Nid oedd yn frawd iddi. Prin ei fod yn dad. Dieithryn yn ei dal yn dynn. A'r cof y byddai'n rhaid iddi, yfory, ddychwelyd i Gymru a hithau'n dal yn ferch i'r cyn Aelod Seneddol Jim Lloyd yn codi cyfog arni.

Gwrthododd ei wahoddiad i swper a gyrrodd ef hi yn ôl at ei char yn St. Irvon. Yr oedd eisoes yn nosi.

## 3. 21    cyhoeddi marwolaeth

'Price. O dan amgylchiadau trychinebus, ar y 30ain o Dachwedd, yn ei chartref yng Nghaerdydd, bu farw Morfudd, gweddw Annwyl Price. Gweddw bardd. Noddwr y celfyddydau. Cyfaill i bawb sy'n creu.'

Hy! Fuodd hi eriôd yn gyfaill i mi, meddyliodd y tair R yn ei stydi. Rhoddodd y papur yn ddestlus ar ochr ei ddesg. Ac roedd yr hen sguthan wedi gwneud amdani'i hun o'r diwedd. Daethpwyd o hyd iddi mewn llond bath o ddŵr, yn ôl y sôn. Ei gwaed yn gymysg â'r ewyn. Clasurol iawn. Fe roddai deyrnged iddi yn y rhifyn nesaf o *Pengwern* petai ond o ran diawlineb.

Darllenodd Rhisgell Lloyd y cyhoeddiad ar gefn y papur sawl

gwaith. Teimlai dristwch neilltuol yn y geiriau. Onid oedd dolen gyda'i merch wedi darfod? Dyna 'Ddolig fyddai hwn!

Cafodd cymaint ei greu dros y blynyddoedd. Cerddi ei merch. Ei chyfrinachau hi ei hun. Ond daeth dyddiau'r darfod. Lleucu. Jim. Ac yn awr y fenyw od 'ma, Morfudd Price.

Dyma'r diwedd, gobeithio. Hiraethai am y dyddiau tawel, digynnwrf. Lleucu yn y coleg neu yng Nghaerdydd. Aaron yn Llundain. Jim yn fud a phell ac yn dangos yr un caredigrwydd tuag ati â phetai'n farw, 'blaw fod cysur iddi bryd hynny mewn gwybod ei fod yn fyw.

Bwriadai fynd i Gaerfyrddin y prynhawn hwnnw i wneud tipyn o siopa. Doedd wiw iddi adael i'r galar gael y gorau arni.

Ffuantus iawn oedd geiriad y cyhoeddiad, yn ôl Rhiannon. Gwatwarodd y drindod o ddisgrifiadau ar ei ddiwedd wrth grensian ei thôst. Gofynnodd i Aaron a oedd hi wedi dangos unrhyw arwyddion o'i thueddiadau hunanladdol y tro diwethaf iddo ymweld â hi, bythefnos ynghynt.

'Na, ddim o gwbwl,' atebodd hwnnw a derbyniodd y papur oddi wrth Rhiannon ar draws y bwrdd brecwast, cyn darllen y paragraff drosto'i hun.

Gorffennwyd, meddyliodd.


## 3. 22   cerdd olaf y chwaer

O blygion yr un cynfasau, perthynwn i'r un byd. Byd main sy'n ceisio puro byd y baw a'r chwyldro. Clywch glec y gair o'r gwn sy'n arf o fewn ein gafael. Yn ein genau.

Clywch ein cyfrinachau. Myfi a'r cariad coll. Mae'n gryf fel gof. Os gallaf gofio. Os gallaf gofio, cadw'n dawel. A chadw'r heddwch yr un pryd.

Heddwch! Heddwch! A oes heddwch? A fydd 'na byth?

Ar ôl graddio o blith y glêr a'r glas cawsom drwydded i ladd. Mae dy air yn gleddyf. Fy nhawelwch yn wain. I mewn. I mewn. I gadw'r min yn gaeth.

Er bod fy nhafod yn llaith a'm llais yn llenwi'r holl fyd, yn y ffaith nad oes twrw y mae'n purdeb ni.

## 3. 23   cerdd gyntaf y brawd

Doedd fawr o angen corff ar Lleucu. Dim ond pen i ddal ei choron.

Yn anad dim yr oedd hi'n enaid. A does ryfedd yn y byd gen i ei bod hi'n ôl.

Gynnau yn y parc fe'i gwelais hi'n glir, yn cadw cwmni gyda chi'r coed. A chlywais yr ias yn fy enaid innau, yn cosi'r corff. Yn bryfoclyd fel pluen rhwng fy nghoesau.

Mor hawdd ein brifo. Myfi a'r coed. Cyrff caled i'w gweld trwy wawn yr enaid. Mor dryloyw â gweniaith yw'r cyhyrau yn y cyffion cu.

Ond i chi, yn eich tymor, mae'r eneidiau'n orchest werdd. Eich dail yw'ch dafnau chwys. Tasgant i'r brig bob gwanwyn yn ddiffael. Cyn sychu, crychu a chael eu golchi ymaith yn y gawod Fedi felan.

Gynnau, gwelais fy chwaer ymysg y celanedd. A gwyddwn fod y gwanwyn yn bod.


## 3. 24   graffiti

Barddoniaeth nad yw'n odli
Hyn sydd wae
       Bardd yr Ha! Ha!
Cachu nad yw'n ceulo
Hyn sydd waeth
       Bardd y Ca! Ca!

Pam oedd Rhiannon yn nhŷ bach y dynion, p'run bynnag?

Camgymeriad, siŵr iawn. Ond darllenodd y 'sgrifen ar y mur eilwaith wrth i griw o lanciau synnu ei gweld yno ar eu ffordd i mewn i'r ystafell. Dyna beth oedd doethineb yn wir, meddyliodd y doethur ac ar ôl gofalu fod y berl yn saff ar gof a chadw aeth allan yn ôl i dwrw'r clwb.

Roedd hi ac Aaron yng Nghaerdydd i fwrw'r Sul a hon oedd nos Sadwrn gyntaf Aaron mewn awyrgylch cwbl Gymraeg. Y band yn canu. Y prisiau ar y wal y tu ôl i'r bar. Y clebran. Y cyfan yn Gymraeg. Fel poster a ddaeth yn wir. Mewn byd nad oedd yn gyfan gwbl real. Ond pa ystafell fyglyd ar nos Sadwrn a dddywedai'r gwir i gyd am gymdeithas? Roedd y clwb Cymraeg gystal lle â'r un i flasu cyfran o'r gwirionedd.

Ar ôl darganfod tŷ bach y merched, maes o law, a dweud gair neu ddau wrth gydnabod pan ddaeth allan, aeth yn ôl at ei chariad.

Adroddodd wrtho'r ffraethineb ar fur tŷ bach y dynion. Gwgodd yntau yn lle chwerthin. Yn rhannol o anwybodaeth ac yn rhannol o wrthwynebiad ar sail chwaeth.

Roedd ganddi biler cymdeithas yn gymar. Ac er nad oedd hi'n ei garu. Ac er nad oedd hi'n feichiog. Roedd hi'n mynd i'w briodi. Gwnaeth ef yn amlwg fod ffurfioli'r trefniant yn rhwym o ddigwydd. A derbyniodd hithau'r anorfod. Fel ffawd a bennwyd ar ei chyfer mewn stori dylwyth teg. Ond ni allai fod yn sicr ai blaidd mewn croen oen oedd ganddi ynteu oen yn gwisgo croen blaidd.

Y naill ffordd neu'r llall dywedai ei ffroenau wrthi mai yn ei waed yr ysgrifennwyd y 'sgrifen ar y mur.


# 3. 25 cyngerdd

Cynheuodd y golau pan ddeffrowyd hi gan y sŵn. Ond diffoddodd ef drachefn wrth i'w lewyrch roi pinsiad slei i'w llygaid.

Hon oedd antur olaf Lleucu.

Adnabu'r llais a'i galwai. Ynteu breuddwyd oedd hyn? Gyda'i hawen wynfydedig ni allai fod yn siŵr. Ond dilynodd ef fel mul. Palmwydd dan ei thraed a thorch o lawryf am ei chorun.

Sibrydodd gyfarchiad ar ben y grisiau. Brefai'r oen yn ei breseb. A thorrodd sŵn y Gymraeg yn deilchion tyner ar draws düwch y tŷ.

Ni ddaeth ateb. Dim ond hergwd sydyn o ryndod.

Dyna drwst a fu pan syrthiodd bendramwnwgl i lawr y grisiau! Pob gris fel petai'n cyfrannu nodyn gwahanol i'r cresiendo hwn o artaith. Yn wir, mae'n syndod na chlywodd y cymdogion yr un smic o'r perfformiad. Er yn sydyn, yr oedd eto yn hir. Y daith soniarus honno o ben y landin i lawr y cyntedd. Yn ddigon hir i Lleucu allu cofio'i theimladau, er nad oedd ganddi, wrth gwrs, ond rhai eiliadau pitw i'w dwyn ar gof. Gallai gofio dychmygu dwyn y boen ar gof. Oll ar amrantiad. Cymhleth? Ydy. Ond cwbl gymwys.

Ac yna, debyg iawn, y dim na allwn ei ddilyn.

Pan dorrodd yr asgwrn, dihangodd yr enaid. A gadawyd corff di-siâp i oeri ar y carped.

Camwyd drosto a chaewyd drws y ffrynt heb ychwanegu'r un smic pellach i'r symffoni.

Ychydig droedfeddi o'r lle y gorweddai, rhoddwyd dwy botel laeth ar y rhiniog toc wedi hanner awr wedi saith. Eu tincial yn cyfeilio i'r caledu yn y cymalau.

Ac am ddwy funud wedi naw disgynnodd amlen trwy'r blwch llythyrau. Syrthiodd yn swrth i'r llawr a chaeodd ceg y blwch yn glep.

Roedd y cyngerdd drosodd. A cherddodd y cerddorion tua thref.


## 3. 26  un sgwrs fach olaf cyn mynd

'Gorchwyl hawdd fu dweud celwydd wrthoch chi,' haerodd Morfudd Price. 'Hawdd. Rhwydd. A phleser pur.' Cymerodd ei hamser i gael yr effaith orau posib o'r geiriau.

Yr oedd hi wedi ei harwain unwaith eto i'w chysegr sancteiddiolaf. A'r tro hwn, gorweddai llestri budron wrth ochr y sinc.

'Wyddwn i ddim eich bod chi'n cael cymaint o flas arnyn nhw.'

'Rŷch chi'n rhy gyfarwydd â'u clywed nhw i weld y pleser gaiff pobol o'u dweud nhw.'

Cydiodd Aaron ynddi gerfydd ei gwddf a'i hyrddio'n ôl yn erbyn wal y gegin. Y trais yn gyntaf. Y gwirionedd yn ail. Nid oedd trefn y gwasanaeth wedi newid dim ers iddo adael yr Uned. Yr un oedd y defodau hyd yn oed os oedd y duw wedi newid.

'Tydy bywyd yn smŷg i chi fan'ma?' edliwiodd iddi. 'Ardal neis yng Nghaerdydd. Siope, capel ac ysbyty meddwl i gyd o fewn ergyd carreg! Parc mawr pleserus rownd y gornel!'

'Lle peryglus yw'r parc,' dadleuodd Morfudd Price gan frwydro am ei hanadl. 'Nawr, plîs, peidiwch â gwneud niwed i mi. Ŷch chi'n drysu neu rywbeth?' Gwasgai pin yn y belen o wallt ar ei phen yn erbyn ei gwar. Pan agorodd y drws iddo bu'n gyndyn iawn i'w adael i mewn. Cyndyn fu hi erioed i agor y drws i neb, ar waethaf ei mynych honiadau o haelioni.

'Sawl celwydd ddywedwyd i gyd, Mrs Price? Y?'

Codai powdwr melynwyn o rychau ei haml yddfau yn sawr benywaidd yn ei ffroenau ac yn gwmwl o lwch yn ei lygaid. Gorfodwyd ef i ryddhau ei afael yn araf ar y wraig, rhag ysgwyd mymryn yn fwy ar yr aflwydd.

'Gadewch lonydd imi! 'Dŷch chi ddim am wneud dim byd gwirion. Meddyliwch am y canlyniade.'

'Rown i'n arfer meddwl mai chi oedd yn wirion. Rown i'n arfer meddwl mai dyna oech chi yn y bôn. Hen ddynas wirion. Dyna feddylish i yn yr angladd pan welish i chi gynta erioed.'

'Pam yn y byd ŷch chi'n siarad ag acen ogleddol yn sydyn?' holodd Morfudd. (Tybiodd Aaron ei bod hi'n cadw meddiant arni'i hun yn rhyfeddol o dda o dan yr amgylchiadau.) 'Dyn heb wir wreiddie ŷch chi, wedi'r cwbwl. Pam na wynebwch chi'r ffaith. Doedd y crach 'na yn yr ysgol ddim ishe'ch nabod chi yn y bôn. Chware â chi mae'r Rhiannon Idris 'na. Unig fyddwch chi yn y byd yma. Yn enwedig nawr fod Lleucu wedi mynd. Mae'n rhaid ichi weld cynllwyn a chelwydd a thwyll ym mhob man am fod realiti'ch cyflwr mor druenus o ddieneiniad.'

'O'r gora, Mrs Price, fe gewch chi'ch anadl yn ôl, am y tro. Ac mae llawer o wir yn eich dadansoddiad ohona i. Ond wyddoch chi mo'r cyfan. Yn y pen draw, nid y fi sydd ar brawf.'

Rhoes y bardd yn Aaron rymuster tawel yn ei lais. A pharhaodd y weddw i rwbio'i gwddf fel petai'r dyn wedi'i brifo yn fwy nag a wnaeth mewn gwirionedd. Bu bron iddi gamu i mewn i'r heulfa ond ymataliodd ar y funud olaf. Nid oedd ffordd allan oddi yno ac nid oedd am gael ei chornelu. Nid heddiw, ar ddiwrnod llwyd o hydref. Efallai fod y rhwyd yn cau, wedi'r cyfan. A'r trap ar fin dwyn ei rhyddid. Perthyn i'r llygoden a wnâi'r wiwer, er mor hardd yr edrychai wrth brancio dros y rhisgl. Bu hithau mor ddiwyd yn casglu'r cnau. Ond nid clodydd oedd eu hangen yn yr hirlwm.

'A dydw inne ddim yn haeddu cael 'y nal,' ildiodd o'r diwedd. Camodd mor bell ag y gallai o afael y gŵr. O'i afael ond nid o'i olwg. Digon teg y gred, meddyliodd. Yr oedd ei herlidiwr yn olygus.

'Rŷch chi wedi fy arwain i ar gyfeiliorn dro ar ôl tro,' atebodd Aaron. Yr Aaron pwyllog, tawel. Nid fod arno gywilydd o'i drais. Yr oedd yn gwbl gymwys i fardd ar ei brifiant. Ond am y tro, haeddai'r dystiolaeth gael ei chofnodi yn ddidramgwydd. 'Fe welodd Lleucu'i thad ychydig cyn ei marwolaeth, er ichi ddweud wrtha i y tro cynta y galwais i yma nad oedd hi'n cael dim oll i'w wneud â'r dyn. Fe greoch chi'r darlun ohoni fel angel. Ond rwy'n deall erbyn hyn ei bod hi'n yfed yn drwm. Rhyngoch chi a fi dydw i ddim yn berffaith siŵr pwy ysgrifennodd ei cherddi hi. Oes arnoch chi ddim cywilydd, Mrs Price?'

169

'Hen slwt oedd hi. Pam na wynebwch chi hynny?' A chamodd y weddw'n gyflym i'r cyntedd wrth wneud yr honiad. 'Dewch 'da fi i weld y ddwy wardrob a gadwai. Dewch. Dilynwch fi.'

A cherddodd nerth ei thraed ar hyd y cyntedd ac i fyny'r grisiau gydag Aaron yn dilyn o hirbell.

Yn ystafell wely'r diweddar brifardd, agorwyd wardrob i'w sylw. Ac yna'r llall. Yn y gyntaf roedd dillad bob dydd ei chwaer yn hongian. (Mor gywir y tybiodd Aaron! Yr oedd wardrob ar ôl marwolaeth yn ddodrefnyn abswrd.) Gwisgoedd digon di-nod. Un drwsiadus ond digon anniddorol oedd Lleucu o ran gwisg. Digon anhynod oedd cynnwys y cwpwrdd arall hefyd. Ond roedd rhimyn o ffwr ffug ar odre ambell gôt. A rhes o jinglarins ar flaen ambell flows.

'Dwy wardrob. A dwy ddelwedd,' barnodd Morfudd Price gan danlinellu'r dystiolaeth dan ei drwyn. 'Ac edrychwch!' Aeth draw at ddroriau'r bwrdd gwisgo. 'Dwy set o golur a dewis o addurniade. Yn hwn . . .' A thynnodd allan y drôr ar y chwith. '. . . Y froitsh ddes i'n ôl iddi o Lunden un tro. Ac ambell i beth bach arall digon chwaethus. Dyma lle'r oedd hi'n arfer cadw'r fodrwy werthfawr a roes eich mam iddi ar ei phen-blwydd yn ddeunaw. Ond shgwlwch ar y rhain mewn cymhariaeth . . .' Tynnwyd cynnwys y drôr ar y dde i olau dydd. 'Hen slwt oedd hi fel y dwedes i. Pam na wynebwch chi'r ffeithie. Doedd 'na ddim tshaen yn bod oedd yn ddigon cryf i'w dal hi ar y rêls. Bitsh â thân yn ei bol oedd hi. Mâs ar ben stryd oedd hi'n moyn bod a mâs ar ben stryd gath hi fod.'

'Oeddech chi'n cysgu efo fy chwaer i, Mrs Price?'

'Nac oeddwn. Oeddech chi?'

Caewyd y drôr yn glep a chamodd yr holwr allan o'r ystafell gan adael y dyn yn delwi wrth erchwyn y gwely sengl. Nid oedd dim wedi newid. Er i fisoedd fynd heibio er marw Lleucu. Er i flynyddoedd fynd heibio er pan oedd hi'n ferch fach yn dianc mor ddi-nam i fyd ei doliau. Nid oedd dim wedi newid.

Dilynodd Aaron y wraig i'r landin ond roedd honno eisoes wedi dianc yn ddiogel dros y carped peryglus ac yn ei heglu hi i lawr y grisiau.

'Fe dalwch chi am eich ensyniade,' dywedodd.

Arhosodd hithau yn ei hunfan ar y grisiau gan godi'i phen i'w wynebu.

'Tybed, Aaron? Mae eneidie llawer mwy dymunol na chi wedi cael eu dofi yn y tŷ hwn. Ac nid dim ond sôn am eich annwyl chwaer yr ydw i. A dweud y gwir, Lleucu oedd yr anoddaf imi eriôd ei chymryd tan fy adain. Anystywallt iawn, os gofynnwch chi i fi. Roedd hi'n frwydr barhaus rhyngof i a'r elfenne. Mâs yng ngerddi Pontcanna a gerddi'r castell y mynne hi fod, yn siarad â'r coed a phobol hanner-pan y nos. Nid gorchwyl hawdd oedd creu delwedd bardd o hen feddwen wan ei meddwl . . .'

'Fe ddylen i wneud amdanoch chi,' bygythiodd Aaron wrth gerdded yn ei flaen ar hyd y landin ac at y grisiau. Daliodd hithau'i thir ar y ris lle yr arhosodd.

'A rhoi diwedd ar 'y nghreadigaethe i?' taflodd gwestiwn yn ôl yn ei ffyrnigrwydd. 'Ai dyna, gredwch chi, y ffordd i gadw'r ddelwedd yma o Lleucu Llwyd, y prifardd, yn fyw? Tawn i'n marw! Ydw i'n iawn yn meddwl eich bod chi mewn gwirionedd yn credu fod beirdd yn cael eu geni? Cael eu creu y maen nhw, gyfaill. Gan ddewiniaid fel fi.'

'Dydw i ddim yn eich deall chi.'

'Na 'dych, gwlei! Gaf i egluro ichi?'

Atebodd cywreinrwydd y Cymro newydd (y cyw prydydd a dryll yn ei boced) yn gadarnhaol a dilynodd Morfudd Price at allor ei ffuantrwydd yn yr ystafell ffrynt.

'Falle'i bod hi'n bryd imi ddatrys y dirgelwch drosoch. Mor hir y buoch chi fel ci sy'n gwynto baw heb allu dilyn ei drywydd.'

'Dwedwch wrtha i, fenyw. Mae f'amynedd i'n brin a 'nghalon i'n torri.'

'Petai'ch teulu chi'n bwysig ichi dros y blynyddoedd mi fyddech chi wedi gweld popeth drosoch eich hun. Dewch, eisteddwch.'

'Na, fe safa i, diolch.'

'O'r gore. Wel, lle mae dechre?' ffwndrodd y weddw. Serch hynny, yn y munudau hyn, yr oedd ganddi reolaeth lwyr ar y sefyllfa. 'Merch wan ei meddwl oedd eich chwaer. Athrylithgar yn ei ffordd ei hun, falle. Fe weles i fod yno beth gwreiddioldeb, ond roedd hi wedi dirywio'n enbyd ers gadael coleg. Sefyll ar ei thraed ei hun wedi mynd y tu hwnt iddi. Dyna pam na allod hi ddal straen ei hafiechyd. Yn blentyn, fe allod hi bwyso arnoch chi. A 'sgrifennu'r llythyron hir rheini atoch yn eich ysgol breswyl. Erbyn diwedd ei hoes, prin fod ganddi'r gallu i 'sgrifennu siec yn ddeche, heb sôn am gerdd.

'Rown i, ar y llaw arall, wedi gwella'n enbyd dros y blynyddoedd . . . ers dyddie Annwyl. Rhyw delynegwr anarbennig own i yn y dyddie cynnar hynny. Druan o Annwyl! Fe wnes i e'n ddigon derbyniol, cofiwch. O, do! Ond fe welles i mâs draw. Does dim ond ishe cymharu cerddi gore Annwyl â'r cylch 'na o gerddi enillodd y goron i Lleucu. Mae'n hawdd gweld y gwahaniaeth. Y cylch 'na o gerddi oedd penllanw fy ngalluoedd i. Rwy'n fodlon derbyn na allwn i wneud gwell.' Troes i wynebu'i phoenydiwr gyda hyder, er bod datguddio'r twyll yn ei darostwng. 'Dyna pam roedd yn rhaid i Lleucu farw. Doedd dim barddoniaeth well yn bosib. Wrth gwrs, y fargen ddechreuol oedd ei bod hi'n cyfrannu. Gweithio ar y cyd roen ni. Ond yn y diwedd, doedd ganddi ddim i'w roi a fi oedd yn gwneud y gwaith i gyd. Wel, alle hynny byth â bod yn iawn, alle fe? Dim ond dwy law dderbyn oedd 'da'r slwt. Cael ei chynnal a'i chadw a chael y cerddi yn ei henw hefyd. Nawr, byddwch yn onest, gall peth felly byth â bod yn deg, all e?'

'Ond pam? Pam na chyhoeddech chi nhw o dan eich enw chi'ch hun?'

'Rwy wedi byw eriôd yn agos i fy lle. Byw gan ofni sgandal. Fe ddaeth y dydd pan oedd bywyd Lleucu yn fwy o gerdd na dim y gallwn i ei roi mewn geirie. Roedd hi'n bygwth dod â sgandal i fy rhan. Ei bywyd tshep liw nos. Ei hamser hi ymysg y cŵn a'r brain. Dyna pam y bu'n rhaid imi drefnu i gael gwared arni . . . A dyna pam na fedrwn i gyhoeddi fy ngwaith o dan fy enw fy hun. Rhag ofn imi 'sgrifennu cerdd wirioneddol dda ryw ddydd. Achos mi ddyle cerdd dda fod yn sgandal o beth.' Oedodd, fel balŵn oedd wedi peidio â chodi ymhellach am fod y gwynt yn araf ollwng ohoni. 'Falle na wnes i eriôd gyflawni hynny, ond mi oedd y Goron yn goron, on'd oedd?'

Felly, hon oedd Annwyl Price, y telynegwr poblogaidd o'r pumdegau, a Lleucu Llwyd, y prifardd o'r wythdegau. Creadigaethau o'i heiddo oedd y ddau a impiwyd ar fodau digon dinod a fodolai eisoes.

'Roedd dofi Annwyl yn haws, wrth gwrs,' parhaodd. 'Clerc mewn swyddfa twrne oedd e pan gwrddes i ag e gyntaf. Fe ddanfonodd y ffyrm i fy helpu gyda'r gwaith o roi trefn ar stad fy nhad ar ôl ei farw . . . Chi'n gweld, mae angau wedi chwarae rhan annatod yn hyn i gyd, reit o'r dechre . . . Ac o dipyn i beth fe fagodd y clerc bach diymhongar ddigon o blwc i ddechre fy nghanlyn ac i weld y gallwn i roi bywyd bach digon cysurus iddo. A maes o law fe ddangosodd ei rigyme bach pert imi. Tlws iawn oedden nhw hefyd. Swynol dros ben. Ond fe awgrymes i ambell welliant. Nes inni ddod, whap, yn un cnawd ac yn un bardd ac yn un o bopeth ar y cyd. Mewn un briodas fach deidi dros ben.'

'Rwy'n siŵr ichi wneud gwyrthie i'w hunanhyder, Mrs Price.'

'Twt! Pa hunanhyder? Doedd dim angen hunanhyder ar ddyn fel Annwyl. Ddim â fi'n wraig iddo. A'm harian i yn y banc yn gefn iddo. Annwyl oedd e, 'chi'n gweld. O ran natur ac enw. Meddal hyd yn oed. Dyn bach hollol feddal.'

'A'r lwmpyn hwn o lard briodsoch chi?'

'Ie.' Gwenodd y wraig wrth gofio. 'Ond doedden ni byth yn ffraeo, Mr Skinner,' atebodd yn slic. Rhy slic, efallai. Nid da ganddo'r gair mwys, os bu iddo'i ddeall. Ni allai Morfudd Price fod yn siŵr, ond gwelai nad oedd arlliw o wên ar ei wyneb.

'Fe fuoch chi'n disgwyl yn hir am rywun mor dwp â'm chwaer i i barhau'ch gêm fach brydyddol?'

'O! Rŷch chi'n camddeall yn ddybryd os ŷch chi'n meddwl imi gynllwynio hyn i gyd. Dim byd o'r fath. Wrth gwrs, roedd yr awen yn dal i alw weithie ar ôl imi golli'r gŵr, ac rown i'n cadw pob cerdd yn saff, ond es i eriôd i chwilio am ffynhonnell newydd o glod. Dim ond digwydd dod i 'mywyd i wnaeth Lleucu. Fel y 'fedwen arian ir' honno ddaeth i Eryri 'slawer dydd. Yn llawn goleuni. Ond yn ferch i frenin oedd â'i goron yn y llaid.'

'Sut ddaru chi 'i lladd hi?'

Tynnodd y cwestiwn y rhwysg o siarad gwag y weddw. Ochneidiodd. Trodd at y ffenestr. Y llenni coch drud yn ffrâm o dân i'r coed noeth a dyfai yn y stryd. Onid gwell oedd marw nawr nag aros tan y gaeaf?

'Fe wnes i drefniade . . . I ddyn ddod tra byddwn i i ffwrdd . . . Prin fod angen imi'ch darbwyllo chi o fodolaeth dynion o'r fath.'

Gwenodd Aaron mewn sioc ac anghrediniaeth. Trosglwyddwyd allwedd. Trosglwyddwyd cyfarwyddiadau. Trosglwyddwyd arian sychion am y drafferth.

'Mi fydd yn rhaid talu'r pwyth,' ebe Aaron ymhen hir a hwyr. 'Fe wyddoch chi hynny?'

'Ydy fy nghyffes i'n rhoi'r fuddugoliaeth i chi?'

'Mae bywyd yn talu am gymryd bywyd, yn fy nghyfiawnder i.'

'Wela i! A'ch cyfiawnder chi yw'r un i'w ddilyn, wrth reswm. Ddaw Lleucu byth yn ôl, 'chi'n gw'bod. Dial neu beidio!'

'Mae hi'n ôl yn barod,' dadleuodd Aaron. 'Enaid! Yr enaid.'

'Nid dod yn ôl y bydd yr allanolion. Fydd y rheini byth yn darfod. Pensilie pobol. Llyfre. Dodrefn. Gwasgerir y rhain, ymysg cyfeillion a pherthnase. Y pethe 'ma rŷn ni'n eu galw'n gyrff yw'r unig bethe sy'n diflannu am byth.' Ochneidiodd eilwaith, ei blinder yn gaeth o fewn ei harfbais rydlyd. 'Beth

173

etifeddoch chi o'i heiddo, Aaron? Yr enaid bondigrybwyll? Yr awen glwc? 'Chi'n gw'bod yn y bôn, cystal â fi, na ddaw neb i lefen dros anlwc brawd bardd.'

'Ga i roi terfyn ar y twyll?'

Yn ei law, pan droes Morfudd Price i'w wynebu drachefn, roedd y gwn a welodd unwaith o'r blaen. Y tro hwn fe'i hanelwyd yn bendant i'w chyfeiriad. Cyflymodd ei chalon, gan sioc y gweld yn hytrach na chan fraw yr oblygiadau.

'Do'n i ddim yn Iolo arall, 'chi'n gw'bod,' ebe hi mewn ymgais wan at amddiffyniad. 'Na Bacon. Na Keating.'

'Chi laddodd fy chwaer, Mrs Price. Bydd yn rhaid ichi farw.'

'Ond pam na adewch chi'r cwbwl i mi? Rwy'n giamstar am drefnu marwolaethe.'

Troellodd Aaron ei arf yn araf rhwng ei ddwylo. Adnabu ôl yr esgid. Roedd hi'n perthyn i Lleucu Llwyd.

'Does 'na ddim ymddiriedaeth rhyngon ni,' dadleuodd y gŵr.

'Fe af i, Aaron. Toc. Yn fy amser fy hun. A fydd 'na neb i godi bys atoch chi. Meddyliwch am deimlade'r fenyw 'na rŷch chi am ei phriodi. Whare teg! Chaiff hi fawr o'ch cwmni chi a chithe yn y jael am fy llofruddio i.'

'Fydd 'na neb i w'bod. Rydw inne'n hen law ar ambell agwedd o'r gêm 'ma, cofiwch. Fel dinistrio pob tystiolaeth. Dyw'r car ddim wedi'i barcio o flaen y tŷ, er enghraifft. Fydd 'na neb ar y stryd wedi talu sylw i mi wrth ddod at y drws.'

'Ond serch hynny, does 'na neb wedi marw o'ch plegid chi eto, o's e? Ydy cydwybod ddilychwin ddim yn apelio? Y ddalen lân? Hen syndrom ddigon ystrydebol, rwy'n gw'bod, ond beth wna i mor hwyr â hyn yn y dydd?'

Pe plediasai'r gwir, nid oedd am farw yno yng ngŵydd ei chasgliad o lyfrau a chreiriau. Yr oedd yr ystafell hon yn rhy fyw gan gysegredigrwydd creu i fod yn dyst i farwolaeth.

Peth ymarferol oedd darfod. Cwbl naturiol. Cam arall ar y daith. Fel bwyta neu garthu neu ymolchi. Gweithgarwch y gegin a'r ystafell ymolchi. Ystafelloedd yn llawn offer yn hytrach na chelfyddyd. Cyfleustra yn hytrach na cheinder. Fe fynnai gael marw mewn ystafell o'r fath.

Yr oedd ei chreu ar ben. Aethai'n rhy hen ac yn rhy flinedig. Er bod swyn o hyd yng nghyfaredd y clod, ni allai mwyach stumogi'r siom. A gwyddai o'r foment y gwelsai ef gyntaf erioed yn angladd Lleucu fod hwn yn wahanol.

'Rŷch chi'n fenyw rhy beryglus imi'ch cymryd ar eich gair.'

'Ond dyna'r unig beth y mae'n ddiogel ichi fy nghymryd i

arno. Geirie fuodd fy mhethe i eriôd. Dewch! Gadewch inni daro bargen. Fe fydda i wedi mynd rhwng hyn a'r Nadolig.'

Ni feddalodd y galon galed ym mynwes Dafydd Aaron Skinner ond dywedai'r gwleidydd ynddo wrtho am dderbyn y cynnig a rhoi heibio'i wn.

Cymerai fod cytundeb rhyngddynt. Ac fel proffwyd union-gred deisyfai'r dydd y câi glywed fod cyfiawnder wedi'i gyf-lawni. Canys nid oedd y seiniau hyn rhyngddynt ond megis arwyddion. A gwyddai y dôi dydd pan wneid pob gair yn gnawd, gyda'i ysbryd a'i enaid ef ei hun. Ac o'r cyfryw atodiadau hyn fe godai awen newydd eto. A phob awen yn ei thro yn esgor ar eiriau newydd. A'r geiriau'n chwilio am ystyron.

Canodd yn iach iddi a chamu allan i'r stryd er mwyn cerdded yn ôl at ei gar.

*Gorwedd rhisgl y cyff yn flychau atseiniol ar hyd a lled y wlad. Fel cof-golofnau a wnaed o sglodion nadd y pren. Boed y dehongliad yn un o goed. Neu o awen. Neu o hanfod ein bod. Y crafion a wêl yn awr wrth i'r haul fachlud ar y briddinas yw gweledigaeth olaf y siafins ar y stryd.*

*O dan ei draed gall glywed crensian y dail. Ond gŵyr fod y coed yn dal i dyfu, yn fud yn rhywle arall.*